CLASICOS CASTELLANOS

FEIJÓO

y Montenegro,
Benito Jerónimo

TEATRO CRÍTICO UNIVERSAL

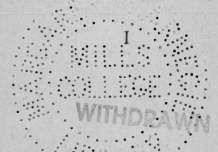

I

SELECCIÓN, PRÓLOGO Y NOTAS POR AGUSTÍN MILLARES CARLO

MADRID
EDICIONES DE "LA LECTURA"
1923

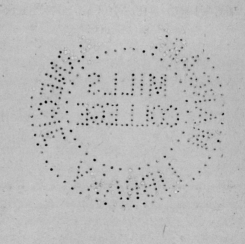

PRÓLOGO

I

Fray Benito Jerónimo Feijóo y Montenegro nació en Casdemiro, lugar de la parroquia de Santa María de Melias (obispado de Orense), el día 8 de octubre de 1676. Fueron sus padres don Antonio Feijóo Montenegro y Sanjurjo y doña María de Puga Sandoval Noboa y Feijóo. Del primero habló nuestro biografiado en el tomo cuarto de su *Teatro Crítico* (1), presentándonoslo como hombre de aficiones poéticas y prodigiosa memoria. "Era dotado —escribe— de una memoria facilísima en aprender, y firme igualmente en retener... Era facilísimo en la poesía. Vile varias veces dictar dos y tres hojas de muy hermosos versos sin que el amanuense suspendiese la pluma ni un instante."

---

(1) Discurso XIV, núm. 23.

Hizo Feijóo sus primeros estudios de
Filosofía en el Real Colegio de San Este-
ban de Rivas de Sil, y en 1690, cuando
contaba catorce años de edad, tomó el hábito de San Benito en el Monasterio de
San Julián de Samos, renunciando, como
primogénito de su casa, a la sucesión en
un mayorazgo que sus progenitores venían
disfrutando. Concluídos sus años de estudio en los Colegios de la Orden y cediendo
al mandato de sus superiores, pasó en 1709
a enseñar Teología al Monasterio de San
Vicente de Oviedo, que había de ser su residencia habitual. En 27 de septiembre del
mismo año obtuvo el grado de licenciado
en Teología por la Universidad de Oviedo
y, poco después, en 7 de octubre, fué admitido a los ejercicios necesarios para ob-
tener el de doctor. Desde 7 de marzo de
1710 hasta 25 de octubre de 1721 desempeñó en la citada Universidad la cátedra
de Santo Tomás. En esta última fecha fué
encargado de la enseñanza de Sagrada Escritura, nombrándosele en 13 de junio de
1724 catedrático de Vísperas de Teología,
cargo del que se jubiló unos años más tarde. A pesar de esta circunstancia, solicitó
y obtuvo por Real provisión de 9 de no-

viembre de 1736 ser admitido a las oposiciones a la cátedra de Prima, que regentó desde 18 de junio de 1737 hasta 13 de mayo de 1739, en que se le concedió definitiva jubilación "para reparo de su salud" (1). De los cargos que dentro de su Orden desempeñó nos habla el mismo Feijóo con ocasión de responder a los ataques de que le hizo víctima don Jaime Ardanaz y Centellas en su *Tertulia histórica y apologética* (2): "Sobre las obligaciones del estado religioso que profeso se me añaden las de los muchos honores que he debido a mi religión, quien me dió el grado de maestro general suyo, la prerrogativa de voto perpetuo en sus Capítulos generales y me hizo dos veces abad de este colegio; a más de esto se me ofreció una vez la prelacía de mi insigne Monasterio de San Julián de Samos y otra la de San Martín de Madrid, no queriendo yo azetar ni una ni otra como consta a toda la Religión. Sepan esto... los señores tertulios y añádan-

---

(1) Los documentos en que constan estas noticias se conservan en el Archivo universitario de Oviedo. Cf. Canella Secades, Fermín, *El Padre Feijóo*, artículo publicado en *La Ilustración Gallega y Asturiana*, 1879, págs. 2-4, y reimpreso con adiciones en sus *Estudios asturianos (Cartafueyos d'Asturies)*. Oviedo, 1886, págs. 149-167.

(2) Vid. *Apéndice*, núm. 65.

lo a lo que ya les dijo el padre Sarmiento
para que otra vez no se pongan a escribir
con tanta confianza que yo no dexaría la
vida de prelado por la vida de un particular" (1). Su acendrado amor a la ciudad de
Oviedo le hizo desdeñar otros cargos que
le hubiesen obligado a residir fuera de ella.
Cuando en 1725 se trasladó a Madrid con
objeto de preparar la edición del tomo primero del *Teatro Crítico,* fueron inútiles
los ruegos de Campomanes, Sarmiento y
otras personas para persuadirle a que acep-
tara el cargo de Abad del Monasterio de
San Martín. En el mismo año afrecióle Felipe V, por conducto de su confesor, uno
de los primeros obispados de América, con
resultado igualmente negativo. Noticia de
interés para la biografía literaria del
insigne benedictino es la de que, al con-
cebir el padre Sarmiento, entre otras ta-
reas, la de traducir al castellano el *Diccionario histórico de Moreri* "no con traducción servil, como hoy se usa, sino con traducción crítica purgándole de varios errores, fábulas y contradicciones de que abunda" (2), propuso a sus superiores que el

---

(1) *Teat. Crít.,* t. V, prólogo.
(2) *Carta al general de la Congregación benedictina, so-*

padre Feijóo se trasladase a la Corte para
encauzar las energías y dirigir los trabajos
de los monjes que habían de hacerse cargo
de la material ejecución del proyecto. La
resistencia de Feijóo a abandonar el Monasterio de San Vicente malogró los pro-
pósitos de su compañero de hábito.

De otros honores recibidos por Feijóo
en épocas diversas de su vida nos han de-
jado noticia sus biógrafos, especialmente
los padres Noboa (1), Uría (2) y don Alon-

---

bre la formación de una colección diplomática. Obras manuscritas de Sarmiento. Biblioteca del Museo de Ciencias
Naturales. Vid. Marcelino Gesta y Leceta: *Índice de una
colección manuscrita de obras del reverendísimo padre fray
Martín Sarmiento, benedictino, seguido de varias noticias
biblio-biográficas.* Madrid, 1888, 4.º, pág. 37, núm. 78.

(1) *Oración fúnebre en las exequias que en 22 de enero
de 1765 celebró el Real Monasterio de San Julián de Samos a su hijo fray Benito Feijóo.* Madrid, Manuel Martín,
1765, 4.º

(2) *Breve exposición del grave sentimiento con que
el Real Colegio de San Vicente de Oviedo... lamentó la
muerte del ilustrísimo señor don fray Benito Jerónimo de
Feijóo.* Salamanca, Imprenta de Antonio Villagordo y Al-
caraz [1764], 4.º. Contiene este folleto una relación minu-
ciosa de la vida privada, enfermedad, muerte y entierro
del padre Feijóo y termina con el sermón de fray Benito
Uría, del convento de San Martín de Santiago, general de
su Religión y obispo de Badajoz. Para las exequias fúne-
bres que el convento de San Vicente celebró en memoria de Feijóo, escribió una serie de *Epitafios, jeroglíficos,
canciones y motes* el famoso cura de Fruime don Diego
Antonio Cernadas y Castro. Vid. el tomo V de sus *Obras
en prosa y verso.* Madrid, 1780, 4.º, págs. 1-32.

so Francos Arango (1), en las oraciones
que pronunciaron con motivo de su falle-
cimiento. Acaso el más significativo de todos sea el nombramiento de Consejero con
que le agració en 1748 Fernando VI, ha-
bida cuenta de la general aprobación y
aplauso que sus obras habían merecido a
la República literaria (2).

La fama de Feijóo dentro y fuera de su
patria fué considerable. Sus impugnadores y defensores, al dar origen a una de las
más encendidas polémicas del siglo XVIII,
contribuyeron a difundir sus escritos y a
acrecentar su celebridad. El mismo confiesa en el prólogo al tomo V de su *Teatro,*
que ve "volar glorioso su nombre, no sólo
por toda España, sino por casi todas las
naciones de Europa". La celda que habita-
ba en su convento de Oviedo era punto de

---

(1)   *Oración fúnebre que en las solemnes exequias que
la Universidad de Oviedo consagró en el día 27 de noviembre de este año de 1764 a la inmortal memoria del ilustrísimo y reverendísimo señor don fray Benito Jerónimo
Feijóo y Montenegro... dixo el señor don Alonso Francos
Arango.* En Oviedo, por Francisco Díaz Pedregal. Año
de 1765, 4.°

(2)   El texto del decreto, fechado en 7 de noviembre,
ha sido varias veces publicado. La mejor edición es la
de Pérez de Guzmán: *Documentos históricos. Honores al
padre fray Benito Feijóo,* en *Boletín de la Real Academia de
la Historia,* t. 56 (1910), pág. 184.

reunión de las personas doctas de la ciudad, quienes acudían "para oír la lectura de
sus escritos en borrador o para demandar
consejos en asuntos de familia" (1). "Los
que tratamos al padre Maestro —escribe
fray José Pérez en su aprobación del tomo VI del *Teatro Crítico* (2)— nos parece
que cuando habla oímos declamar a un Cicerón. Habla con notable discreción, con
exacta naturalidad y con igual propiedad:
persuade lo que dice con tanta eficacia, que
todos asienten a lo que propone: es tal su
gracia en el decir, que suspende y embele-
sa a quienes le oyen." De toda España se
le consultaba en asuntos de la más varia
índole. En el prólogo a la *Ilustración Apologética,* publicada en 1729, nos habla el
propio Feijóo "de la fatiga de los correos,
que muchas veces —dice— me roba dos
días enteros de la semana, no pudiendo negarme a estimar y corresponder... a la
honra que me hacen con sus comunicacio-
nes muchos sujetos respetables y eruditos
que sólo me conocen por mis escritos" (3).

---

(1) Canella Secades, *art. cit.,* pág. 3.
(2) Publicóse en agosto de 1734.
(3) De la correspondencia literaria del padre Feijóo
muy poco se ha publicado modernamente. En la Sección
de manuscritos de la Biblioteca Nacional se conservan va-

Su celebridad en el extranjero se paten-
tiza, no sólo con los elogios y distinciones
que de diversas personalidades recibió,

rias cartas, autógrafas o copias, que el autor de estas líneas tiene preparadas para la imprenta. Algunas fueron publicadas primeramente por los destinatarios, e in-
corporadas luego por su autor a la serie de las *Eruditas*
y Curiosas. Tales son, por ejemplo, las que figuran en el
tomo V dirigidas a don José Díaz de Guitrián (números XXV-XXVIII) y a don José Rodríguez de Arellano (número XXIX), que ya se habían divulgado en el folleto *Nue-*
vo systhema sobre la causa physica de los Terremotos ex-
plicado por los phenomenos electricos y adaptado al que pa-
deció España en primero de Noviembre del año anteceden-
te de 1755. Su autor... fray Benito Gerónimo Feijóo. Puerto de Santa María. Año 1756. Ha de advertirse que la
última carta mencionada fué impresa también como dirigida, no a Rodríguez de Arellano, sino a un don Juan de
Zúñiga y a continuación de otra de éste a Feijóo,
en el librito titulado: *El terremoto y su uso. Dictamen del*
Rmo. P. Mro. Fr. Benito Feijóo, Toledo, 1756. Véase también la *Copia de Carta del P. Mro. Fr. Benito Feijóo a un*
caballero de Sevilla, en que apunta noticias sobre terremo-
tos, con ocasión del que se experimentó en 1.º de noviembre
de 1756. En Sevilla en la Imprenta de don Joseph Navarro
y Armijo, 1756, 8 págs. 4.º Otras epístolas de Feijóo publicó Mayans y Siscar en sus *Cartas morales, militares, ci-*
viles i literarias de varios autores españoles, Valencia, 1773,
t. I, pág. 430, y II, 161, reimpresas en el *Epistolario espa-*
ñol (tomo 62 de la Biblioteca Rivadeneyra), II, 153. Vid. mi
artículo *Feijóo y Mayans* en *Revista de Filología española.*
Enero-marzo, 1923, págs. 58 y sigts. El padre Méndez, en
sus *Noticias de la vida y escritos del Rmo. P. Mtro. Fr. Hen-*
rique Flórez, Madrid, 1780, dió a conocer (págs. 291-293)
una dirigida por nuestro benedictino al autor de la *España*
Sagrada. Otras cinco, acerca del paralelo entre Luis XIV
y Pedro I de Rusia (carta XIX del tomo III), se imprimieron en el tomo de *Adiciones* que en 1783 publicó en
Madrid la Real Compañía de Impresores y Libreros del

sino a vista de las traducciones que de algunas de sus *Cartas* y *Discursos* se hicieron en vida del autor y después de su muerte. El mismo padre Maestro, contestando a la afirmación del franciscano Soto-Marne (1), de que los panegiristas de su ingenio y erudición, o "eran iliteratos o meramente tenían investidura de doctos", recuerda los elogios que le prodigó el abad Franconi en la dedicatoria al embajador de Venecia de la versión italiana del tomo I del *Teatro Crítico;* inserta traducción de la carta que en 7 de marzo de 1749 le dirigió el cardenal Querini, bibliotecario del Vaticano, en la que celebraba su talento "verdaderamente admirable en la arte crítica" y alude a las tres veces que le citó Benedicto XIV en la Carta pastoral dirigida a todos los obispos del Estado Pontificio (2), exhortándoles a procurar que la música de los templos estuviese en lo sucesivo llena de gravedad y desnuda de los

---

Reino. Aunque en el impreso no se indica el destinatario, sabemos que lo fué don Agustín de Hordeñana, pues en el ms. 1715 (G. 304) de la B. N. hay copia de las cartas de este último y de las respuestas de Feijóo.

(1) En su *Justa repulsa de inicuas acusaciones,* páginas 50 y sigs. de la edición de Madrid de 1773.

(2) En 19 de febrero de 1749.

adornos superfluos de la teatral. Del aprecio que de sus obras se hacía en Francia,
habla largamente el padre Sarmiento en su
Demonstración apologética (1), y en cuanto a Portugal, si bien es cierto que le salieron impugnadores (2), no faltó quien cele-
brase su ingenio (3), pues "sabiendo que
he nacido en sus confines, me consideran
los señores portugueses como medio com-
patriota suyo y suple la pasión lo que falta
a la justicia".

De las traducciones de sus obras a otros
idiomas habló el mismo Feijóo (4), aunque
de un modo sumamente vago. Interesantes son las noticias recogidas por Morayta (5) acerca de las versiones alemanas e
inglesas posteriores a la muerte de nuestro

---

(1) Vid. apéndice núm. 80.
(2) Fray Bernardino de Santa Rosa, en su *Theatro do
mundo visivel*. Vid. apéndice núm. 97. También el arce-
diano Luís Antonio Vernei impugnó con generalidad el
Teatro crítico en su *Verdadeiro metodo de estudar para
ser util a Republica e a Igreja. Proporcionado a o estilo e
necesidade de Portugal*. Valensa, Antonio Balle, 1746, publicado con el seudónimo de *Barbadinho* y traducido años
más tarde al castellano por don José Maymó y Ribes.
(Madrid, Joaquín Ibarra, 1760, 5 vols. en 4.º)
(3) Vid., por ej., la dedicatoria del tomo IV de las *Cartas*.
(4) *Cartas eruditas*, III, 4.
(5) *El padre Feyjóo y sus obras*. Valencia (s. a.), páginas 212-216 y 238-242.

biografiado. Sólo citaremos aquí, a título
de curiosidad y por no haberlas visto men-
cionadas, la traducción al inglés de tres discursos del teatro hecha por *un caballero*
e impresa en 1778 (1) y la versión italiana
de la totalidad de los *Discursos* (2).

Transcurrió la vida de Feijóo dada
por entero al estudio, y sólo turbada por
los ataques que le movieron la ignorancia
o el despecho. Su afición a las delicias de
la lectura se evidencia con aquellas palabras que escribió en uno de sus más bellos
discursos, el titulado *Desagravio de la profesión literaria* (3). "Qué cosa más dulce
hay que estar tratando todos los días con
los hombres más racionales y sabios que

(1)   *Three Essays or Discourses on the following sub-
jects*: *A Defence or Vindication of the Women.—Church
Music.—A comparison between Antient and Modern Music.
Translated from the spanish of Feyjóo, by a Gentleman*,
London. 1778, 8.º También se cita otra traducción de varias
partes del *Teatro*, publicada entre 1777 y 1780 por John
Brett, capitán de la Marina inglesa.

(2)   *Teatro critico universale ossia ragionamenti in ogni
genere di materia per disinganno degli errori comuni*. Gé-
nova. Pizorno, 1777, 8 vols. 4.º

(3)   *Teatro crítico*, I, 7. Cuatro años antes de morir escribía en el prólogo al tomo V de las *Cartas eruditas*: "Mi
genio es tal, que me avergüenzo de estar enteramente por
demás en el mundo, aunque todos los días estoy viendo innumerables ejemplares de una perfecta ociosidad en tantos
hombres, que parece habitan la tierra no más que para dis-
frutarla."

tuvieron los siglos todos, como se logra en
el manejo de los libros? Si un hombre muy
discreto y de algo singulares noticias nos
da tanto placer con su conversación, ¿cuánto mayor le darán tantos como se encuentran en una biblioteca?" El excesivo trabajo y la fatiga mental consiguiente fueron poco a poco minando su naturaleza ro-
busta. El día 25 de marzo de 1764 le aco-
metió, estando a la mesa, un accidente que
le privó del uso del oído y habla y de la
facultad de andar. Así vivió cinco meses
más, dando pruebas de gran entereza y religiosidad, según consta de la relación del
padre Moreiras y del lego que le asistió en
tan terrible trance. "Todos los días —escribe el padre Noboa (1)— se hacía conducir a la Iglesia y allí... rezada la regular estación, hacía los más fervorosos actos de contrición y se veían destilar de sus
ojos ardientes lágrimas con que lavaba sus
culpas." En carta, probablemente inédita,
fechada en Madrid el 6 de octubre de 1764
y dirigida por el padre Sarmiento al duque
de Medina Sidonia (2), leemos que "el día

(1) *Op. cit.*, pág. 50.
(2) *Colección manuscrita citada*, tomo X, 2.ª parte, página 295.

26 de septiembre, a las tres y veinte minutos de la tarde, ha sido Dios servido de llevarse para sí al reverendísimo Feijóo, después de seis meses de enfermedad, en la qual, y hasta el último suspiro, ha edificado a todos" (1).

En presencia de una figura tan sugestiva como la del padre Feijóo, nos interesa sobremanera precisar en lo posible cuanto se relacione con su formación espiritual y primeras aficiones. Si exceptuamos la filosofía aristotélica y las especulaciones escolásticas, contenido principal de la carrera de artes y teología a que estaban reducidos a la sazón los estudios monásticos, puede decirse que en todo lo demás fué Feijóo autodidacto. Su asiduidad en el estudio y la agudeza de su inteligencia, le permitían penetrar con rapidez hasta el fondo de las cuestiones, por complicadas y difíciles que fuesen. El esfuerzo que supone la publicación del *Teatro Crítico* y de las *Cartas* sólo se explica teniendo pre-

---

(1) Afirma el padre Noboa que cuando le sorprendió la enfermedad tenía Feijóo entre manos una obra que, de haberse concluído, sería de las más estimables producciones suyas. Acaso se refiera su panegirista a la Carta que tiene por título *Convicción de un idólatra,* impresa en el tomo de *Adiciones,* de 1783.

sente su facilidad para escribir. "Del primer rasgo de su pluma —escribe el ya citado fray José Pérez— salen perfectos los discursos. No pondero. Logro la dicha de gozar de la compañía y enseñanza del autor desde que empezó a escribir; entre otros muchos y excesivos favores, le debo el señalado de que acostumbra honrar mi insuficiencia, manifestándome en el original sus escritos, según los va produciendo; y puedo... decir, salen de la primera mano con la perfección y pulimento que en la prensa se estampan... Nada escribe dos veces...; ni un ápice suele añadir a lo que una vez escribe."

Si hemos de dar crédito al ya citado padre Noboa (1), los primeros escritos de Feijóo fueron de índole poética. El anónimo autor (2) de la noticia biográfica que figura al comienzo de las ediciones del *Teatro Crítico,* a partir de la de Madrid de 1773,

(1) Op. cit., pág. 11: "Antes que supiesse las calidades de la poesía hizo excelentes versos en recomendación de la vida del campo, siendo el assumpto el mismo que después estendió en uno de sus más bellos discursos."

(2) Probablemente lo fué Campomanes. Acerca de Feijóo considerado como poeta, véase *Historia de la poesía castellana del siglo XVIII,* por don Leopoldo Augusto de Cueto, marqués de Valmar, tomo I, págs. 77-83.

formó un catálogo de las décimas, romances, quintillas, sonetos y liras debidas a la pluma de Feijóo. En la sección de manuscritos de la Biblioteca Nacional se conserva un volumen (1) que contiene la mayoría de las composiciones señaladas por el mencionado biógrafo y otras muchas que éste no cita. No es ahora ocasión de discutir si estas poesías pertenecen en su totalidad al autor de las *Cartas eruditas,* asunto que queda reservado para otro trabajo. Sólo haremos observar, de pasada, que algunas de ellas (2) no parecen obra suya, ni por el estilo, ni por el asunto. Otro tanto cabe decir del soneto dirigido *Al novísimo impugnador del Teatro Crítico que en dos tomos acaba de parecer en Salamanca* (3), pues aunque su biógrafo se lo concede, parece más bien obra del padre Sar-

---

(1) Signatura 19318. Es un tomo en 4.º de 153 hojas y letra de la época, titulado: *Poesías varias de Feijóo.* Ciento nueve composiciones atribuídas al mismo autor, contiene otro manuscrito del siglo XVIII, hoy propiedad del Museo Arqueológico de Pontevedra. Fueron, en parte, publicadas por Justo E. Areal: *Poesías inéditas del padre Feijóo,* Tuy, 1901.

(2) Por ejemplo, la titulada "A una dama que quiso engañar con un buey que se le quebró la asta pegándola con trementina", fol. 56 r. y v. del ms. citado.

(3) Se refiere a las *Reflexiones* de Soto Marne, de que luego se hablará.

miento, por atribuírsele expresamente en
la ya citada colección manuscrita de sus
obras (1).

De poesías impresas de Feijóo sólo conocemos el romance titulado *Desengaño* y
conversión de un pecador (2), las *Décimas a
la conciencia en metáfora del relox* (3) y
las que escribió *Contra el falso milagro que
se publicó en el Puerto de Santa María de*

---

(1)   Su texto es el siguiente:

"Plaza, que a plaza sale un baladrón
horrísono, feroz, descomunal,
tosco y grosero más que su sayal
duro y torcido más que su cordón.
    Su rustiquez ostenta el motilón
en mucha desvergüenza garrafal
que le enseñó toda modestia un tal
Juan Calesero, en cierto bodegón.
    Sin probar o apoyar lo que sentencia
habla gordo el mostrenco y mete bulla,
y el vil dicterio, la soez licencia
aplaude la doméstica garulla.
Pero no espere, no, su reverencia
que le creamos sólo porque aúlla.

(2)   En carta inédita a don Pablo de Zúñiga y Sarmiento, de 18 de agosto de 1750, reconoce Feijóo la
paternidad de esta poesía: "No negaré a Vmd. —escribe— que soy autor del romance *Mudas voces que del
cielo,* como lo declaran las iniciales F. B. G. F. M., puestas al fin. Escribíle habrá cosa de treinta años; pero
aunque Vmd. alaba esta composición, no dejará de conocer que tiene mucho que corregir."

(3)   *Biblioteca de Autores españoles,* tomo LVI, página 608.

haberse aparecido San Francisco de Paula sobre la sagrada hostia (1).

La primera de sus obras en prosa con fecha cierta es la *Aprobación apologética del Scepticismo Médico* del doctor don Martín Martínez, fechada en Oviedo en 1 de septiembre de 1725 (2). La causa que le movió a publicar este libro fué la siguiente: había dado a conocer en el mismo año el doctor Martínez su *Medicina scéptica y cirugía moderna con un tratado de operaciones quirúrgicas* (3) y a poco salió impugnándola don Bernardo López de Araujo y Azcárraga con su *Centinela médicoaristotélica* (4).

Defendió Feijóo a Martínez en su Apología, llamándole "hombre de sutilísimo ingenio, solidísimo juicio y admirable eru-

(1) *Adiciones a las obras de Feijóo*. Madrid, 1783, pág. 15. Cf. ms. citado, fols. 9 r. y 10 r.

(2) Reimprimióse en la edición de 1769 de la *Ilustración Apologética*. Madrid, Ibarra, págs. 191-223. Véase la nota siguiente.

(3) En la segunda edición de este libro (Madrid, Juan Rojo, 1727, 4.º) se incluyó al principio la *Aprobación Apologética* de Feijóo.

(4) *Centinela médico-aristotélica contra scéticos, en la qual se declara ser más segura y firme la doctrina que se enseña en las universidades españolas y los graves inconvenientes que se siguen de la secta scéptica pyrrhonica.* Madrid, 1725, 4.º

dición" y poniendo de relieve la mala fe de quien, como Araujo, convertía en absoluto un escepticismo circunscrito por Martínez a las cuestiones puramente físicas.

Un año más tarde, en 3 de septiembre de 1726, anunció la *Gaceta de Madrid* la aparición de un libro nuevo, titulado *Teatro Crítico universal o discursos varios en todo género de materias* del reverendo padre maestro fray Benito Jerónimo Feijóo, impreso por Lorenzo Francisco Mojados y de venta en la portería del convento de San Martín de Madrid. No se engañaba su autor al presumir que su obra suscitaría protestas e impugnaciones en gran número. Nuestro propósito no es reseñar aquí detalladamente la serie de folletos y papeles que éste y los sucesivos tomos del *Teatro* y de las *Cartas* originaron; ya lo hicieron, aunque de modo incompleto, Campomanes (1), Sempere y Guarinos (2) y especialmente Morayta, y el lector hallará como apéndice a este prólogo una lista cronológica de los mismos, que a pesar de

(1) *Noticia biográfica citada.*

(2) *Ensayo de una biblioteca española, de los mejores escritores del reynado de Carlos III.* Madrid, 1785-1789, 6 vols., III, 19-46.

ser nutrida, no aspira a agotar la materia. Por ahora, nos interesa tan sólo recoger aquellos aspectos de la polémica que más contribuyeron a definir la enérgica personalidad del padre maestro.

Uno de los discursos del tomo I, el titulado *Astrología judiciaria y almanaques,* se encaminaba a combatir la excesiva boga que habían adquirido por entonces los libros proféticos que, imitados de los italianos, corrían con el título de *Piscator.* En Córdoba publicaba el *Piscator andaluz* don Gonzalo Antonio Serrano y en Madrid veía la luz, entre otros, el llamado *Piscator de Sarrabal;* pero sin duda el más importante y leído era el *Gran Piscator de Salamanca,* que desde 1723 publicaba el ingeniosísimo don Diego de Torres Villarroel. No protestó éste del ataque de Feijóo "porque me aconsejó mi buena crianza que no hay contra un padre razón" (1), pero no pudo sufrir que el doctor Martínez diese a la publicidad su *Juicio final de la Astrología* (2), al que contestó en seguida con el divertido *Entierro*

---

(1) Carta a Barroso al frente de sus *Potsdatas a Martínez* (30 de octubre de 1726). Vid. apéndice núm. 7.
(2) Vid. apéndice núm. 58.

*del juicio final y vivificación de la Astro-
logía* (1), en que no escapó a sus ataques
nuestro Feijóo. "Hoy —dice en la dedicatoria a don Alvaro de Bazán, marqués de
Santa Cruz— escribe contra mí... [Martí-
nez] sin más motivos que acreditar las ta-
reas de un religioso desocupado que, reñido
con las estrecheces del silencio, tiene en gritos al orbe literario, en qüestion los ingenios,
en borrascas los discursos y en pendencias
y pleitos los ánimos."

Asimismo intervino Torres en la polémica promovida por los discursos referen-
tes a Medicina (2) del citado tomo I.
A poco de publicado éste escribió el doctor
Martínez su *Carta defensiva* (3), en que
analizaba sus varios discursos, mostrá-
base conforme con ellos y, dejando los de
índole médica para el final, defendía la dis-
ciplina, en que era maestro, de los ataques
de Feijóo, aunque sin negar su incertidumbre. La respuesta que nuestro benedictino
dió a esta carta (4) sitúa claramente su posición en la polémica y da su verdadero al-

(1) La dedicatoria es de 28 de febrero de 1727. Vid.
apéndice núm. 59.
(2) Especialmente el núm. 5. V. en esta edición.
(3) Vid. apéndice núm. 1.
(4) Vid. apéndice núm. 4.

cance a las apreciaciones que sobre Medicina había escrito. "Ni V. md. —escribe—
niega a la Medicina la incertidumbre, ni
yo le niego la utilidad. Lo primero consta
de la carta de V. md. Lo segundo, de mi
discurso médico, especialmente desde el número 65 en adelante... En lo que yo acaso
soy singular es en que estoy persuadido a
que para lograr la utilidad importa que
todo el mundo conozca la incertidumbre.
La verdad de esta máxima (que fué la que
motivó mi Discurso médico) se conocerá
si se ponen los ojos en los estragos que ocasiona la imaginaria seguridad de la Medicina." Creyóse aludido Torres Villarroel
al leer los ataques que Martínez dirigía a
los defensores de la Astrología como ciencia necesaria para el ejercicio de la Medicina y lanzó contra él las *Postdatas de Torres a Martínez, en la respuesta a don Juan
Barroso,* que vieron la luz en Salamanca (1). Al escrito de Torres contestó un furibundo libelo titulado *Encuentro de Martín con su rocín* (2), en el cual, tras de lla-
mársele pobre diablo, se añade que "años ha
que sus desvergüenzas tienen pasaporte y

(1) Vid. apéndice núm. 7.
(2) Vid. apéndice núm. 8.

nadie pierde cosa alguna por lo que este mequetrefe escribe, salvo el tiempo cuando lee". No es cosa fácil decidir si este folleto es o no obra de Feijóo. Una copia contenida en el manuscrito 19318 de la Biblioteca Nacional (1) lleva al fin sus iniciales; pero el estilo es de una virulencia a que el autor del *Teatro Crítico* no llegó, ni siquiera ante el ataque injustificado del padre Soto Marne. Andando el tiempo, el propio Torres hizo justicia al mérito de Feijóo y a la rectitud de su intención. En el *Diálogo entre el Ermitaño y Torres* (2), pone en boca del primero las siguientes palabras: "Aquí tengo muchos de los escritos que se publicaron contra el *Teatro Crítico Universal* y es cierto que habiéndolos pasado con reflexión, en muy pocos... encontré que sus autores se manifestasen a lo menos instruídos en las reglas de la gramática castellana: dexo aparte los reparos injustos y debilísimos argumentos con que intentaron desacreditar la crítica del Monje, impugnando sus sentencias y

(1) Folios 142 v., 148 v.
(2) La dedicatoria es de 18 de diciembre de 1733. Vid. tomo VI de sus *Obras completas*, ed. de Madrid, 1795, págs. 36 y sigs.

paradoxas. En aquel tiempo (le respondí)
se metió a escritor todo salvaje y así salieron al mundo impresas muchas bestialida-
des ofensivas de los oídos discretos... Algunos médicos enristraron la pluma para
defender su profesión y salieron sus obras
ayunas, flacas y macilentas. El Monje respondió con la carcajada y fué bastante
apología."

Que no todos los ataques de sus contradictores fueron mirados por Feijóo con
indiferencia lo prueba el que, a pesar de
su propósito, varias veces manifestado, de
no terciar en la contienda, tomáse la pluma para desvirtuar las conclusiones de algunos de ellos. Además de la respuesta,
que dió a Martínez, impresa con las dirigidas a Aquenza y Ribera, autores de los
Breves apuntamientos (1) y del *Templador
médico* (2), respectivamente, son dignas de
leerse la refutación de la *Medicina Vindicata,* del doctor García Ros (3), y la que
escribió para contestar a don Juan Martín de Lesaca. Era conocido este catedrático de Alcalá por un extravagante libro

---

(1) Vid. apéndice núm. 2.
(2) Vid. apéndice núm. 3.
(3) Vid. apéndice núm. 32.

titulado *Colyrio philosóphico aristotélico* (1), y a poco de salir el tomo I del *Teatro,* publicó un papel con el seudónimo de don Martín Pascual de Roa, en que impugnaba las ideas acerca de Medicina en aquél contenidas (2). En 1729 volvió Lesaca a tomar la pluma, ahora contra el doctor Martínez (3), publicando su *Apología escolástica* (4), en el último capítulo de la cual impugnó de nuevo al padre Feijóo,

(1) *Colyrio philosophico aristotélico thomistico con un discurso philosophico médico en respuesta de otro.* Madrid, Juan de Arzilla, 1724, 8.º

(2) Contra este papel compuso el padre Sarmiento un escrito insultante titulado *Martinus contra Martinum,* que, inédito, se conserva en el tomo I de su colección manuscrita.

(3) Ha de tenerse presente que algunos de los polemistas dirigieron sus ataques sólo contra Martínez, como consecuencia de su *Medicina Sceptica.* En 1728 se publicó el libro titulado *Triumpho del Acido y Alkali... Vindícanse de la impostura que de vanos les hace, el doctor Martínez,* su autor el doctor don Juan Sanz, médico gaditano. Sevilla 1728. Defendió a Martínez don Pedro Salinas con su *Monita Chimica secreta en favor de la Medicina Sceptica,* y se vió, a su vez, combatido por el mismo Sanz en su *Triumpho vindicado contra la medicina esceptica.* También refutó a Martínez don Vicente Gilabert en su *Escrutinio phísico-médico anatómico contra la escéptica doctrina del doctor Martínez.* Torres Villarroel, que en 1733 no había aún olvidado su polémica con Martínez, hace de Gilabert grandes elogios en *El Ermitaño y Torres,* llamándole "uno de los más sabios y afortunados médicos de la Corte" y extractando ampliamente el contenido de su libro.

(4) Vid. apéndice núm. 70.

mereciendo de éste la réplica titulada
Apéndice contra el doctor Lesaca, impresa
en el tomo IV del *Teatro,* a continuación de *El Médico de sí mismo.* Replicó Lesaca con su *Defensa de la apología escolástica* (1), y Martínez, por su parte, escribió una *Apología contra la del doctor
Lesaca,* que se publicó en 1730 (2).

Otro de los grandes ingenios del siglo XVIII que terciaron en la polémica médica, poniéndose de parte de Feijóo, fué el
famoso autor de *Fray Gerundio.* En la
primera y segunda parte de su *Colección
de papeles crítico-apologéticos,* figura entre otros opúsculos (3), el titulado *Glosas interlineales del licenciado Pedro Fernández a las Postdatas de Torres* (4), en
que se analiza y refuta, párrafo por pá-

---

(1) Vid. apéndice núm. 81.

(2) Vid. apéndice núm. 76.

(3) Estos son: la *Blanda, suave y melosa respuesta contra Aquenza* (apénd. núm. 14), la *Carta gratulatoria de un
médico de Sevilla* (apénd. núm. 11), generalmente atribuída
a Feijóo; la *Blanda, suave y melosa curación del Escrupuloso*
(apénd. núm. 16) y la *Corrección fraterna al Aquenza fingido*
(apénd. núm. 12). Ninguno de ellos llevaba el nombre de Isla
en las ediciones anteriores. Cf. Pedro Felipe Monlau: *Obras
escogidas del padre José Francisco Isla, con una noticia
de su vida y escritos.* Madrid, 1850 (tomo XV de la Biblioteca Rivadeneyra).

(4) V. apéndice núm. 10.

rrafo, el escrito del ingenioso catedrático salmantino.

Otros discursos del *Teatro* suscitaron discusiones menos importantes, en las que poco o nada intervino el padre maestro, siquiera alguno de los folletos que por entonces se publicaron revele las características de su estilo.

Natural era que en obras de tanta extensión y variedad como el *Teatro Crítico* y las *Cartas eruditas* se deslizaran de la pluma de Feijóo algunos errores de detalle, que se apresuraba a corregir en cuanto se le convencía de su existencia, ya que la sinceridad era en él "más temperamento que virtud" (1).

Pero lo que realmente maravilla es que la ignorancia y desenfado de algunos intentaran hacerle pasar por embustero, negando, si preciso era, la realidad misma. Por lo que tiene de significativo daremos de ello una prueba. A poco de publicado el tomo I del *Teatro* salió un escrito afirmando que el libro de Lucrecia Marinelli (2), citado por Feijóo en el Discurso XVI

---

(1) *Teatro Crít.*, prólogo al tomo III.
(2) *Della nobiltà ed eccellenza delle donne e delli difetti e mancamenti degli uomini.* Venecia, 1608.

era fabuloso. En vano vió la luz otro folleto probando la existencia de tal libro,
con argumento tan palpable como indicar
el sitio en que podía hallársele en la Biblioteca Real, pues en 1731 publicaba don Carlos de Montoya y Uzueta su *Crítico y cortés castigo de pluma* (1), en que se volvía a
negar realidad al libro aludido. Contestó a este disparatado librillo la *Carta del
padre Sarmiento a don Carlos Montoya,
crítico de cortesía* (2), en la cual, no sólo
refuta victoriosamente los menguados argumentos de Montoya, sino que descubre
la verdadera causa de sus ataques al *Teatro Crítico* con estas palabras: "Mientras
van y vienen respuestas vamos sacando el
real de plata a los que quisiesen leer este
célebre certamen nacional. Y así, aunque
los mirones no puedan contener la risa, les
costará su dinero; y mientras, a sombra
del padre, todos sacamos para pollas."
Palabras son estas que podrían hacerse
extensivas a gran parte de los contradictores del gran polígrafo.

---

(1) Vid. apéndice núm. 77.
(2) Vid. apendice núm. 75. Permanece inédita en su colección manuscrita. Tomo I, parte I, págs. 236-281. Véase
también *Teatro,* V, disc. 17, § 43.

La primera impugnación seria de la totalidad del contenido de los tomos del *Teatro* publicados hasta el momento de su
aparición, fué el *Anti-theatro Crítico* (1),
de don Salvador José Mañer, anunciado en
la *Gaceta* de 7 de junio de 1729. Era Mañer
hombre de no común erudición y, como
dice el autor de la *Noticia biográfica,* no
sería inútil trabajo reducir sus argumentos a una serie de notas perpetuas, quitán-
doles toda la parte virulenta, satírica o
quisquillosa que suele acompañar a las
disputas literarias de esta índole (2).

En el tomo I de su *Anti-theatro* mostrá-
base sumamente respetuoso para con su
antagonista. "Como de ordinario —escribe en el *Prólogo al lector*— se experimenta ser siempre el más atrevido el menos
considerado... dispuse tomar la pluma sobre los dos tomos de la obra: el corto vuelo de la propia me hizo conocer bien presto
el eminente remate de la otra; mas, animado con las voces que su mismo autor me

---

(1) Vid. apéndice núm. 73.
(2) Mañer había nacido en Cádiz en 1680, y tras una
larga residencia en Caracas se trasladó a la Corte, donde
logró la protección del ministro Patiño. Publicó varias
obras de carácter gramatical e histórico, y falleció en 21 de
marzo de 1751.

daba desde el prólogo de su primer tomo,
diciéndonos ser su intento proponer sólo
la verdad, procuré esforzar la mía en beneficio del público... Sólo ha sido mi dictamen someterlo al de los sabios para sacar con su enseñanza mi segura corrección... Y por lo que mira al respeto, venero las líneas con toda la reverencia que
se merece el pincel."

Fiel a su propósito siguió Mañer paso
a paso los veintidós discursos de los dos
tomos primeros del *Teatro,* examinando
argumentos y comprobando citas. Llegó el
Anti-theatro Crítico a poder de Feijóo
cuando acababa de imprimirse el tomo III
de su obra: su primera intención fué no
contestar; mas cambió de parecer el ente-
rarse privadamente de que no faltaban dentro y fuera de la corte quienes aplaudiesen
el escrito de Mañer; púsose a la obra, y
meses más tarde dió al público su *Ilustración apologética* (1), entre cuyos aproban-
tes figuraba el padre Sarmiento.

Juzgando imparcialmente, debe recono-
cerse que Feijóo no trató en su réplica a
Mañer con la consideración que éste me-

_____

(1) Vid. apéndice núm. 75.

recía. Ya en el prólogo le llama "pobre Zoylo, que nunca había hecho otra cosa que morder escritos ajenos", y se pregunta qué causas pudieron mover a escribir contra su obra a un hombre "o totalmente ignorado en la república literaria, o sólo conocido por haber escrito contra don Diego de Torres un papel (1) de estos que cualquiera escribe *calamo currente*". No contento con esto califica al *Anti-theatro* de "quimera crítica, comedia de ocho ingenios, fábrica en el aire sin fundamento, verdad, ni razón", y rechaza con creciente acritud los cargos que en él se le hacían, admitiendo sólo como error el haber confundido en uno los reinos de Siam y Bengala (2).

No tardó en responder Mañer con la segunda parte de su *Anti-theatro* (3), doliéndose en la *Dedicatoria* de verse tratado "con ultraje y con desprecio de una pluma que debió su impulso antes al enojo que al deseo de satisfacer el principal empeño", y sacando a relucir en el *Prólogo al lector*

---

(1) Refiérese al *Repaso general de los escritos de Torres,* publicado en 1728.
(2) *Teatro Crít.,* t. I, pág. 13.
(3) Vid. apéndice núm. 79.

fragmentos de ciertas cartas privadas de
Feijóo, que le acarrearon a éste desagrada-
bles diferencias, presto zanjadas con don
Gregorio Mayans y Siscar. Novecientos
noventa y ocho errores, nada menos, pretendía Mañer haber descubierto en el tomo III del *Teatro,* y como Feijóo, en el prólogo a su *Ilustración,* había dado palabra
de no continuar la polémica, salió al palen-
que, con su *Demonstración apologética,* el
padre Sarmiento. He aquí una figura que
por representativa de la corriente erudita
del siglo xviii merece que la dediquemos
siquiera unas líneas (1). No exageraba
Feijóo cuando en el Discurso XIV del tomo IV le colocaba, aunque sin nombrar-
lo, por no ofender su modestia (2), en-

---

(1) Véase: López de la Vega, *Gallegos ilustres. El sabio benedictino fray Martín Sarmiento,* en *Revista Contemporánea,* t. XIII (1878), págs. 164-179, 288-320. Ves-
teiro Torres, Teodosio: *El padre Sarmiento* en *Ilustración Gallega y Asturiana,* 1880, pág. 87 sigs. Alvarez Jiménez, Emilio: *Biografía del reverendo padre fray Martín
Sarmiento y noticia de sus obras impresas y manuscritas.*
Pontevedra, 1884. Gesta y Leceta, *Op. cit.* López Peláez,
Antolín. *El gran gallego.* La Coruña, 1895; y los artículos del mismo en *Revista Contemporánea* (1898-1900) re-
unidos y ampliados en su libro *Los escritos de Sarmiento
y el siglo de Feijóo.* La Coruña, 1901, 8.º
(2) Declara el nombre de la persona a quien se refería
en el *Prólogo al lector* del tomo V.

tre los mayores ingenios de su época, cali-
ficándolo de "milagro de erudición en todo
género de letras, divinas y humanas" (1).
Desde 1728 estaba encargado Sarmiento
de corregir los tomos del *Teatro Crítico* y
de formar sus índices, según declara él
mismo en el *Catálogo de los pliegos* que llevaba escritos hasta el día 28 de noviembre
de 1767, curioso autógrafo, no aprovecha-
do hasta ahora, que se conserva en la Biblioteca Nacional entre los papeles que fueron de Gayangos (2). "El año de 1731 —escribe— salió la *Réplica satisfactoria* de un
tal don Salvador Mañer, contra el *Theatro,*
Ilustración y mi aprobación. No quise ver
ni comprar esos dos tomos en 4.º asta
que el vulgo los leyesse y cacareasse. A 1.º
de octubre los compré yo; vi, leí y hize
apuntes (3) para ridiculizarlos e impugnar-
los. A primeros de marzo de 732 ya pre-

---

(1) La única obra que se publicó en vida de Sarmiento
es la *Demostración crítico-apologética.* Los benedictinos de
San Martín, de Madrid, editaron en 1775 sus *Memorias
para la historia de la poesía y poetas españoles.* Madrid,
Joaquín Ibarra, 4.º Algunos de sus opúsculos han visto la
luz en diversas revistas españolas o en folletos especiales.
   (2) Sección de manuscritos. Sign. 17642.
   (3) Deben ser los *Apuntamientos para exornar el Theatro Crítico del P.e M.º Feixoo* que se leen en el tomo II,
2.ª parte de su Colección manuscrita (págs. 68-73).

senté al R.ᵐᵒ General, para lizencia, todo el material de mis dos tomos... Y viendo que no avía fundido letra nueva para imprimir, tomé el arbitrio de ir poniendo en limpio el primer original; y *así escribí dos vezes mis dos tomos*: *el que está impresso* (1) *y el primer original que conservo y es muy diferente del impresso*." El esfuerzo que representan los dos tomos de la *Demostración* es realmente admirable: no hay concepto del teatro y de su impugnador que Sarmiento no examine, ni frase que no ilustre, ni cita que no compruebe, prestando con ello a Feijóo y a su época inestimable servicio. En vano contestó Mañer con su *Crisol Crítico* (2), publicado tras de no pocas dificultades: el *Teatro,* del que a poco vería la luz el tomo VI, triunfaba incólume de tantos y tan repetidos ataques, y el propio Mañer —si ha de darse crédito al autor de la noticia biográfica— acababa por reconocer su mérito y por vivir, en adelante, estimando respetuosamente al padre maestro.

Pasemos por alto el *Teatro Anticrítico*

---

(1) Se puso a la venta en 23 de diciembre del mismo año.

(2) Vid. apéndice núm. 83.

Universal (1), de don Ignacio Armesto y Ossorio, de cuyas intención y finalidad habló acerbamente Iriarte en el *Diario de los literatos* (2), y ocupémonos con brevedad del más furibundo ataque que hubo de sufrir el padre Feijóo. Descansaba éste tranquilo y colocado ya, al parecer, al abrigo de toda impugnación; a los nueve tomos de *Discursos,* habían seguido los dos primeros de *Cartas,* cuando en mayo de 1749 vieron la luz en Salamanca unas *Reflexiones críticoapologéticas* (3) del franciscano fray Francisco de Soto y Marne, persona, a juzgar por los títulos que ostentaba, de las más calificadas dentro de su Orden (4). No alcanzamos a adivinar las causas que le

---

(1) Vid. apéndice núm. 90.
(2) Tomo II, artículo XIX.
(3) Vid. apéndice núm. 104.
(4) Literariamente era conocido por una disparatada colección de Sermones titulada *Florilogio sacro que en el celestial ameno frondoso Parnaso de la Iglesia riega (mysticas flores) la Aganipe Sagrada, fuente de gracia y gloria de Christo. Dividido en discursos, panegyricos, anagógicos, tropológicos y alegóricos, fundamentados en la Sagrada Escriptura.* Salamanca, Antonio Villarroel y Torres, 1738, fol. A poco de publicadas las *Reflexiones* pidió Feijóo a su amigo don José Cevallos que le remitiese el *Florilogio;* el juicio que de él formó fué, naturalmente, desfavorable. "Los días pasados —escribe— recibí... el disparatado *Florilogio,* que mejor se podría llamar *Floriloco,* del buen Soto Marne..." (Carta inédita a Cevallos. Bibl. Nac., Ms. 1057, fol. 28 r.)

movieron a escribir contra Feijóo; sus *Reflexiones* no merecerían el menor recuerdo de no haber dado motivo a nuestro autor para escribir su *Justa repulsa de inicuas acusaciones* (1), briosa defensa, rebosante de indignación y amargura, que no sorprende en un anciano de setenta y tres años, débil en lo físico pero pletórico de entereza moral. Proponíase Soto Marne, además de impugnar la totalidad de la obra de Feijóo en las nueve reflexiones con que comienza su libro, romper una lanza "en defensa de las milagrosas flores de San Luis del Monte; de la constante pureza de la fe, admirable sabiduría y utilísima doctrina del iluminado doctor y esclarecido mártir el beato Raimundo Lulio; de la gran erudición y sólido juicio del clarísimo doctor el venerable fray Nicolao de Lyra; de la famosa literatura y constante verdad histórica del ilustrísimo y venerable fray Antonio de Guevara" (2). Feijóo rechazó con

(1) Vid. apéndice núm. 106.
(2) Con el disimulado propósito de probar que las opiniones de Feijóo acerca de Guevara eran un plagio de las contenidas en las tres cartas que el bachiller Pedro de Rúa o Rhua escribió al obispo de Mondoñedo, sacó éstas a luz por segunda vez, con el título de *Cartas censorias y prudente crítica,* don Felipe Ignacio Montero, profesor

gran energía y copia de argumentos las afirmaciones de su antagonista acerca de los tres últimos puntos, poniendo de manifiesto la puerilidad y ningún fundamento de sus escrúpulos. En cuanto a la famosa cuestión del supuesto milagro de las florecillas (1), contentóse con remitir al lector al tomo II de sus *Cartas,* en el cual dejó probada la falsedad de tan decantado prodigio, como "consta plenísimamente de la información auténtica que de orden del ilustrísimo señor don Juan Avello, obispo de Oviedo, hizo su provisor don Policarpo de Mendoza desde el día 16 al 21 de agosto de 1744 y se conserva en el Archivo episcopal de esta Iglesia" (2).

de Filosofía y Letras humanas (Madrid, Manuel Fernández, 1736, 4.º), afirmando en el prólogo no haber faltado moderno "que valiéndose del trabajo de Rhua, representó al mundo en su *Universal Theatro* la censura que éste dejó estampada contra las obras de aquel reverendísimo prelado". El pensamiento de Feijóo acerca del *Arte magno de Lulio* (vid. principalmente Cartas, núm. XXII del tomo I) había sido ya refutado por la *Apología de Lulio,* de los capuchinos Tronchon y Torreblanca (vid. apéndice número 99), y por el *Liber apologeticus,* de Fornés (1746; vid. apéndice núm. 101).

(1) Vid. *Obras escogidas de Feijóo,* tomo LVI de la Biblioteca Rivadeneyra, págs. XII-XVII, y Morayta, op. cit., págs. 96 y sigs.

(2) Soto Marne no pudo contestar a la justa repulsa por habérselo prohibido el Consejo por Real orden de 23 de junio de 1750, decisión que unos acogieron con agrado

II

Dos fines principales perseguía el padre
Feijóo con la publicación del *Teatro* y de
las *Cartas*: introducir doctrinas nuevas en
algunas materias y desterrar de otras errores y preocupaciones comunes. Grande era
el empeño, si se tiene presente la realidad
española de entonces, y justo es reconocer
que Feijóo logró darle cima de modo sa-
tisfactorio. Ningún aspecto de la actividad
intelectual humana (Filosofía, Literatura,
Teología, Medicina, Historia, Ciencias naturales, Matemáticas, Geografía, Política,
Artes, etc.) escapó a su curiosidad, de donde
se origina que cualquier intento de clasi-
ficación metódica del contenido de su obra
habría de resultar forzosamente arbitrario.
Así lo reconoció el propio autor al escribir (1) que muchos de los asuntos objeto

y otros con recelo. En vano intentó Soto hacer valer su
indiscutible derecho a replicar, presentando al efecto a
S. M., en 1750 y 1751, sendos Memoriales en que apro-
vechaba argumentos y materiales que sin duda tenía destinados para el prohibido tomo de sus *Reflexiones*. Acerca
de la controversia que estos nuevos escritos suscitaron,
vid. apéndice núms. 107-112.

(1) Prólogo al tomo I. V. pág. 85 de esta edición.

del *Teatro* eran, dada su variedad y extensión, "incomprehensibles debajo de facultad determinada, o porque no pertenecen a alguna o porque participan igualmente de muchas". Sólo movieron su pluma el amor a la verdad y el generoso deseo de sembrar en los espíritus ideas nuevas y normas de conducta más humanas. Despreciando el socorrido tópico de llamar *airos infectos del Norte* a toda extraña influencia, recomendó con empeño la lectura de libros extranjeros. Como observa atinadamente Federico de Onís (1), la conciencia de la miseria intelectual de España nació en el padre Feijóo del conocimiento ·de la cultura de otros países, a diferencia de lo ocurrido con Torres Villarroel, que hubo de comprenderla al ponerse en contacto con las realidades nacionales. Dentro del siglo XVIII, siglo de ideas y de curiosidad hacia las cosas de todo orden, Feijóo se destaca por ofrecernos precisamente tales características; en este sentido, no puede negarse su valor literario que, considerado en absoluto, pudiera, a más de uno, parecer escaso. Del campo de sus estudios sólo exclu-

---

(1) *Torres Villarroel. Vida.* Ediciones de *La Lectura.* Introducción, págs. XVIII-XIX.

yó nuestro biografiado las cuestiones que eran objeto de controversia por parte de varias escuelas y de modo especial las teológicas. En todo aquello que no tocaba a la religión y dogma católicos, no reconoció otros criterios que los de razón y experiencia; guiado por ellos, sin pasión ni parcialidad, y puesta la vista en el bien de sus conciudadanos, supo examinar los hechos, pesar las razones y deducir las consecuencias pertinentes. Fué su crítica, en una palabra, "un recto y discretivo juicio de los dichos, hechos y obras de los hombres, que, exceptuando las intenciones, regalía del corazón humano, se parece mucho al juicio de Dios; y así no es dable ciencia alguna que sea más universal" (1).

Fiel a su propósito, procuró realizarlo en la medida de sus fuerzas, sin que le arredrasen amenazas ni calumnias (2). Si los

---

(1) Así la definió el padre Antonio Cordoniú, S. J., en su libro *Dolencias de la Crítica* (Gerona, 1760, 8.º), uno de los mejor pensados y escritos de su época. El autor —que dedicó su obra al padre Feijóo— había publicado a fines de 1749 su *Indice de la philosophia moral christiano política dirigido a los nobles de nacimiento y espíritu,* elogiadísimo por Feijóo en la Carta XXIX del tomo III y reimpreso con adiciones en 1753 (Gerona, Antonio Oliva, 4.º).

(2) "No sé si a otro escritor —escribe en el prólogo a la *Ilustración apologética,* habrá sucedido el que procura-

ataques de la envidia y de la ignorancia le
aceleraron la muerte al doctor Martínez,
Feijóo se mantuvo sin herida alguna en la
brecha (1), y al término de su carrera literaria hallaba frases para disculpar "a los
que en vez de agradecerle los desengaños
como beneficios, procuraron rebatirlos como ofensas" (2).

La posteridad tendrá que agradecerle
siempre el que, dando de mano a los estudios teológicos (3), se consagrase por ente-

sen aterrarle con cartas anónimas llenas de amenaza. Mas
no por eso temas que, trémula con el pavor la mano, deje
caer la pluma." Vid. en *Teatro,* tomo VIII, disc. 5, el texto y refutación de la carta en que un titulado teólogo español intentaba presentarle como un atrevido reformador religioso. Acerca de la denuncia presentada a la Inquisición
de los núms. 74 y 75 del disc. XI del tomo VIII, véase
el manuscrito 5855 (antes q 203), en el que consta que la
emulación y envidia de ciertos frailes "hicieron delación
algunas veces de varios puntos de la obra del *Teatro Crítico,*
y alguna vez (sobre un punto historial) tan seguida, que
no lográndola en España, fueron con ella a Roma, donde
también tuvieron repulsa". Manuscritas quedaron las dos
Explicaciones que acerca del sentido de los mencionados pá-
rrafos escribió Feijóo. El lector puede verlas en el códi-
ce citado de la Nacional o en la parte I del tomo I (folios 286-329) de las obras manuscritas de Sarmiento. Acerca de otras copias, vid. Marcelo Macías: *Elogio del sabio
benedictino fray Benito Gerónimo Feijóo.* La Coruña, 1887,
págs. 55-56.

(1) *Cartas eruditas,* tomo II, núm. 23.

(2) Dedicatoria a Carlos III del tomo V de las *Cartas.*

(3) Sus contrarios le representaban esta clase de trabajos como la única propia de su estado religioso. To-

ro, durante treinta y cuatro años, a la ardua tarea de componer el *Teatro* y las *Cartas*. La originalidad de estas obras reside,
a nuestro juicio, en su finalidad misma y
en su amplitud. "Di lo que quisieres —escribe dirigiéndose en el prólogo al tomo IV
del *Teatro,* no al lector discreto y pío,
sino al ignorante y malicioso—, no podrás
negarme la novedad de esta obra, la cual
me da el carácter de autor original... Tampoco podrás negar que el designio de impugnar errores comunes, sin restricción de
materias, no sólo es nuevo, sino grande."
Y que tenía razón lo demostró cumplida-
mente al poner de relieve en la *Justa repulsa* la mala fe de Soto y Marne, que le echa-
ba en cara haber plagiado ciertas obras (1)
que el contradictor sólo conocía por haberlas citado el propio Feijóo. Celoso de su
prestigio hiriéronle en lo vivo acusaciones

---

rres Villarroel (*Carta a Barroso* al frente de sus *Postdatas* (apénd. núm. 7) escribe: "En menos tomo le hubiese yo
respondido al padre; pero agradezca su Rma. esta reverencia; y como yo sé muy bien... que todo lo que escribe es ajeno a las autoridades de su obligación, dejé
pasar como entretenimiento las mal vertidas cóleras de
su ignorancia." Vid. *Teatro,* IV, prólogo. Escribió, sin
embargo, acerca de materias teológicas, según nos dice
su panegirista Noboa, y aún tuvo el proyecto de componer una *Historia de la Teología.* (Cfr. Carta X del t. IV.)
   (1) Vid. Morayta, op. cit., pág. 57.

de esta especie, y supo defenderse con energía de quienes le presentaban como un vulgar plagiario de las *Mémoires de Trevoux*
o del *Journal des Savants,* sólo aprovechados por él "para enriquecer la memoria de
especies" (1).

La competencia y el espacio nos faltan
para hacer un examen detallado de la obra
total de Feijóo. Tal tarea había de ser, por
lo demás, poco útil, pues no hay análisis
capaz de sustituír la lectura del original.
Nos limitaremos, por tanto, a subrayar algunos aspectos del pensamiento feijoniano y a poner de relieve el valor e influencia
positivos que tuvo su obra en los tiempos
que siguieron a su muerte.

Conocedor Feijóo del lamentable atraso de la enseñanza en España, propugnó
su reforma en varios notables *Discursos*
del *Teatro* (2). La experiencia adquirida
en sus años de estudiante y de maestro le

---

(1) Ardanaz y Centellas en su *Tertulia histórica* (apéndice, núm. 65), y don Francisco Antonio de Texeda en
Carta que envió a las Memorias citadas y que Feijóo reprodujo y refutó en el tomo V del *Teatro,* disc. VII. núm. 73.

(2) Especialmente en los titulados: *De lo que conviene quitar en las Súmulas* (VII-11); *De lo que conviene
quitar y poner en la Lógica y Metafísica* (VII-12); *De lo
que sobra y falta en la Física* (VII-13). *De lo que sobra
y falta en la enseñanza de la Medicina* (VII-14).

llevó a combatir el abuso de las disputas verbales en las aulas (1), y ese excesivo amor de la propia opinión que antes de confesar noblemente el error, prefiere echar mano de toda clase de sofismas para persistir en él. Los argumentos de autoridad (2) no tienen a sus ojos ningún valor en la esfera de las cosas científicas. "Por grandes, por eminentes —escribe— (3), por sublimes que sean o hayan sido la doctrina y santidad de los escritores..., no por eso se ha de tener por cierto lo que hayan escrito. Será, por consiguiente, lícito apartarse de su sentir en una u otra cosa cuando la razón nos persuade lo contrario." En este particular se muestra secuaz decidido de las doctrinas semejantes expuestas por fray Melchor Cano en su tratado *De locis Theologicis,* y al reproducirlas en castellano defiende con elocuencia el imperio de la razón, que sólo debe inclinarse reverente ante las cuestiones definidas por la Iglesia Católica, "que yo —dice— venero y abrazo como verdades sacratísimas"'(4).

(1) VIII-1.
(2) VIII-4.
(3) Ibid., núm. 8.
(4) No creemos necesario insistir en este punto de la catolicidad de Feijóo; ella se muestra en toda su obra y

Las disciplinas más descuidadas en las universidades eran, sin duda, las relacionadas con las ciencias matemáticas y físiconaturales. "Entro en esta materia —dice al comienzo de sus *Paradojas matemáticas*— (1) con el preciso desconsuelo de no poderme dar a entender bastantemente a la mayor parte de los lectores. Son en España tan forasteras las matemáticas que, aun entre los eruditos, hay pocos que entiendan las voces facultativas más comunes." Ejemplos elocuentes de este atraso nos proporciona en su *Vida* don Diego de Torres Villarroel, con referencia a la Universidad salmantina, cuya cátedra de Matemáticas, ganada por él en reñida oposición, estuvo sin titular más de treinta años y sin enseñanza más de un siglo.

La Teología reinaba como ciencia madre de las demás, y suaristas y escotistas llevaban el ardor de sus estériles disputas a tal extremo, que la Universidad de Zaragoza (2) hubo de prohibir a los primeros la asistencia a los cursos de sus contrarios en

especialmente en los núms. 30 y sigtes. del discurso 5 del tomo VIII.

(1) *Teatro*, III-7.

(2) Cfr. G. Borao. *Historia de la Universidad de Zaragoza*. Zaragoza, 1869, pág. 67.

evitación de graves tumultos. El Marqués
de la Ensenada, en su *Informe* de 1752, hacía saber a Fernando VI que no existía una
sola cátedra de Física experimental, ni de
Anatomía y Botánica, ni mapas exactos del
reino, ni artistas capaces de grabarlos.
"En una palabra —escribe Campoma-
nes—: las cosas habían llegado a tal descuido y desorden, que se puede decir sin exa-
geración que faltaba todo." La Universidad salmantina, por algunos pomposamente
llamada "trono de la sabiduría", cerraba
sus puertas a toda reforma y por boca de
fray Bernardo Manuel de Ribera se oponía
a la creación de una Academia de Matemáticas, planeada por Torres, y a que en Zaragoza se instaurase la del *Buen gusto,* lau-
dable propósito del Conde de Fuentes.

Atento al remedio de tantos males, pro-
clamó Feijóo la necesidad de huír de las
abstracciones, y propuso como único método seguro para las ciencias físiconaturales,
el experimental y de observación. "No pretendo yo —afirmaba (1)— que no se lea en
las escuelas la doctrina de Aristóteles en

---

(1) *De lo que sobra y falta en la Física. Teatro,* VII-13,
núm. 14.

los ocho mencionados libros (1), sino que esa doctrina se dé purgada de tantas inútiles cuestiones, en quienes se consume buena porción de tiempo, que fuera mejor emplear en explorar más de cerca la naturaleza (2)." No otra cosa hacía su amigo y discípulo Sarmiento, apasionado de los estudios botánicos, y él, por su parte, procuró divulgar conocimientos y noticias, que si hoy se nos antojan vulgares, tenían entonces el atractivo de la novedad (3).

Su constante esfuerzo sembró la semilla que, andando el tiempo, había de dar

---

(1) Se refiere a los *De naturali auscultatione.*

(2) Entre los teólogos contemporáneos de Feijóo que contribuyeron a abrir camino al método filosófico experimental, debe mencionarse al padre Ruiz de Losada, de la Compañía de Jesús, autor del "Cursus philosophici regalis... in compendium redacti et in tres partes divisi", etc., tan elogiado por nuestro benedictino (*Teatro,* t. VIII, apéndice al disc. 13). Acerca de este escritor, vid. Menéndez Pelayo, *Historia de las ideas estéticas,* III, vol. I, 156.

(3) En 1778 dirigió don Valentín de Foronda una *Carta a la Academia de Ciencias y Artes de Barcelona, sobre la necesidad de enmendar los errores físicos, chímicos y matemáticos que se encuentran en la obra de Feijóo* (Imprimióse bajo el núm. 3 en su *Miscelánea o colección de varios discursos,* Madrid, Benito Cano, 1787, 4.º) Su proyecto consistía en reimprimir el *Teatro* y las *Cartas,* enmendando, por medio de notas al fin de cada *Discurso,* sus defectos científicos, nacidos "ya de las pocas luces que había en su tiempo sobre ciertos asuntos, ya de que otros son invenciones de nuestros días".

resultados tan beneficiosos como la funda-
ción de la Academia de nobles artes de
San Fernando (1753); la reforma de los
Colegios Mayores, defendida desde 1771
por Pérez Bayer y no implantada hasta
1777 (1); la creación, en 1770, de los Reales
Estudios de San Isidro; la apertura, en 4
de noviembre de 1776, del Gabinete de Historia Natural, dirigido por Bowles, y la
inauguración, años después (1787), de la
primera cátedra de Química del reino, des-
empeñada por don Pedro Gutiérrez Bueno.
Las enseñanzas filosóficas fueron gradual-
mente libertándose del yugo escolástico (2),
y las matemáticas cultivadas con entusiasmo en los Colegios de Guardias Marinas,
Artillería de Segovia (1764) y Escuelas militares de Avila y Ocaña. El estudio deteni-
do de la multitud de problemas, ideas y

(1) Véase el interesante artículo de G. Desdevises du
Desert: *Les Colegios mayores et leur réforme en 1771*,
en *Revue Hispanique*, VII (1900), 223-245.
(2) Las de *Lógica* habían de darse a los discípulos de
los Reales Estudios de San Isidro, con exclusión de toda
clase de disputas. Al crear en 1780 el Seminario de Pam-
plona, el obispo don Agustín de Lezo y Palomeque reco-
mendaba a los profesores abstenerse de toda cuestión
inútil, abstracta o impertinente. Otro tanto había inten-
tado fray Alonso Cano al metodizar en 1767 los estudios
trinitarios (Vid. Ferrer del Río, Antonio: *Historia del reinado de Carlos III,* tomo IV, 297 y sigs.)

orientaciones apuntadas por el autor del *Teatro Crítico* nos hace comprender mejor las causas del resurgimiento cultural de nuestra patria durante el reinado de Carlos III (1).

Innegable fué también la influencia de Feijóo en lo que a Medicina se refiere. Del atraso de esta facultad dan idea las palabras que, con referencia a los médicos, estampó en la traducción de la *Veritas vindicata* contra García Ros (2): "Uno veneraba la Astrología como auxiliar preciso de la Medicina; otro la condenaba como facultad irrisible y vana. Uno celebraba los inventos; otro los trataba como herejías del arte... Uno confesaba la incertidumbre de la Medicina; otros la negaban; otros, dolosamente, hurtaban el cuerpo a explicarse sobre esta materia (3)." Interesante, por todos conceptos, es la lectura del discurso titulado *Lo que sobra y falta en la enseñanza de la Medicina,* encaminado a separar esta ciencia, no ya del

(1) Vid. G. Coxe, *España bajo el reinado de la casa de Borbón, desde 1700 a 1788.* Madrid, 1846-47. Ferrer del Río, op. cit. y Francois Rousseau: *Règne de Charles III d'Espagne.* París, 1907, II, 313-400.

(2) Vid. anteriormente pág. 27 y apéndice núm. 32.

(3) *Teatro Crítico,* III, *La verdad vindicada,* núm. 3.

aristotelismo, sino de cualquier otro sistema filosófico. "Todo se ordene a la práctica —escribe—, pues todo lo demás es perder el tiempo; ya está descubierto el rumbo por donde se debe navegar a las Indias de tan noble facultad, que es el de la observación y experiencia." En esta desinteresada tarea fué Feijóo ayudado por algunos profesionales, como el tantas veces nombrado don Martín Martínez, y por los trabajos de la Real Sociedad de Medicina de Sevilla y de la Academia Médica Matritense, "que anularon aquel *Protomedicato* que aconsejaba a Carlos III no barrer las calles de Madrid, ni retirar las materias fecales arrojadas desde los balcones, ni los animales muertos que en ellas se abandonaban, porque convenía enrarecer la atmósfera para evitar el peligro de los finos vientos del Guadarrama" (1).

Si grande fué el influjo de Feijóo en las disciplinas a que nos hemos referido,

---

(1) Morayta, op. cit., pág. 225. Acerca de otros progresos de la Medicina, vid. Rousseau, op. cit., págs. 322-324. Del valor de Martínez como anatómico y cirujano trata D. Víctor Escribano y García, en su magistral discurso: *Datos para la historia de la Anatomía y Cirugía españolas en los siglos xviii y xix*. Granada, 1916.

no lo fué tanto, a nuestro juicio, en el te-
rreno propiamente histórico. Sus ideas
acerca de este particular están expuestas
principalmente en el discurso titulado *Reflexiones sobre la Historia* (1), en donde
pone de manifiesto los escollos de toda índole con que el historiador se tropieza y
exige de él las dos cualidades esenciales
de ser desapasionado e imparcial. "Esta
ocupación —añade— es sólo para sujetos
en quienes concurran muchas excelentísi-
mas cualidades... un amor grande a la verdad, a quien ningún respeto acobarda; un
espíritu comprensivo, a quien la multitud de
especies no confunda; un genio metódico
que las ordene; un juicio superior que según sus méritos las califique; un ingenio
penetrante que entre tantas apariencias en-
contradas discierna las legítimas señas de
la verdad, de las adulterinas (2)." Sus reflexiones se limitan, como se ve, a fijar
las cualidades que debe reunir el que podríamos llamar historiador ideal; pero no
se extienden a proponer un método histórico capaz de desterrar el crecido número

(1) Es el 8.º del tomo IV.
(2) Ibid., núm. 108.

de fábulas de que nuestra historia estaba
plagada, en fuerza del interés local unas
veces y de una religiosidad mal entendida
otras. Más hicieron en este sentido Mayans y Siscar, el Marqués de Valdeflores,
el insigne Burriel y, sobre todo, Flórez,
quienes, sin ser historiadores perfectos,
comprendieron que el único modo de reac-
cionar contra las patrañas de los falsos
cronicones era buscar en documentos coe-
táneos la comprobación de los hechos del
pasado (1).

Otros muchos aspectos de la obra de
Feijóo solicitarán de seguro, en fuerza de
sugestión y simpatía, la curiosidad del lector. Tales sus preferencias literarias (2);
su ideal de justicia y perfeccionamiento de
la sociedad y del individuo (3); su ponde-
rado concepto del patriotismo (4), estudiado con su penetración habitual por Ramón

(1) Para más detalles véase Menéndez Pelayo, *Ciencia española,* II, 84, y Desdevise du Desert, *L'Espagne
de l'ancien regime.* Paris, 1897-1904, III, 329.
(2) *Glorias de España* (IV, 13 y 14).
(3) *Balanza de Astrea* (III, 11). *Virtud y vicio* (I, 2).
Maquiavelismo de los antiguos (V. 4). *La política más
fina* (I, 4).
(4) *Amor de la patria y pasión nacional* (III, 10).

Pérez de Ayala en dos notables ensayos (1);
sus consejos para remediar el atraso de la
Agricultura (2), etc., etc. Pero aún más que
todo admirable es la constancia con que
combatió errores y supersticiones, no por
absurdos menos arraigados. Larga sería la
enumeración de los discursos y cartas (3)
que encaminó a demostrar la puerilidad y
ningún fundamento de multitud de tradi-
ciones y creencias, la circunspección que debía observarse en materia de poseídos o de-
moníacos (4), el escepticismo con que convenía mirar la multiplicidad de milagros
para "depurar la hermosura de la religión
de vanas credulidades" (5) y poder enjui-
ciarlos "sin sacar la piedad cristiana de
sus límites verdaderos" (6) y la ninguna
fe que merecían las historias de hechiceros

(1)   Págs. 35-63 del volumen *Política y toros.* Madrid,
Calleja, 1918, 8.º

(2)   *Honra y provecho de la Agricultura* (VIII, 12).

(3)   *Astrología judiciaria y almanaques* (I, 8). Vid. anteriormente págs. 22-23, y págs. 55-60 de esta edición). *Profecías supuestas* (II, 4). *Artes divinatorias* (II, 3). *Vara di-
vinatoria y zahoríes* (III, 5). *Piedra filosofal* (III, 8). *Cue-
vas de Salamanca y Toledo y mágica de España* (VII, 7) y
otros varios.

(4)   *Teatro,* VIII-6, y *Cartas,* tomo III, núm. 10.

(5)   *Cartas,* tomo II, núm. 11.

(6)   Carta a fray Lucas Ramírez, 1 de abril de 1750.
Inédita. Bibl. Nac., ms. 10579, 29 v. y 30 r.

y duendes, cuya fisiología había explicado muy en serio fray Antonio de la Puente en su obra *El Ente dilucidado.* "Ya, gracias al inmortal Feijóo —escribe Marqués y Espejo (1)—, los duendes no perturban nuestras casas; las bruxas han huído de los pueblos; no inficiona el mal de ojo al tierno niño, ni nos consterna un eclipse, que con prolixa curiosidad examinamos muy atentos. Por lo común estos delirios vanos han desaparecido; y si quedan aún algunas supersticiosas reliquias en el vulgo inferior, deben atribuírse a la falta del conocimiento y lectura de estas obras literarias..."

Sin embargo, el *Teatro Crítico* y las *Cartas* fueran obras leidísimas durante el siglo XVIII, a juzgar por el crecido número de ediciones que hemos tenido ocasión de examinar. En vida de Feijóo formó un índice general de sus escritos el noble portugués don Diego de Faro y Vasconcelos (2), y más tarde (en 1774) publicó otro

---

(1) En su curiosísimo *Diccionario Feyjoniano o compendio metódico de varios conocimientos críticos, eruditos y curiosos...* Madrid, 1802. 2 tomos. Prólogo al tomo I.

(2) *Indice general alphabético de las cosas más notables de todo el Theatro Crítico universal, y particular*

el vecino de la Corte don José Santos (1).
El mismo año de la muerte del padre maestro emprendió don Leonardo Antonio de la Cuesta la confección de un extracto de cada uno de los Discursos del *Teatro* con otras tantas reflexiones morales (2), tarea en que le precedió un don Julián Romero y Castro, que en 1760 redujo a compendio el *Teatro Crítico Universal* (3).

de la tabla de todos los discursos de la misma obra. Dedicado al mismo Autor del Theatro... *Obra adquirida de la aplicación más trabajosa de Diego de Faro y Vasconcelos...* Lisboa. En la Imprenta de Francisco de Silva. Año 1752. VIII hoj. y 375 págs. (Lleva al comienzo una carta del autor a Feijóo y otra *responsiva* de éste, fechada en Oviedo a 18 de mayo de 1752.) Debo estas noticias a la amabilidad del ilustre erudito portugués D. C. de Bethencourt.

(1) *Indice general alfabético, de las cosas notables que contienen todas las obras del muy ilustre señor don Fr. Benito Gerónimo Feijóo, inclusas las Dedicatorias, Aprobaciones y Prólogos, y también los dos tomos de la Demonstración Críticoapologética, que en defensa del Teatro Crítico escribió el R.mo P. M. D. fr. Martín Sarmiento...* Madrid, Antonio de Sancha, 1774, 9 hojs. y 248 págs. 8.º

(2) *Feijóo crítico-moral y reflexivo de su Theatro sobre errores comunes, con un breve resumen de cada uno de sus discursos como Antiloquio a las Reflexiones.* Madrid, en la oficina de Manuel Martín. Año 1764, 10 vol. 16.º

(3) En el ms. 19318 de la Bibl. Nac. se da noticia de un *Breve compendio del Teatro Crítico universal, o discursos varios en todo género de materias para desengaño de errores comunes...* recopilado por Julián Romero y Castro, año 1760, 8.º, 470 págs., y un *Indice alfabético de todas las cosas notables que contienen los nueve tomos del Teatro.*

El siglo XIX fué poco fecundo en ediciones del padre Feijóo: sólo conocemos de esa época la completa del *Teatro,* publicada por Ayguals de Izco (1) y las parciales de la Colección de Autores Españoles (2), Biblioteca Clásica (3) y Biblioteca Universal (4). Hay, en cambio, así de aquel siglo como del que corre, algunos notables estudios acerca de la personalidad del docto Benedictino, que el lector podrá ver enumerados en la bibliografía.

AGUSTÍN MILLARES CARLO.

(1) Madrid, 1852-53, 6 tomos en 12.º (Forma parte de *La Escuela del pueblo. Páginas de la enseñanza universal,* etc., vols. 12-17.)

(2) *Obras escogidas del padre fray Benito Jerónimo Feijóo y Montenegro...* con una noticia de su vida y juicio crítico de sus escritos por don Vicente la Fuente (tomo LVI de la Colección).

(3) *Obras escogidas de Fr. Benito J. Feijóo, con una advertencia preliminar.* Barcelona, 1884, 8.º

(4) Feijóo, *Obras escogidas,* tomo CV. La carta titulada *Falibilidad de los Adagios* la reimprimió Sbarbi en el tomo IX (págs. 105-119) de *El Refranero general español.* Madrid, 1878, 8.º

BIBLIOGRAFIA [1]

ALCALÁ GALIANO (Antonio): *Historia de la literatura española, francesa, inglesa e italiana en el siglo XVIII.* Madrid, 1845, págs. 34-37.

ANCHORIZ (José María): *Biografía y juicio de las obras que escribió el ilustrísimo y reverendísimo padre fray Benito Jerónimo Feijóo.* Oviedo, 1857.

ARENAL (Concepción): *Juicio crítico de las obras de Feijóo. Revista de España,* tomo LV (1877), págs. 110-117, 187-226, 398-410; t. LVI (1877), págs. 348-355; t. LVII (1877), págs. 174-201.

AYGUALS DE IZCO (W.): *El Panteón universal, diccionario histórico de vidas interesantes, aventuras amorosas,* etc. Madrid, 1853-54, 4 vols., 3, 287-289.

BIOGRAFÍA *eclesiástica completa,* redactada por una reunión de eclesiásticos y literatos. Madrid-Barcelona, 1853, págs. 977-1051.

CANELLA SECADES (F.): *Un autógrafo del padre Feijóo.* en *Ilustración Gallega y Asturiana,* 1879, pág. 171.

CHINCHILLA (Anastasio): *Anales históricos de la Medicina en general. Historia de la Medicina española.* Valencia, 1841-1848.

COMPENDIO *de las Vidas de Feijóo y Sarmiento:* Manuscrito propiedad de don Antolín López Peláez. (Cfr. *Los escritos de Sarmiento,* pág. 26.)

CURROS ENRÍQUEZ: *El padre Feijóo. Loa dramática.* (En el tomo II de sus *Obras completas.* Madrid, Hernando, 1911.) *Epítome histórico de la vida de D. Fr. Benito Gerónimo Feyjóo, maestro general de la religión de San Benito* (S. 1., s. a.) 16 págs. en 12.º

FEYJÓO. Artículo biográfico publicado en *Semanario Pintoresco Español,* II (1837), págs. 114-115.

---

[1]   En la lista que sigue sólo figuran aquellas obras que no han sido citadas en el texto o notas del prólogo.

GARCÍA DEL REAL (Eduardo): *Historia de la medicina en España.* Madrid, Reus, 1921.

GARRISON (F. H.): *An introduction to the history of Medicine.* Philadelphia and London, 1914.

HERNÁNDEZ MOREJÓN (Antonio): *Historia bibliográfica de la Medicina española.* Madrid, 1843-1852, 7 vols. 4.º

HISTORIA Y GENEALOGÍA *de la antiquísima y nobilísima familia de los Feijóos y Montenegro.* Ms., 22 fols. (Archivo familiar de Casdemiro. Citado y utilizado por Macías, *Elogio,* pág. 46 s.)

MARTÍNEZ RUIZ (José), [*Azorín*:] *La inteligencia de Feijóo* en el volumen titulado *"Los valores literarios".* Madrid, Renacimiento, 1913, págs. 117-122.

MENÉNDEZ PELAYO (M.): *Historia de los heterodoxos españoles.* Madrid, 1880, t. III, pág. 67.

IDEM: *Historia de las ideas estéticas en España.* Madrid, 1904, tomo VI, 379 sigs.

MURGUÍA (Manuel): *Biografía del padre Feijóo* en el álbum literario titulado *La aldea de Casdemiro,* publicado por *Heraldo Gallego.* Orense, 1876.

PARDIÑAS (José): *Breve compendio de los varones ilustres de Galicia.* Coruña, 1887. 8.º

PARDO BAZÁN (Emilia): *Estudio crítico de las obras del padre Feijóo.* Madrid, 1878. 8.º

RESEÑA *del certamen literario celebrado en Orense el día 8 de octubre de 1876 en honor del reverendo padre maestro fray Benito Jerónimo Feijóo.* Orense, 1877, fol.

SAN JOSEPH (P. Fr. Miguel): *Bibliographia critica sacra et profana.* Matriti. Antonio Marín, 1740-1742, fol.

URIARTE (J. Eug.): *Catálogo razonado de obras anónimas y seudónimas de autores de la Compañía de Jesús, pertenecientes a la antigua asistencia española.* Madrid, 1904-1916. 5 vols.

VICENTI (Alfredo): *El padre Feijóo. Recuerdos del segundo centenario de su natalicio,* en *Ilustración Gallega y Asturiana,* 1880, pág. 352.

APENDICE

I. Desde la publicación del tomo I del *Teatro crítico* hasta la aparición del II (3 de septiembre de 1726 a 6 de abril de 1728).

a) *Polémica médica,* ocasionada por los discursos titulados *Medicina, Régimen para conservar la salud, Desagravio de la profesión literaria* y varios pasajes del mismo tomo.

1. Martínez (Martín): *Carta defensiva que sobre el primer tomo del Teatro crítico universal, que dió a luz el reverendísimo padre maestro fray Benito Feijóo, le escribió su más aficionado amigo don Martín Martínez.* En Madrid, en la Imprenta Real. Año de 1726. 4.º, 30 págs. [Lleva la fecha de 1 de septiembre de 1726. Reimprimióla Feijóo en el tomo II de su *Teatro,* páginas 289-320.]

2. Aquenza (Pedro): *Breves apuntamientos en defensa de la Medicina y de los Médicos contra el Theatro Crítico Universal. Por el doctor don Pedro Aquenza, protomédico general del reino de Cerdeña,* etc. 5 hojas y 10 págs. 4.º [Reimprimióse en la parte II

(1788) de la *Colección de papeles críticoapologéticos* del padre Isla, de que luego se hablará.]

3. SUÁREZ DE RIBERA (Francisco): *Templador médico de la furia vulgar, en defensa del doctor don Martín Martínez, del Reverendíssimo Padre Maestro fray Benito Gerónimo Feijóo, de la medicina y de los médicos doctos. Assimismo contra el Discurso que de la Medicina dió a luz dicho Reverendíssimo padre en el tomo I de su Theatro crítico universal y contra los malos e intrusos médicos. Se consagra a los esclarecidos médicos San Cosme y San Damián. Su autor el doctor don Francisco Suárez de Ribera.* [S. l., s. i., 1726], 8.º 6 hojas y 32 págs.

4. FEIJÓO (Benito Jerónimo): *Respuesta a los doctores Martínez, Aquenza y Ribera. Con las licencias necesarias.* En Madrid. En la Imprenta de Lorenço Francisco Mojados [1726], 2 hojas y 30 págs. 4.º [La respuesta a los dos primeros es de 6 de noviembre de 1726 y la dirigida al segundo, de 8 de los mismos mes y año. Reimprimióse la primera en el tomo II del *Teatro* (1728), a continuación de la *Carta defensiva* de Martínez.]

5. SUÁREZ DE RIBERA (Francisco): *Medicina cortesana satisfactoria de el doctor don Francisco Suárez de Ribera... en respuesta a la honoratissima carta que el Reverendíssimo Padre Maestro fray Benito Feijóo... escribió al Autor... Se consagra al Infante Dios, máximo médico de almas y cuerpos. Con licencia.* [S. l., s. i., s. a.], 8.º, 31 páginas. (Va fechada en Madrid, a 2 de diciembre de 1726.)

6. SOLÍS Y HERRERA (Francisco Antonio): *Destierro de fantasías y caritativas advertencias que al doctor don Martín Martínez da, por mano del licenciado Gerigonza y Cascanueces, fiscal de atrevidos y protector de papeles entremesados, don Francisco Antonio Solís y Herrera. Con licencia.* En Salamanca. Por Francisco Antonio López.

Año de 1727, 8.º, 2 hojas y 17 págs. [Escrito en forma de carta, fechado en 10 de febrero de 1727.]

7. TORRES VILLARROEL (Diego de): *Postdatas de Torres a Martínez cn la respuesta a don Juan Barroso. Sobre la Carta Defensiva, que escrivió al reverendísimo P. Fray Benito Feijóo, y en ellas explica el camino del globo de luz o phenómeno que apareció en nuestros horizontes el 19 de octubre de este año de 1726.* Salamanca, Imprenta de la Santa Cruz [1726], 8.º 4 hojas y 29 págs. [Hay otra edición en 4.º de 24 págs. con las mismas circunstancias tipográficas. Reimpreso en las *Obras completas* de Torres Villarroel. Madrid, 1795, tomo XI, págs. 258-278.]

8. ANÓNIMO: *Encuentro de Martín con su rocín.* (Al fin:) Con licencia. En Sevilla, por Manuel Caballero. 8.º, 6 págs. [Biblioteca Nacional, Ms. 19318, fols. 142 v.-148 v. La primera edición de este escrito se publicó, sin indicaciones tipográficas, en 3 hojas en 4.º]

9. ANÓNIMO: *Carta del licenciado Brandalagas, professor de Astrología, a su amigo don Diego de Torres Villarroel, respondiendo a las Postdatas contra el doctor Martínez,* (S. 1., s. i., s. a.), 24 págs., 8.º

10 ¿ISLA (José Francisco)?: *Glosas interlineales puestas y publicadas con el nombre del licenciado Pedro Fernández a las Postdatas de Torres en defensa del doctor Martínez y del Theatro Crítico Universal, dedicadas al mismo señor bachiller don Diego de Torres...* Salamanca, s. i., 1726, 19 págs. 4.º [Reimpresas en *Colección de papeles críticoapologéticos que en su juventud escribió el padre Joseph Francisco de Isla, de la Compañía de Jesús.* Parte primera. Con licencia. En Madrid: Por don Antonio Espinosa: Año 1788, págs. 71-132.] (Esta primera parte, sin la segunda, tuvo una edición anterior. Madrid, Pantaleón Aznar, 1787, en la cual ocupan las *Glosas* las págs. 71-140.)

11. ¿ISLA (José Francisco)? *Carta gratulatoria de un médico de Sevilla al doctor Aquenza.* [Impresa en un plie-

go sin indicaciones tipográficas y fechada en 30 de octubre de 1726. Se halla manuscrita en el vol. 5855 (antes f. 203) de la Bibl. Nac. con esta nota: "Fué autor de esta carta el P.e Mro. Feyjoo, Benedictino, la que salió en una oja volante." Otra copia hay en el Ms. 19318, folios 149 r.-153 r. Figura atribuída a Isla en la *Colección* citada en el número anterior.]

12. CANILLEJAS (Anselmo): *Corrección fraterna del Aquenza fingido en obsequio del Aquenza verdadero. Su autor fray Anselmo Canillejas, cirujano latino. Con licencia.* En Valladolid. En la Imprenta de Joseph de Rueda, 8.º, 8 págs.

13. PALERO (Justo): *Agradecimientos satisfactorios con que reconocido corresponde fray Justo Palero, difinidor general de su Orden, a un padre fray Anselmo, cirujano latino, por la meritoria y caritativa corrección fraterna que dió al autor de los Breves apuntamientos.* Con licencia. En Madrid, año de 1726, 8.º

14. ¿ISLA (José Francisco)?: *Blanda, suave y melosa respuesta a los ferinos y furiosos apuntamientos que en defensa de la Medicina escribió el doctor don Pedro Aquenza.* En Salamanca. Con licencia. En la Imprenta de las Escuelas, 8.º, 8 págs. [Reimpresa en la *Colección de papeles* de Isla, págs. 1-51 de la 1.ª ed. y 5-54 de la parte I de la 2.ª Va dirigida contra los *Breves apuntamientos* de Aquenza y, de paso, contra el *Templador* de Ribera.]

15. ¿CASTEJÓN (Agustín)?: *Dudas y reparos sobre que consulta un Escrupuloso al Rmo. P. M. Feijóo, autor del Theatro Crítico Universal.* [Folleto de 12 págs., 4.º, fechado en Madrid en 4 de enero de 1727 y atribuído generalmente al jesuíta Castejón. Reimprimióse en las ediciones de la *Justa repulsa* de 1769 (Madrid, Joaquín Ibarra, 8.º) y 1773 (Madrid, Miguel Escribano, 8.º, páginas 67-68.]

16. ¿ISLA (José Francisco)?: *Blanda suave y melosa curación del Escrupuloso y de sus flatos espirituales.*

[Reimpresa en la *Colección de papeles*, etc., 2.ª ed., parte II, págs. 3-88.]

17. FEIJÓO (B. J.): *Satisfacción al Escrupuloso*. [Publicada primero en un folleto y reimpresa en la citada edición de la *Justa repulsa* de 1769, págs. 79-88. Feijóo contesta comedidamente al Escrupuloso y desaprueba la respuesta anterior.]

18. PRADA VELÉN Y TUILL (Ramón de): *Anti-Medicastria. Diálogo entre el Protho-Médico don Pedro Aquenza y su platicante. Sobre la práctica y theórica de la Facultad de Medicina y las máximas y política que en ellas se han de seguir. Escrito por el dicho platicante, en descargo de su conciencia. Sácalo a luz... don Ramón de Prada Velén y Tuill.* En Salamanca. Con licencia. En la Imprenta de las Escuelas. [1727], 8.º, 4 hojas y 14 págs. [El ejemplar de la Biblioteca del Colegio de Valladolid tiene la siguiente nota manuscrita: "Dicen que lo escrivió también el padre Isla." Véase Uriarte, obra citada, número 109.]

19. ANGEL DE ZELVAR (Millán): *El Pancatriastes, impugnador de el papel del sargento de tragones don Ramón de Prada y Tuill, por don Millán Angel de Zelvar.* En Salamanca. Con licencia. En la Imprenta de las Escuelas [1727], 8.º

20. SUÁREZ DE RIBERA (Francisco): *Teatro de la salud o experimentos médicos.* Madrid, Francisco del Hierro, 1726, 4.º

21. SUÁREZ DE RIBERA (Francisco): *Escuela Médica convincente, triumphante, scéptica, dogmática, hija legítima de la experiencia y razón.* Madrid, Francisco del Hierro [1727], 4.º

22. CONDE (José Angel): *El Médico común, en defensa de la Medicina y sus profesores, oponiéndose al Theatro Crítico Universal, con respuesta a la que el padre maestro Feijóo da a los doctores Aquença y Ribera. Su autor el doctor don José Angel Conde, médico al presente de la ciudad de Soria* [1727]. 4 hojas y 22 págs. 4.º

23. ANÓNIMO: *Diálogo entre el juicio y el desengaño.*

24. ¿CONDE (José Angel)? : *Carta que escribe el médico común a los discretos autores del Diálogo entre el juicio y el desengaño.* [*Gaceta* de 22 de febrero de 1727.]

25. ANÓNIMO: *Cátedra de desengaños médicos.* [En defensa de Feijóo. *Gaceta* de 1 de julio de 1727.]

26. LLORET Y MARTÍ (Francisco): *Apología de la Medicina y sus doctos profesores contra los críticos, y defensa de la doctrina de Hipócrates y Galeno contra los errores vulgares.* S. 1., s. i., s. a. [Dedicatoria de 1726.]

27. MARTÍNEZ ARGANDOÑA (Alejandro): *Reparos médicos, satisfacción amistosa y saludable consejo, que a la historia del Fol. 51 en la erudita apología, que sacó a luz el doctor Francisco Lloret y Martí... ponía don Alejandro Martínez Argandoña.* Madrid. Se hallará en casa de Juan de Moya, 1727. 4 hojas y 20 págs. 4.º

28. GARCÍA CABERO (Francisco). *Templador Veterinario de la furia vulgar en defensa de la facultad veterinaria o medicina de bestias y de los albeytares, péritos y doctos. Assimismo contra el desprecio que de todos hace el doct. don Francisco Suárez de Ribera en su Templador médico. Y manifiesto de que albeytería, medicina y cirugía es toda una ciencia o arte...* Con licencia: En Madrid. En la Imprenta de Antonio Marín. Año 1727, 4 hojas y 38 págs. 8.º

29. FONLAZO DE ARENYZ (Antonio): *Desagravio de la Medicina y fuga de las sombras, que en desdoro de tan noble facultad y del doctor don Francisco Suárez de Ribera, uno de sus más doctos profesores, ha querido en su Templador Veterinario introducir Francisco García Cabero, maestro herrador y albeytar de San Sebastián de los Reyes...* Con licencia. En Madrid. Año de 1727, 4 hojs. y 24 págs. 8.º

30. LLOPIZ DE UNZUETA (Remigio): *Carta que escribe a don Domingo Rocamora su amigo don Remigio Llopiz Unzueta... en que dice lo que siente sobre el papel intitulado: Desagravio de la Medicina, que sacó a luz don*

Antonio Fonlazo y Arenyz. Con licencia. En Valladolid, en la Imprenta de la Real Chancillería. Año de 1727. 8.º

31. ANÓNIMO: *Carta soplicautoria du Albeitariño dou Toril ao Reveirisco Paidre Fraijones, Maiestro Benitino, Catatrico du Vispas em ha Aversidad du Cittá du Uvieido ena Asturias,* acompañada de la *Respostea que por el correou deu u Paidre Benitino.* [Escrito insulsísimo, impreso en un pliego en 4.º, sin indicaciones tipográficas. Va dirigido contra Feijóo por el solo hecho de haberse mostrado Cabero partidario de sus doctrinas.]

32. GARCÍA ROS (Ignacio): *Medicina vindicata: discursus apologeticus nobilissimae, necessariae, omnibusque titulis commendabilis scientiae medicae.* [1727.] 8 hojas y 48 págs. 4.º [Proponíase Ros demostrar que la certeza de la Medicina está atestiguada por el infalible oráculo de la Sagrada Escritura. Contestóle Feijóo con su *Veritas vindicata adversus Medicinam Vindicatam,* incluída en el tomo II del *Teatro* (págs. 257-384 de la primera edición), y traducida al fin del tomo III.

33. LÓPEZ DE ARAUJO Y AZCÁRRAGA: *Residencia médico cristiana en honor de la medicina, lustre de los profesores y desengaño del vulgo, quien inducido a desconfianza del médico y sus remedios por la perjudicial doctrina del* THEATRO, *puede caer fácilmente en graves y supersticiosos errores.* Madrid, 1727, 4.º

34. ¿ISLA (José Francisco)?: *El Tapa boca. Papel del padre Josef Francisco de Isla, respondiendo a otro con que el doctor Araujo criticó los discursos del reverendísimo Feijóo sobre la Medicina.* [1727.] [Reimpreso en *Rebusco de las obras literarias, así en prosa como en verso del P. Josef Francisco de Isla.* Tomo I. Con licencia. En Madrid, en la Imprenta de Pantaleón Aznar. Año de 1797, págs. 1-44.]

35. DORADO (José.): *Manifiesto precautorio médico en defensa de la Medicina y Médicos.* Oviedo, 1727.

36. Dorado (Francisco): *Discurso fisiológico médico,* Oviedo. Imprenta de Fausto de la Plaza, 1727 (1).

37. Feijóo (B. J.): *Respuesta al discurso fisiológico médico del doctor don Francisco Dorado.* [1727.] [Reimpreso en la edición de 1769 de la *Justa repulsa,* páginas 89-130.]

38. Anónimo: *Carta consolatoria del médico de Sarabillo a un discípulo suyo, sobre las inquietudes que ha movido el* Theatro Crítico *que ha sacado a luz el padre maestro fray Benito Feijóo y advertencias theológicas a dicho padre.*

39. Naderi (L): *Medicina defendida y médicos lisonjeados. Respuesta a una señorita que pidió parecer sobre el assumpto.* 8 págs. 4.º [En el ejemplar de la Academia de la Historia se lee: "Escriviólo, dicen, el padre Isla contra el doctor Aquenza."]

40. Sueyras (Francisco): *Thesoro phisico, médico theológico, hallado en las verdades infalibles de la sagrada escritura.*

b) *Polémica* ocasionada por el discurso XIV o sea el titulado *Música de los templos:*

41. Cervellón de la Vera (Eustaquio): *Diálogo harmónico sobre el Theatro Crítico Universal: en defensa de la Música de los Templos. Dedicado a las tres capillas reales de esta corte: la de su Majestad, señoras Descalças y Señoras de la Encarnación.* En Madrid. Año 1726, 10 hojas y 64 págs. en 8.º

42. Corominas (Francisco de): *Aposento anticrítico, desde donde se ve representar la gran comedia que en el Theatro Crítico regaló al pueblo el reverendísimo Padre Maestro Feyjóo contra la música moderna y uso de los violines en los templos.* Salamanca. Imprenta de la Santa Cruz. S. a., 3 hojas y 32 págs. 8.º

(1) Acerca de los doctores Dorado, padre e hijo, véase Canella y Secades, F.: *Historia de la Universidad de Oviedo,* 2.ª ed., pág. 745.

43. MADARIA (José): *Respuesta al señor Assiodoro, persona principal en el Diálogo harmónico. Su autor, el padre fray Joseph Madaria, organista del Real Monasterio de San Martín de Madrid.* En Madrid, en la Imprenta de Lorenço Francisco Mojados. Año 1727, 14 páginas. 4.º [Lleva la fecha de 2 de enero de 1727. Reimprimióse en la edición de la *Justa repulsa* de 1769, páginas 57-66.]

44. TORRES VILLARROEL (Diego de): *Montante christiano, y político, en pendencia musico-médica-diabólica. Lo desembainó don Diego de Torres, Cathedrático de Prima de Mathemáticas en la Universidad de Salamanca...* Se hallará en la librería de Juan de Moya... (s. l., s. a., s. i.). 2 hojs. y 12 págs. 4.º [Hay otra edición en 8.º de 33 págs. y otra de Sevilla, por Diego López de Haro, s. a., 16 págs. 4.º]

45. COROMINAS (Francisco de): *Cantáridas amigables para remedio de sueños desvariados i consejos de Corominas a Torres dormido sobre el Montante que manejó la pendencia música soñada.* (Al fin): Con licencia. En Sevilla. Por Manuel Caballero, en la calle de la Sierpe.—7 págs. 4.º

c) Obras publicadas en pro y en contra del discurso XVI (*Defensa de las mujeres*):

46. MANCO DE OLIVARES (Laurencio): *Contra defensa crítica a favor de los hombres que en justas quexas manifiesta don Laurencio Manco de Olivares contra la nueva defensa de mujeres que escrivió el muy reverendo padre fray Benito Gerónimo Feijóo en su Theatro Crítico* (S. l., s. a. s. i.). 23 págs. 4.º [Fechada en Madrid, diciembre de 1726. En el manuscrito 9149 (antes Aa, 109) de la Biblioteca Nacional, existe un *Informe,* sin terminar y sin firma, acerca de este folleto y del discurso de Feijóo que lo motivó.]

47. CASCAJALES (Tiburcio): *Carta que escribe don Tiburcio Cascajales al señor don Pedro Méndez Díaz de*

*Arellano... sobre lo mal que le ha parecido el papel de
la* Contradefensa crítica a favor de los hombres, *que
escrivió don Laurencio Manco de Olivares.* (S. 1., s. i.,
s. a.) 7 págs. 4.º

48. Anónimo: *Respuesta de Perico el Poeta duende,
desde el desban de su calavera, que avita en los de los
alunados de Zaragoza, a la carta de una dama de Salamanca, professora de la misma Facultad, en que con
remessa de un Rmo. Theatro Critico, Carta defensiva
del doc. don Martín, dos veces Juicio Final de este (y
mejor diría Quita Juicios Universal) y Postdatas de Torres: Con otros papeles del Manquillo de la Costa... le
manda decir algo sobre el modo de los tres primeros.*
[Décimas] (s. 1., s. a.). 4 hojs. 4.º [La carta va dirigida
a doña Curiosa de Villaverde y Parnaso.]

49. Basco Flancas (Ricardo): *Apoyo a la defensa de
las mugeres que escrivió el... Padre Benito Feyjóo: y
crisis de la* Contradefensa crítica a favor de los hombres *y contra las mugeres que dió a luz... Don Laurencio
Manco de Olivares, en dictamen que da de ella a una
señora don Ricardo Basco Flancas.* Madrid, Viuda de
Blas de Villanueva. (S. a., 1727.) 4 hojs. y 34 págs. 4.º

50. [Santarelli (Juan Antonio)]: *Estrado crítico en
defensa de las mugeres contra el Theatro Crítico Universal de errores comunes.* (S. 1., s. i., s. a., ¿1726?) 43
págs. 4.º [El nombre del autor consta en la licencia del
Consejo.]

51. Martínez y Salafranca (Miguel): *Desagravios de
la mujer ofendida contra las injustas quexas de la Contradefensa crítica de don Laurencio Manco de Olivares,
declamadas* por el licenciado don Miguel Martínez y Salafranca. Madrid (s. i.), 1727, 31 págs. 4.º

52. Anónimo: *La razón con desinterés fundada y la
verdad cortesanamente vestida. Unión y concordia de
opiniones en contra y favor de las mujeres. Documentos
a éstas y advertencias a los hombres para el modo de
tratarlas.* Madrid (s. i.), [1727.] 32 págs. 4.º

53. Anónimo: *Papel de Marica la Tonta, en defensa de su sexo, y respvesta al escrito por don Laurencio Manco de Olivares, en defensa de los hombres* (S. 1., s. a.). Hallaráse en la Imprenta de la calle del Olivo Baxa... 14 págs. 4.º

54. Anónimo: *Respuesta a fabor de los hombres contra Marica la tonta y desagravios de la mujer ofendida.* Madrid, ¿1727?

55. Anónimo: *Carta laudatoria que escrive la Médica Sevillana a don Jorge Irún y Arecha* (S. 1., s. a., s. i.), 4 hojs. 4.º [Fechada en Sevilla a 16 de marzo de 1727.]

d) La carta inserta por Feijóo en el tomo I a continuación del discurso II, como dirigida por un "Religioso a una hermana suya exhortándola a que prefiriese el estado de religiosa al de casada", dió origen a los escritos siguientes:

56. Anónimo: *Respuesta a la carta que dictó el padre maestro fray Benito Gerónimo Feijóo... con el fin de persuadir a que cierta señora prefiriese el estado de religión al de casada. Con licencia.* En Madrid. En la Imprenta de Lorenço Francisco Mojados. (S. a.) 23 págs.

57. Leis de Berea (Juan Benito): *Cantinela octosylábica al pronubo antagonista del Rmo. P. M. fr. Benito Feijóo... Con licencia.* En Madrid. (S. i., s. a.) Los preliminares son de abril de 1728.

f) Polémica originada por el discurso titulado *Astrología judiciaria y almanaques* (1):

58. Martínez (Martín): *Juicio final de la astrología en defensa del Teatro crítico universal, dividido en tres discursos.* Madrid, ¿1726? [Hay otra edición de Sevilla, por Diego López de Haro (S. a.)), 4 hojs. + 56 páginas. 4.º]

---

(1) Vid. prólogo que antecede, págs. 22 y sigs.

59. TORRES VILLARROEL (Diego de): *Entierro del juicio final y vivificación de la Astrología, herida con tres llagas en lo natural, moral y político y curada con tres parches. Con licencia.* En Madrid, en la Imprenta de Antonio Marín, año de 1727. 8 hojs, y 32 págs., 4.º [Hay otra edición. Sevilla, Diego López de Haro (S. a.), 8 hojas y 30 págs. 4.º La *Dedicatoria* es de 28 de febrero de 1727. Reimprimióse en las *Obras* de Torres (Madrid, 1798), t. XI, págs. 191-257.]

60. TORRES VILLARROEL (Diego de): *Conclusiones de Torres a Martín en respuesta de su Juizio Final...* En Salamanca: en la Imprenta de la S. Cruz. 70 págs. y una hoja, 8.º [La dedicatoria es de 7 de marzo de 1727.]

61. MARISCAL Y CRUZ (Juan Antonio): *Consejos amigables a don Diego de Torres, Cathedrático de Mathemáticas en la Universidad de Salamanca. Escritos por don Juan Antonio Mariscal i Cruz. Procurando desengañarle de sus locuras i reducirlo con razones, i authoridades a la mejor enseñanza.* Impresso en Madrid, i por su original (con licencia) en Sevilla en la imprenta Castellana y latina de Manuel Caballero. 23 págs. 4.º [Van dirigidos contra el *Entierro* [núm. 59], y fechados en Madrid a 6 de febrero de 1728.]

62. SALINERO (Juan): *Pragmática del tiempo en defensa de la buena astrología contra el Juicio final de la astrología.* En Sevilla, por Diego López de Haro (S. a.). 1 hoja y 6 págs. 4.º

63. SERRANO (Gonzalo Antonio): *Theatro supremo de Minerva con su catholico decreto, y sentencia definitiva a favor de la physica astrología, conforme a derecho natural, civil y canónico, por alegación consultiva y resolución decisiva en la palestra de cada una de las ciencias que propugnan: ser la astrología, buena y cierta en lo natural: verdadera y segura en lo moral: útil y provechosa en lo político; contra el Juicio final de la Astrología escrito por el doctor don Martín Martínez... con una carta proemial, histórica, auxiliar y amigable a*

don Diego de Torres. Córdoba. Pedro Arias de la Vega.
(S. a.) 10 hojs. y 183 págs. [Los preliminares son de
1727.]

g) ʼCon el fin de discutir la aseveración de que las
lenguas gallega y portuguesa están unidas por el mismo
parentesco que hay entre padre e hijo (Corolario al
discurso XV titulado *Paralelo de las lenguas*) se publicó el siguiente folleto:

64. FRAYER (Ernesto): *Discurso philológico-crítico,
sobre el Corolario del Discurso XI del Theatro Crítico
Universal, que saca a luz Ernesto Frayer y le dedica al
excelentísimo señor Vizconde ***.* Con licencia. En Madrid. Año 1727, 15 págs. 8.º

h) Sobre el *Discurso* I, § 4, núm. 11, se publicó en 20
de abril de 1728 (o sea a poco de haber visto la luz el
tomo II del *Teatro*) el escrito siguiente:

65. ARDANAZ Y CENTELLAS (Jaime): *Tertulia histórica
y apologética, o examen crítico, donde se averigua en el
Chrisol de Monumentos antiguos y Escritores de mayor
autoridad, lo que contra fray Gerónimo Savanarola* (sic)
*escrive el Rmo. P. M. Fr. Benito Gerónimo Feyjóo en el
Tomo primero de su Theatro Crítico... Por el Doctor
D. Jayme Ardanaz y Centellas, profesor de ambos dere-
chos en la Universidad de Zaragoza.* (S. a., s. l. s. i,)
[Cfr. el *Prólogo apologético* al tomo III del *Teatro.*]

i) Acerca de la totalidad del tomo I del *Teatro crítico:*

66. PARGAS ZUENDIA Y GOSSAN (Domingo): *Annotacio-
nes al Theatro Crítico Vniversal del Rmo. Padre Fray
Benito Gerónimo Feijóo que da a luz don Domingo Pargas Zuendia y Gosan.* Con licencia. 23 págs. 4.º (S. l.,
s. i.) Los preliminares y la fecha del escrito son de enero
de 1727.)

67. ZAFRA CISCODEXA (Geminiano): *Antitheatro dél-
phico judicial joco-serio, al Theatro Crítico Universal...* Con licencia: En Madrid: año de 1727. 14 hojas. 8.º

[Una nota manuscrita que se lee en la portada del ejemplar de la Bibl. Nacional [Impresos 2-50700] atribuye este folleto a don Ignacio Ximénez de Saforcada.]

68. QUEVEDO (Juan de): *Pepitoria crítica, papel de muchas cosas, escrutinio universal, i purgatorio de molde, en que se purifican varios papeles* por don Juan de Quevedo, professor en esta Universidad de Salamanca. (*Al fin:*) En Sevilla. (S. a.), en la Imprenta de Manuel Caballero, 37 págs. 8.º (1). Hay otra edición: Sevilla, Diego López de Haro (S. a.), 34 págs. y 1 hoj.

II. Desde la aparición del tomo II (6 de abril de 1728) hasta la publicación del III (31 de mayo de 1729):

69. BRIZEÑO Y ZÚÑIGA (Felipe): *Juicio particular del juicio universal. Carta censoria que don Felipe Brizeño y Zúñiga escrivió al Marqués del Pedroso: sobre algunas cláusulas que estampó fray Benito Gerónimo Feyjóo en el segundo tomo de su Theatro Crítico.* 1728, 22 págs

(1) Además de hacer observaciones, algunas muy atinadas, a la mayoría de los discursos del tomo I, analiza varios de los papeles que salieron contra el *Teatro*. Finalidad semejante persiguieron el padre Isla con su *Gaceta crítica de esta y otras muchas partes, del Martes 25 de febrero de 1727.* Madrid, Imprenta del Tiempo, 1727, reimpresa en el *Rebusco* citado, t. II, págs. 182-191, la *Carta de pasquas, que desde Guadalcanal escrive un barbero a don Pedro del Parral, vezino de Madrid, diciéndole lo mal que le han parecido los papelotes del reverendísimo padre Feijóo, de Torres, de Aquenza, de Martínez, de Ribera y del músico*, etc. (s. l., s. i., s. a.), 8 págs. 4.º, firmada en Guadalcanal en 12 de diciembre de 1726 y la *Carta segunda, que escrive el Barbero de Guadalcanal a su amigo don Pedro del Parral, en que le dice lo mal que siente de los papeles de Manco, de Brandalagas, y la Medicina cortesana de Rivera*, etc. Dedicada a los señores curiosos y lectores. Impressa en Madrid: con las licencias necessarias. Año de 1727, 6 hojs., s. f. 4.º (Fechada en 17 de diciembre de 1726.)

70. LESACA (Juan Martín de): *Apología escolástica.*
[V. prólogo que antecede, págs. 27-28.]

III. Entre los tomos III (31 de mayo de 1729) y IV
(26 de diciembre de 1730):

67. HEREDIA Y AMPUERO (Antonio): *El estudiante pre-*
guntón, interrogatorio suelto que sobre varias dudas
phísicas y mathemáticas del tercer tomo del Theatro
Crítico universal hace Antonio Heredia y Ampuero al
reverendísimo padre fray Benito Feijóo, a los Piscatores
de Salamanca, Andaluz y Gotardo, y por contera al doc-
tor Martínez. Zaragoza, 1729. [Vid. Morayta, op. cit.,
pág. 183.]

72. MONTOYA (Lucas): *Reveses al estudiante pregun-*
tón. Madrid, ¿1729? [A Montoya contestó Torres Villarroel, llenándole de improperios en el *Ultimo sacu-*
dimiento de botarates y tontos. Madrid, Antonio Marín. ¿1730? 4 hojas y 27 págs. 4.º, reimpreso en el tomo XI de la edic. citada de sus obras, páginas 312 s.]

73. MAÑER (Salvador José): *Anti-theatro crítico, so-*
bre el primero y segundo tomo del Theatro Crítico Uni-
versal del Rmo. P. M. Fr. Benito Feyjóo, Maestro ge-
neral de la Religión de S. Benito y Cathedrático de Vís-
peras de Theología en la Universidad de Oviedo; en que
se impugnan veinte y seis Discursos y se le notan seten-
ta descuidos... Con privilegio. En Madrid. Año de 1729,
4.º

74. [TEXEDA (Francisco Antonio de)]: *Apelación so-*
bre la piedra filosofal contra el tomo III del Theatro
Crítico. Madrid, 1729. [Acerca de las razones que tenemos para atribuír este escrito a Texeda, vid. núm. 81.]

75. FEIJÓO (B. J.): *Ilustración apologética al primero*
y segundo tomo del Theatro Crítico Universal, donde se
notan más de quatrocientos descuidos al autor del Ante-
Theatro y de los setenta que éste impugna al autor del
Theatro Crítico, se rebajan los sesenta y nueve y medio.
En Madrid, Francisco del Hierro, 1729, 4.º

76. MARTÍNEZ (Martín): *Apología contra la del doctor Lesaca.* Madrid, 1730. [Vid. núm. 67.]

IV. Entre los tomos IV (26 de diciembre de 1730) y V. (7 de junio de 1733):

77. MONTOYA Y UZUETA (Carlos de): *Crítico y cortés castigo de pluma contra los engaños, descuydos, y errores, que padece, y publica el Rmo. P. Mro. Fr. Benito Gerónymo Feyjóo en el quarto Tomo de su Theatro Crítico...* Con licencia. 31 págs. 4.º [S. i., s. l., s. a. Los preliminares son de enero de 1731.]

78. SARMIENTO (Martín): *Carta del Padre Sarmiento a D. Carlos Montoya, crítico de cortesía.* Colección ms., citada, tomo I, parte I, págs. 236-281. [Nota del colector: "En este papel se defienden las especies del libro de Lucrecia Marineli. Diálogos de don Antonio Agustín y Misai y Brebiaria (*sic*) Muzárabes que trae el padre Feijóo en su *Theatro Crítico* contra lo que sobre ellas dixo este don Carlos Montoya. Todo en estilo burlesco" (1).]

79. MAÑER (S. J.): *Anthiteatro Crítico. Sobre el tomo tercero del Theatro crítico; y Réplica satisfactoria, primera y segunda parte, a la "Ilustración Apologética" del P. Feyjóo, Benedictino. En que se le descubren, manifiestan y señalan 998 errores que podrán contarse por los márgenes... Tomo II, dividido en dos cuerpos. Con privilegio.* En Madrid: En la oficina de Juan de Zúñiga, 4.º [El *Anti-theatro* tiene 200 págs.; la primera parte de la *Réplica* forma con él un solo volumen, pero con paginación distinta, desde la 1 a la 278. El segundo *cuerpo* está formado por la segunda parte de la *Réplica* que tiene 376 págs. La obra, contra lo que escribe Morayta, op. cit., página 189, lleva aprobaciones e índice.]

---

(1) Este mismo escrito, con el título de *Papel jocoso-irónico en defensa del célebre P. Feijóo, dirigido a don Carlos Montoya y Uzueta, crítico de plumas pedáneas,* se halla en el Archivo de Silos, ms. 57, 34 págs. en fol. Lo firma *Sancho Revulgo y Cantalapiedra, doctor in utroque y revisor de Cartas emporéticas.*

80. Sarmiento (M.): *Demostración crítico-apologética del Theatro Crítico Universal.* Madrid, Viuda de Francisco del Hierro, 1732, 2 vols. 4.º

81. Lesaca (J. M. de): *Defensa de la apología escolástica.* [Vid. núms. 67 y 73.]

V. Entre los tomos V (7 de julio de 1733) y VI (31 de agosto de 1734):

82. Segura (Jacinto): *Norte crítico con las reglas más ciertas para la discreción en la historia, y un tratado preliminar para instrucción de históricos principiantes.* Primera y segunda parte. Valencia, por Joseph García, 1733, un tomo fol. (2.ª edición. En Valencia, Antonio Valle, 1736, 4.º) [El *Apéndice a los libros prohibidos* inserto a continuación del Indice del t. I, va dirigido contra Feijóo y en defensa de Savonarola. Véase más adelante, núm. 86. Cfr. *Diario de los literatos,* II, 1737, págs. 256 s.]

83. Mañer (S. J.): *Crisol crítico, theológico, histórico, político, phísico y mathemático, en que se quilatan las materias y puntos que se le han impugnado al Theatro Crítico, y pretendido defender en la Demonstración crítica el muy reverendo padre lector fray Martín Sarmiento.* Madrid, Impr. de B. Peralta, 1734, 2 vols. 4.º

84. Texeda (Francisco Antonio de): *Triunfo de la transmutación metálica en que se evidencia la del hierro en cobre fino. Vindicada en tres asertos con infalibles experimentos contra el discurso último del quinto tomo del Theatro Crítico.* [Inserto a continuación del segundo volumen del *Crisol crítico* de Mañer.] (1).

(1) Texeda había publicado, con el seudónimo de Teóphilo, un libro titulado: *El mayor thesoro. Tratado del arte de la Alchimia o Chrysopeya... Compuesto por Aerenaeo Philaletha... Traducido de latín en lengua castellana por Theóphilo, no adepto, sino apto escrutador del Arte. Ilustrado de varias experiencias, de la transmutación de los metales... Añadido con una Mantissa metalúrgica.* Ma-

VI.   Entre los tomos VI (31 de agosto de 1734) y VII
(28 de agosto de 1736):

85.   BALLESTER (Manuel Mariano): *Combate intelectual con que se impugnan tres discursos* (1) *del Theatro
Crítico del Rmo. P. M. Feijóo. Obra apologética com-
puesta por fr. don Manuel Mariano Ballester y de la
Torre... Sácala a luz don Joseph Domingo, Presbítero,
Racionero de la villa de Epila... Con licencia.* En Zaragoza, por Joseph Fort. (S. a. Los preliminares son de
1734.) 141 págs. 8.º

86.   MENARDS (Alvaro) (seudónimo de Mañer): *El famoso hombre marino del padre Feyjóo, benedictino, especie de mucha curiosidad en lo físico e histórico.*

87.   MARIEU Y RUBIO (Manuel): *Impugnación al padre Feijóo sobre la vida del falso nuncio de Portugal.*

[Este escrito va dirigido contra el discurso 3 del
tomo VI del *Teatro* en que Feijóo probó la falsedad
de la leyenda referente a Pedro Saavedra, falso nuncio de Portugal. V. más adelante, núm. 89.]

88.   SOLER (Alberto Antonio). *Theatro Crítico Particular, para destierro de errores universales.* Madrid.
En la oficina de Diego Miguel de Peralta, 1734, 8.º

89.   SEGURA (Jacinto): *Vindicias históricas por la ino-
cencia de fray Gerónimo Savonarola, hijo ilustrísimo de*

---

drid. s. i,. 1727. Feijóo se ocupó de él desfavorablemente
en el Disc. VIII del tomo III, titulado *Piedra filosofal.*
En 1729 se publicó la *Apelación sobre la piedra filosofal*
(núm. 74) y en 1730 vió la luz en las *Memorias de Trevoux* una carta en que se descubría la verdadera personalidad de Teófilo y se acusaba de plagiario al autor del
Teatro. Reprodujo éste dicha carta en el tomo V, discurso
17, § II, y refutó nuevamente las conclusiones científicas
de Texeda. Para contestar a estos ataques escribió este
último el libro a que se refiere esta nota. Vid. también
Justa repulsa, págs. 42-43 de la edición de 1769.

(1)   *Mapa intelectual, Defensa de las mujeres. Valor de
la nobleza e influjo de la sangre.*

*la orden de Predicadores, contra las débiles, falsas y nu-
las impugnaciones del Theatro Crítico.* Valencia, Por
Antonio Balle, 1735, 4.°

90. ARMESTO Y OSSORIO (Ignacio): *Theatro anticrítico
universal sobre las obras del muy reverendo padre maestro Feijóo, del padre maestro Sarmiento y de don Salvador Mañer, en que se empieza con un breve selecto de
lo que dice el padre maestro; se reparte la justicia a cada
uno de los puntos diferentes que los tres gallardos cam-
peones ventilan entre sí y se convence la verdad crítica,
contra los principales asuntos y otras varias opiniones de
el Theatro. Para desengaño de errores comunes.*

Madrid, F. Martínez Abad, 1735, 4.° [De estos dos
tomos primeros hay otro ejemplar en la Bibl. Nac., en
que figura como autor, así en la portada como en la licencia, censuras y versos encomiásticos, el doctor don
Joseph Quiroga Somoza y Lossada.]

VII. Entre los tomos VII (28 de agosto de 1736) y
VIII (14 de abril de 1739):

91. ARMESTO Y OSSORIO (I.): *Theatro anticrítico.* Tomo III, 1737, 4.° [Vid. núm. 87.]

92. OCHOA DE ARTEAGA (Bernardino Antonio): *Breve
Relación en que se refiere la vida de el Falso Nuncio de
Portugal, Alonso Pérez de Saavedra... La da a luz don
Bernardino Antonio Ochoa de Arteaga.* Madrid, [1739.]
8.°, IV hojas y 66 págs. [En el prólogo combate las ideas
que sobre este asunto había expuesto Feijóo. Vid. número 84.]

VIII. Entre el tomo VIII del *Teatro* y el I de las
Cartas eruditas (14 de abril de 1739 a 4 de septiembre de
1742):

93. FEIJÓO (B. J.): *Suplemento de el Theatro Crítico
o Adiciones y correcciones a muchos de los assumptos,
que se tratan en los ocho de el dicho Theatro... Con privilegio.* En Madrid. En la Imprenta de los Herederos de
Francisco del Hierro. Año de 1740, 4.°

94. Rubiños (Fray Alonso): *Theatro de la verdad o apología de los exorcismos de las criaturas irracionales y de todo género de plagas y por la potestad que hay en la Iglesia para conjurarlos, en respuesta a lo que contra este punto defiende el maestro Feijóo en el t. VIII* (1) *y nuevamente en el último* (2) *de su Theatro.* Madrid, 1741, 4.º

95. Bonamich (Narciso): *Duelos médicos contra el Theatro Crítico del Rmo. P. Fr. Benito Feyjóo, y contra la Palestra Médica del Padre Don Fr. Antonio Rodríguez, Monge Cisterciense* (3), *que en defensa, y desagravio de la Noble Facultad Médica ofreció al juicio de los curiosos, en theóricos, prácticos y médicos discursos, don Narciso Bonamich, médico que fué de la Villa de Villarejo de Salvanés...* Los imprime doña Rosa Vázquez, su mujer. Con privilegio. En Madrid: Por Thomás Rodríguez, año de 1741. 11 hojas + 322 páginas 4.º

96. Zárate (Nicasio de): *Bayles mal defendidos y Señeri sin razón impugnado por el reverendíssimo padre maestro Feijóo.* Madrid. Manuel Fernández, 1742, 4.º; 8 hoj. y 74 págs.

IX. Entre el tomo I (4 de septiembre de 1742) y el II de *Cartas* (20 de julio de 1745):

97. Santa Rosa (Bernardino de): *Theatro do mundo visivel, filosofico, mathematico... ou coloquios varios en tudo género de materias com as que se representa a fermosura do universo e se impugnan muitos discur-*

---

(1) Discurso 6.

(2) Se refiere al tomo de *Adiciones* en que Feijóo incluyó y contestó una carta sobre el asunto de un "Regular, habitante en uno de los conventos de Madrid", que seguramente era el propio Rubiños.

(3) *Palestra crítico-médica.* Madrid, 1735. Vid. Feijóo. Carta XV del tomo I. Morayta (*op. cit.,* pág. 173) incurre en el error de atribuír esta obra a Bonamich y los *Duelos médicos* a Rodríguez.

sos do Sapientissimo Fr. Benito Jerónimo Feyjoo. Coimbra, na officina de Luis Seco Ferreiro, 1743, 4.°

98. AGUIRRE (Joaquín Javier de): *El príncipe de los poetas Virgilio, mantenido en su soberanía contra las pretensiones de Lucano, apoyadas por el Rmo. padre fray Benito Geronymo Feyjóo en el tomo quarto de su Theatro y en el Suplemento a dicho tomo. Respuesta del padre Joachín Xavier de Aguirre a carta del señor don Joseph Borrull.* Madrid. Imprenta y librería de Manuel Fernández, 1744, 2 hoj. y 123 págs. [V. *Cartas,* tomo III, núm. 5.]

99. TRONCHON, MARCOS Y TORREBLANCA (Rafael): *Apología de Lulio.* [Contestó a este escrito Feijòo en la *Carta 13* del t. II. Vid. *Prólogo* que antecede, pág. 39, nota 1.]

X. Entre el tomo II (20 de julio de 1745) y el III de las *Cartas* (4 de agosto de 1750):

100. TORIBIO (Florencio): *Copia de carta escrita por don Florencio Toribio a don Cándido del Valle.* [Fechada en Madrid a 15 de octubre de 1745; su autor se propuso impugnar la *Carta 6* del t. II, titulada *La elocuencia es naturaleza y no arte.*] Nada tendría de extraño que el verdadero autor de esta carta fuese Mayans y Siscar, pues conocemos otra suya inédita. [Bibl. Nacional, Ms. 10579, fol. 54 v., 62 v.] que sobre el mismo asunto dirigió a don José Borrull, a 25 de julio de 1746. Vid. *Revista de Filología,* enero-marzo, 1923, páginas 58 y sigs.

101. FORNES (Bartolomé): *Liber apologeticus artis magnae B. Raymundi Lulli, doctoris illuminati et martyris scriptus intus et foris ad justam et plenariam defensionem famae, sanctitatis et doctrinae ejusdem ab injuriosa calumnia, ipsi inique, opinative et qualitercumque illata.* Salmanticae. Apud Nicolaum Josephum Villagordo, 1746, 4.°

102. RODRÍGUEZ (Antonio): *Carta respuesta a la décimaséptima de las eruditas.* Madrid, 1746. [4 de enero.]

103. PASCUAL (Antonio Raimundo): *Examen de la crisis del reverendísimo padre maestro don Benito Gerónimo Feijóo... sobre el arte luliana en el qual se manifiesto la santidad y culto del iluminado doctor y mártyr el beato Raimundo Lulio, la pureza de su doctrina y la utilidad de su arte y ciencia general* (1). Tomo I. En Madrid, en la Imprenta de Lorenzo Francisco Mojados. Año de 1749, 4.º

104. SOTO MARNE (Francisco de): *Reflexiones crítico-apologéticas sobre las obras del R. P. maestro Fr. Benito Gerónymo Feijóo... dedicadas a él mismo... Mro. Feijóo.* Salamanca, por Eugenio García de Honorato i San Miguel. S. a. (1748), 2 vols. 4.º

105. [SALGADO (Martín)]: *Copia de Carta escrita al Rmo. P. Mro. Fr. Fran.co Soto y Marne, lector de Prima de Theologia en el convto. de S. Fran.co de Ciudad Rodrigo &c. sobre su obra intitulada AL MRO. CUCHILLADA. Su autor el apassionado de la Verdad.* Madrid, 9 de julio de 1749. [Carta inédita, incluída en los folios 13 r.-24 r., de una *Colección de diferentes décimas, cartas y otras menudencias. Recogido todo por Fr. Franco Méndez, de la Orden de S. Awgustin.* Año de 1756, 4.º Academia de la Historia. Signatura 10-10-4. El nombre del autor se declara en la siguiente nota del colector (fol. 13 r.): "El Autor de esta carta fué el P. Presentado fr. Martín Salgado: la escribió antes que el P. Feyjo (*sic*) publicase su *Justa repulsa*: Y no se imprimió porque Salgado no quiso dar su nombre."]

106. FEIJÓO (B. J.): *Justa repulsa de iniquas acusaciones. Carta, en que manifestando las imposturas que contra el Theatro Crítico y su autor dió al público el R. P. Fr. Francisco Soto Marne... escrive a un amigo suyo el R. P. Mro. don Fr. Benito Gerónimo Feijóo* Madrid, Antonio Pérez de Soto, 1749, 4.º, 16 hojas y 115 págs.

_____

(1) Cf. *Cartas eruditas,* t. III, núm. 26.

XI. Entre los tomos III (4 de agosto de 1750) y IV (14 de agosto de 1753) de *Cartas eruditas.*

107. Soto y Marne (Francisco de): *Memorial que se presentó a la Majestad Católica, por el reverendísimo padre fray Francisco de Soto Marne, chronista general de la religión de nuestro padre San Francisco.* [Publicó, por lo menos, dos: uno en 1750 y otro en 1751; pero debió de imprimir otros dos más, pues en el Memorial de 1751 (de que hay ejemplar en la Bibl. de la Fac. de Filosofía y Letras, 201-1-10, núm. 37) declara tener presentado al Consejo el III y concluído el IV.]

108 [Ramírez (Lucas)] *La Derrota de los alanos* (1) *o Discurso sobre las reflexiones Crítico-Apologéticas del R. P. Fr. Francisco de Soto y Marne. En que se desagravia la Ilustríssima, y nobilíssima Religión de San Benito: Se defienden la Persona y Escritos del Rmo. P. Mro. general y muy Ilustre Sr. D. Fr. Benito Geronymo Feijóo del Consejo de S. M. C. Se reparan las injurias de los Literatos de España y Países estranjeros: Y se vendica el buen gusto, y honor de la Religión Seráphica y de sus Prelados. Su author el padre fray Columbo Serpiente de Santa Clara, Minorita Recoleto. Con licencia.* Año de 1750, 39 páginas, 4.°

109. Llontisca y Rivas (Fray Antonio): *Observaciones críticas, joco-serias, sobre ciertos memoriales del último impugnador del Theatro Crítico, el reverendo padre fray Francisco de Soto y Marne.* León de Francia, Andrés Perisse, 1751, 44 págs. 4.°

---

(1) El padre Isla, *Rebusco*, II, 192-218, se vindica "de la falsa voz que le hacía autor del Papel la *Derrota de los Alanos* y sospecha lo fuera el sevillano fray Lucas Ramírez". "El mismo —escribe—: se da a conocer en varios números de su Paulina, señaladamente al 60, donde llama suyo a Santo Tomás, aludiendo sin duda a la defensa que hizo el año pasado de todas las obras del doctor Angélico." Alude Isla al libro de Ramírez *De triplici scholastico agone specimen.* Hispali. Riojas Gamboa, 1748, 4.°

110. ANÓNIMO: *Mañanitas del Molar. Diálogo crítico joco-serio, sobre las observaciones que fray Antonio Llontisca acaba de hacer al Memorial de el muy reverendo padre fray Francisco de Soto y Marne.* León de Francia. Viuda de Laroche y sus hijos. 1751, 110 págs. 8.°

11. RIVAFREDA ASTIGITANO (Angel): *Destierro de imposturas de la República literaria en obsequio de la verdad histórica y honor del marqués de San Aubin y del ilustrísimo y reverendísimo maestro Feijóo, impugnados por el reverendísimo padre chronista fray Francisco de Soto y Marne en su Memorial último.*

112. ANÓNIMO: *Destierro de ignorancias actoras de ciertas falsedades imputadas al último memorial del maestro Soto.* 25 págs. 8.° (sin indicaciones tipográficas). [Es un escrito en forma de carta, firmada en Madrid a 12 de marzo de 1752, con las iniciales D. D. C. J. T. F.]

113. RODRÍGUEZ (Antonio José): *Carta respuesta a un ilustre prelado, sobre el feto monstruoso, hallado poco ha en el vientre de una cabra: y reflexiones críticas, que ilustran su historia.* Con licencia. En Madrid. Año 1753, 4.°, 14 hojas y 96 págs. [Es refutación de la *Carta 30* del tomo III de las *Eruditas.*]

XII. Entre los tomos IV y V de *Cartas* (14 de agosto de 1753 a 20 de mayo de 1760):

114. TORRUBIA (Fray José): *Satisfacción a la carta XVI del tomo IV de las Eruditas sobre los francmasones.* Madrid, 1754.

115. MACANAZ (Melchor de): *Notas al teatro Crítico del eruditísimo Feijóo en 12 quadernillos escriptas por el exmo. sr. dn. Melchor de Macanaz, desde su reclusión de la Coruña.* Año de 1758. [Biblioteca Nacional, Ms. 10744 (antes KK, suplemento 19). Estas notas (que abarcan también la totalidad de las *Cartas*) se publicaron íntegramente en el *Semanario Erudito,* de Valladares, tomo VII (Madrid, 1788, págs. 205-280), y VIII (páginas 3-135).]

PRÓLOGO AL LECTOR

Lector mío, seas quien fueres, no te espero
muy propicio, porque siendo verisímil que estés
preocupado de muchas de las opiniones comunes
que impugno, y no debiendo yo confiar tanto, 5
ni en mi persuasiva ni en tu docilidad, que pueda prometerme conquistar luego tu assenso,
¿qué sucederá sino que, firme en tus antiguos
dictámenes, condenes como iniquas mis decis-
siones? Dixo bien el padre Malebranche que 10
aquellos autores que escriben para desterrar
preocupaciones comunes no deben poner duda en
que recibirá el público con desagrado sus libros.
En caso que llegue a triunfar la verdad, camina
con tan perezosos pasos la victoria, que el autor, 15
mientras vive, sólo goza el vano consuelo de
que le pondrán la corona de laurel en el túmulo.
Buen ejemplo es el del famoso Guillelmo Har-
veo, contra quien, por el noble descubrimien-

---

19 [Guillermo Harvey, fisiólogo inglés (1578-1687), autor de varias obras latinas en que expuso su descubrimiento.]

to de la circulación de la sangre, declamaron furiosamente los médicos de su tiempo, y hoy le veneran todos los profesores de Medicina como oráculo. Mientras vivió le llenaron de injurias; 5 ya muerto, no les falta sino colocar su imagen en las aras.

Aquí era la ocasión de disponer tu espíritu a admitir mis máximas, representándote con varios exemplos cuán expuestas viven al error las 10 opiniones más establecidas. Pero porque este es todo el blanco del primer discurso de este tomo, que a ese fin, como preliminar necesario, puse al principio, allí puedes leerlo. Si nada te hiciere fuerza, y te obstinares a ser constante sectario 15 de la voz del pueblo, sigue norabuena su rumbo. Si eres discreto, no tendré contigo querella alguna porque serás benigno y reprobarás el dictamen, sin maltratar al autor. Pero si fueres necio, no puede faltarte la calidad de inexorable. 20 Bien sé que no hay más rígido censor de un libro que aquel que no tiene habilidad para dictar una carta. En ese caso di de mí lo que quisieres. Trata mis opiniones de descaminadas por peregrinas, y convengámonos los dos en que tú me 25 tengas a mí por extravagante; yo a ti, por rudo.

Debo, no obstante, satisfacer algunos reparos que naturalmente harás leyendo este tomo. El primero es que no van los discursos distribuídos por determinadas clases, siguiendo la serie de las facultades o materias a que pertenecen.

A que respondo que aunque al principio tuve ese intento, luego descubrí imposible la ejecución; porque habiéndome propuesto tan vasto campo al teatro crítico, vi que muchos de los asuntos que se han de tocar en él son incomprehensibles debajo de facultad determinada, o porque no pertenecen a alguna, o porque participan igualmente de muchas. Fuera de esto, hay muchos de los cuales cada uno trata solitariamente de alguna facultad, sin que otro le haga consorcio en el asunto. Sólo en materias físicas (dentro de cuyo ámbito son infinitos los errores del vulgo) habrá tantos discursos que sean capaces de hacer tomo aparte, sin embargo de que estoy más inclinado a dividirlos en varios tomos, porque con eso tenga cada uno más apacible variedad.

De suerte que cada tomo, bien que el designio de impugnar errores comunes uniforme, en cuanto a las materias parecerá un riguroso misceláneo. El objeto formal será siempre uno. Los materiales precisamente han de ser muy diversos.

Culparásme acaso porque doy el nombre de *errores* a todas las opiniones que contradigo. Sería justa la queja si yo no previniese quitar

desde ahora a la voz el odio con la explicación.
Digo, pues, que *error,* como aquí le tomo, no
significa otra cosa que una opinión que tengo
por falsa, prescindiendo de si lo juzgo o no pro-
5 bable.

Ni debajo del nombre de *errores comunes*
quiero significar que los que impugno sean
trascendentes a todos los hombres. Bástame para darles ese nombre que estén admitidos en el
10 común del vulgo, o tengan entre los literatos
más que ordinario séquito. Esto se debe entender con la reserva de no introducirme jamás a
juez en aquellas cuestiones que se ventilan entre varias escuelas, especialmente en materias
15 teológicas; porque ¿qué puedo yo adelantar en
asuntos que con tanta reflexión meditaron tantos hombres insignes? ¿O quién soy yo para
presumir capaces mis fuerzas de aquellas lides,
donde batallan tantos gigantes? En las materias
20 de rigurosa Física no debe detenerme este reparo, porque son muy pocas las que se tratan (y
ésas con poca o ninguna reflexión) en otras
escuelas.

Harásme también cargo porque, habiendo de
25 tocar muchas cosas facultativas, escribo en el
idioma castellano. Bastaríame por respuesta el
que para escribir en el idioma nativo no se ha
menester más razón que no tener alguna para

hacer lo contrario. No niego que hay verdades
que deben ocultarse al vulgo, cuya flaqueza más
peligra tal vez en la noticia que en la ignorancia; pero ésas ni en latín deben salir al público,
pues harto vulgo hay entre los que entienden es- 5
te idioma; fácilmente pasan de éstos a los que
no saben más que el castellano.

Tan lejos voy de comunicar especies pernicio-
sas al público, que mi designio en esta obra es
desengañarle de muchas que, por estar admiti- 10
das como verdaderas, le son perjudiciales, y no
sería razón, cuando puede ser universal el provecho, que no alcanzare a todos el desengaño.

No por eso pienses que estoy muy asegurado
de la utilidad de la obra. Aunque mi intento sólo 15
es proponer la verdad, posible es que en algunos asuntos me falte penetración para conocerla, y en los más, fuerza para persuadirla. Lo que
puedo asegurarte es que nada escribo que no sea
conforme a lo que siento. Proponer y probar 20
opiniones singulares, sólo por ostentar ingenio, téngolo por prurito pueril y falsedad in-
digna de todo hombre de bien. En una conversación se puede tolerar por pasatiempo; en un
escrito es engañar al público. La grandeza del 25
discurso está en penetrar y persuadir las verdades; la habilidad más baja del ingenio es en-
redar a otros con sofisterías. Las arañas, que

aun entre los brutos son viles, fabrican telas delicadas, pero sutiles; sutiles y firmes, aun entre los hombres, no las hacen sino los artifices excelentes. En aquéllas se figuran los discursos agudos, pero sofísticos; en éstas los ingeniosos y sólidos.

No siempre los errores comunes que impugno ocupan todo el discurso donde se tratan. A veces son comprendidos muchos en un mismo discurso, o porque pertenecen derechamente a a la materia de él, o porque se hallaron al paso y como por incidencia, siguiendo el asunto principal. Este método pareció más oportuno; porque de hacer discurso aparte para cada opinión que impugno, habiendo en unas mucho que decir, y en otras poco, resultaría un todo compuesto de partes extremadamente desiguales.

Estoy esperando muchas impugnaciones, especialmente sobre dos o tres discursos de este libro; y aun algunos me previenen que cargarán sobre mí injurias y dicterios. En ese caso me aseguraré más de la verdad de lo que escribo, pues es cierto que desconfía de sus fuerzas quien contra mí se aprovecha de armas vedadas. Si me opusieren razones, responderé a ellas; si chocarrerías y dicterios, desde luego me doy por concluído, porque en ese género de disputa jamás me he ejercitado. Vale.

VOZ DEL PUEBLO

Aquella mal entendida máxima de que Dios
se explica en la voz de el pueblo, autorizó la
plebe para tiranizar el buen juicio, y erigió en
ella una potestad tribunicia, capaz de oprimir 5
la nobleza literaria. Es este un error de donde
nacen infinitos; porque asentada la conclusión
de que la multitud sea regla de la verdad, todos
los desaciertos del vulgo se veneran como ins-
piraciones del Cielo. Esta consideración me 10
mueve a combatir el primero este error, ha-
ciéndome la cuenta de que venzo muchos enemigos en uno solo, o a lo menos de que será
más fácil expugnar los demás errores quitán-
doles primero el patrocinio que les da la voz 15
común en la estimación de los hombres menos
cautos.

---

1 [Tomo I. Discurso I.]

§ 1.

Aestimes judicia, non numeres, decía Séneca. El valor de las opiniones se ha de com-
putar por el peso, no por el número de las al-
5 mas. Los ignorantes, por ser muchos, no dejan de ser ignorantes. ¿Qué acierto, pues, se
puede esperar de sus resoluciones? Antes es
de creer que la multitud añadirá estorbos a la
verdad, creciendo los sufragios al error. Si fué
10 superstición extravagante de los Molosos, pueblos antiguos de Epiro, constituír el tronco de
una encina por órgano de Apolo, no lo sería
menos conceder esta prerrogativa a toda la sel-
va Dodonea. Y si de una piedra, sin que el artí-
15 fice la pula, no puede resultar la imagen de Minerva, la misma imposibilidad quedará en pie
aunque se junten todos los peñascos de la montaña. Siempre alcanzará más un discreto solo
que una gran turba de necios; como verá me-
20 jor al sol un águila sola que un ejército de le-
chuzas.

Preguntado alguna vez el papa Juan XXIII
qué cosa era la que distaba más de la verdad,
respondió que el dictamen del vulgo. Tan per-
25 suadido estaba a lo mismo el severísimo Fo-

3 *Epístola 39.*

ción, que orando una vez en Atenas, como vie-
se que todo el pueblo en común consentimiento levantaba la voz en su aplauso, preguntó a
los amigos que tenía cerca de sí en qué había
errado, pareciéndole que en la ceguera del pue- 5
blo no cabía aplaudir sino los desaciertos. No
apruebo sentencias tan rigurosas, ni puedo considerar al pueblo como antípoda preciso del
hemisferio de la verdad. Algunas veces acier-
ta; pero es por ajena luz o por casualidad. No 10
me acuerdo qué sabio compara el vulgo a la luna, a razón de su inconstancia. También tenía
lugar la comparación porque jamás resplandece con luz propia: *Non consilium in vulgo,*
non ratio, non discrimen, non diligentia, decía 15
Tulio. No hay dentro de este vasto cuerpo
luz nativa con que pueda discernir lo verdadero de lo falso. Toda ha de ser prestada y aún
esa se queda en la superficie, porque su opacidad hace impenetrable a los rayos el fondo. 20

Es el pueblo un instrumento de varias voces que, si no por un rarísimo acaso, jamás se
pondrán por sí mismas en el debido tono, hasta
que alguna mano sabia las temple. Fué sueño
de Epicuro pensar que infinitos átomos, va- 25
gueando libremente por el aire, al ímpetu del

---

16 *Oratio pro Planco.* "No hay en el vulgo prudencia,
ni sentido, ni discernimiento, ni actividad."

acaso, sin el gobierno de alguna mente, pudiesen formar este admirable sistema del orbe. Pedro Gasendo y los demás reformadores modernos de Epicuro añadieron a ese confuso vulgo el régimen de la suprema inteligencia. Y aún supuesto ése, no se puede entender cómo, sin formas que pulan la rudeza de la materia, produzca la tierra la más humilde planta. Poco se distingue el vulgo de los hombres del vulgo de los átomos. De la concurrencia casual de sus dictámenes apenas podrá resultar jamás una ordenada serie de verdades fijas. Será menester que la suprema inteligencia sea intendente de la obra; pero ¿cómo lo hace? Usando, como de subalternos suyos, de hombres sabios, que son las formas que disponen y organizan esos materiales entes.

Los que dan tanta autoridad a la voz común no prevén una peligrosa consecuencia que está muy vecina a su dictamen. Si a la pluralidad de voces se hubiese de fiar la decisión de las verdades, la sana doctrina se había de buscar en el Alcorán de Mahoma, no en el Evangelio de Cristo; no los decretos del Papa, sino los del mustí, habrían de arreglar las costumbres, siendo cierto que más votos tiene a su favor el Alcorán que el Evangelio. Yo estoy

3 Gasendi, filósofo y astrónomo francés (1592-1655).

tan lejos de pensar que el mayor número deba
captar el asenso, que antes pienso se debe tomar el rumbo contrario, porque la naturaleza
de las cosas lleva que en el mundo ocupe mucho mayor país el error que la verdad. El vul- 5
go de los hombres, como la ínfima y más humilde porción del orbe racional, se parece al
elemento de la tierra, en cuyos senos se produce poco oro, pero muchísimo hierro.

§ 2. 10

Quien considerase que para la verdad no
hay más que una senda y para el error infinitas, no extrañará que caminando los hombres
con tan escasa luz, se descaminen los más. Los
conceptos que el entendimiento forma de las co- 15
sas son como las figuras cuadriláteras, que
sólo de un modo pueden ser regulares, pero
de innumerables modos pueden ser irregulares
o trapecias, como las llaman los matemáticos.
Cada cuerpo en su especie, sólo por una medida 20
puede salir rectamente organizado; pero por
otras infinitas puede salir monstruoso. Sólo de
un modo se puede acertar; errar, de infinitos.
Aun en el cielo no hay más que dos puntos fijos para dirigir los navegantes. Todo lo de- 25
más es voluble. Otros dos puntos fijos hay en

la esfera del entendimiento: la revelación y la
demostración. Todo el resto está lleno de opiniones, que van volteándose y sucediéndose
unas y otras, según el capricho de inteli-
5 gencias motrices inferiores. Quien no obser-
vase diligente aquellos dos puntos, o uno de
ellos, según el hemisferio por donde navega,
esto es, el primero en el hemisferio de la gracia, el segundo en el hemisferio de la naturale-
10 za, jamás llegará al puerto de la verdad. Pero
así como en muy pocas partes del globo terrá-
queo miran derechamente las agujas magnéti-
cas a uno ni a otro polo, si que las más declinan
de él, ya más, ya menos grados, ni más ni menos
15 en muy pocas partes del mundo atina el entendimiento humano con uno ni otro polo de su
gobierno. Al polo de la revelación sólo se
mira derechamente en dos partes pequeñas:
una de la Europa, otra de la América. En todas
20 las demás se inclina, ya más, ya menos grados.
En los países de los herejes ya tuerce bastante
la aguja; más aún en los de los mahometanos;
muchísimo más en los de los idólatras. El polo
de la demostración sólo tiene inspectores en el
25 corto pueblo de los matemáticos, y aun ahí se
padecen a veces algunas declinaciones.

Pero ¿qué es menester girar el mundo para
hallar en varias regiones la sentencia del co-

mún divorciada con la verdad? Aun en aquel
pueblo que se llamó pueblo de Dios, tan lejos
estuvieron muchas veces de ser una misma la
voz de Dios y la del pueblo, que ni aun consonancia tuvieron entre sí. Tan presto se ponía ₅
la voz del pueblo en armonía con la divina, tan
presto se desviaba a la mayor disonancia. Pro-
pónele Moisés las leyes que Dios le había dado, y todo el pueblo responde a una voz: Cuanto Dios ha dicho ejecutaremos: *Responditque* ₁₀
omnis populus una voce: Omnia verba Domini
quae locutus est faciemus. ¡Oh qué consonancia tan hermosa de una voz con otra! Apár-
tase el maestro de capilla Moisés, que ponía en
tono la voz del pueblo, y al instante el pueblo ₁₅
mismo congregado, después de obligar a Aarón
a que le fabricase dos ídolos, levanta la voz diciendo que aquellos son verdaderos dioses, a
quienes deben su libertad: *Dixeruntque: hi*
sunt dii tui, Israel, qui te eduxerunt de terra
Aegypti. ₂₀

Así sucedió otras muchas veces. Pero el caso en que pidieron rey a Samuel tiene algo de
particular. La voz de Dios, por el órgano del

---

12 *Exodo,* 24. "Y respondió todo el pueblo a una voz:
ejecutaremos las palabras todas que el Señor pronunció."

19 "Y dijeron: oh Israel, estos son tus dioses, los que
te sacaron de la tierra de Egipto".

profeta, los disuadía de la elección de Rey. Pero ¡qué distante estaba la voz del pueblo de ponerse en consonancia con el órgano de Dios!
Instan una y otra vez que se les dé rey; y ¿en
5 qué se fundan? En que las demás naciones le
tienen: *Erimus nos quoque sicut omnes gentes.*
Aquí se notan dos cosas: la una, que siendo
voz de todo el pueblo, fué errada; la otra, que
no la eximió de error el ir calificada con la au-
10 toridad de todos los demás pueblos, y la consonancia con las voces de todos los demás pueblos la hizo disonante de la voz divina. Andaos
ahora a gobernaros por voces comunes sobre
el fundamento de que la voz del pueblo es voz
15 de Dios.

§ 3.

En una materia determinada creí yo algún
tiempo que la voz del pueblo era infalible, conviene a saber: en la aprobación o reprobación
20 de los sujetos. Parecíame que aquel que todo
el pueblo tiene por bueno, ciertamente es bueno; el que todos tienen por sabio, ciertamente es
sabio, y al contrario. Pero haciendo más reflexión hallé que también en esta materia claudica

6 "Seremos también nosotros como las demás naciones."

algunas veces la sentencia popular. Estando
una vez Focion reprendiendo con alguna aspe-
reza al pueblo de Atenas, su enemigo Demóstenes le dijo: "Mira que te matará el pueblo si
empieza a enloquecer". "Y a ti te matará —-res- 5
pondió Focion— si empieza a tener juicio."
Sentencia con que declaró su mente, de que nunca hace el pueblo concepto sano en la calificación
de sujetos. El hado infeliz del mismo Focion
comprobó en parte su sentir, pues vino a mo- 10
rir por el furioso pueblo de Atenas, como de-
lincuente contra la Patria, siendo el hombre
mejor que en aquel tiempo tenía Grecia.

Ser reputado un ignorante por sabio, o un
sabio por loco, no es cosa que no haya sucedido 15
en algunos pueblos. Y en orden a esto es gracioso el suceso de los abderitas con su compa-
triota Demócrito. Este filósofo, después de una
larga meditación sobre las vanidades y ridicu-
leces de los hombres, dió en el extremo de reír- 20
se siempre que cualquiera suceso le traía este
asunto a la memoria. Viendo esto los abderitas, que antes le tenían por sapientísimo, no du-
daban en que se había vuelto loco. Y a Hipócrates, que florecía en aquel tiempo, escribie- 25
ron pidiéndole encarecidamente que fuese a cu-
rarle. Sospechó el buen viejo lo que era, que
la enfermedad no estaba en Demócrito, sino en

el pueblo, el cual, a fuer de muy necio, juzgaba en el filósofo locura lo que era una excelente sabiduría. Así le escribe a su amigo Dio-
nisio dándole noticia de este llamamiento de
5 los abderitas y relación que le habían hecho de
la locura de Demócrito: *Ego vero neque mor-
bum ipsum esse puto, sed immodicam doctri-
nam, quae revera non est immodica, sed ab
idiotis putantur.* Y escribiendo a Filopemenes,
10 dice: *Cum non insaniam, sed quandam ex-
cellentem mentis sanitatem vir ille declaret.*
Fué, en fin, Hipócrates a ver a Demócrito, y en
una larga conferencia que tuvo con él halló
el fundamento de su risa en una moralidad dis-
15 creta, de que quedó convencido y admirado. Da
puntual noticia Hipócrates de esta conferencia
en carta escrita a Damageto, donde se leen estos elogios de Demócrito. Entre otras cosas le
dice: "Mi conjetura, Damageto, salió cierta.
20 No está loco Demócrito; antes es el hombre
más sabio que he visto. A mí con su conversación me hizo más sabio, y por mí a todos los
demás hombres": *Hoc erat illud, Damagete,
quod coniectabamus. Non insanit Democritus,*

---

6 "No creo en verdad que tenga mal alguno, sino una
ciencia que los necios estiman excesiva y que en realidad
no lo es."

10 "Siendo así que ese hombre revela, no locura, sino una
sana y sobresaliente inteligencia."

*sed super omnia sapit, et nos sapientiores effe-
cit, et per nos omnes homines.*

Hállanse estas cartas en las obras de Hipócrates, dignísimas, cierto, de ser leídas, especialmente la de Damageto. Y de ellas se colige, no
sólo cuánto puede errar el pueblo entero en el
concepto que hace de algún individuo, mas también la ninguna razón con que tantos autores
pintan a Demócrito como un hombre ridículo
y semifatuo, pues nadie le disputa el juicio y
la sabiduría a Hipócrates; y éste, habiéndole
tratado muy despacio, da testimonio tan opuesto, que, por su dicho, venía a ser Demócrito
el hombre más sabio y cuerdo del mundo. Otra
carta se halla de Hipócrates a Demócrito, donde le reconoce por el mayor filósofo natural
del orbe: *Optimum naturae, ac mundi inter-
pretem te iudicavi.* Era entonces Hipócrates
bastantemente anciano, pues en la misma carta
lo dice: *Ego enim ad finem medicinae non per-
veni, etiamsi iam senex sim;* y por tanto, ca-
pacísimo de hacer recto juicio de la doctrina de
Demócrito. Lo que a mi parecer hace verisímil la acusación que algunos autores oponen a

---

17 "Te consideré como el mejor intérprete de la naturaleza y del mundo."

20 "Aunque ya soy viejo, no llegué al límite de la
medicina."

Aristóteles de que no expuso fielmente las opiniones de éste y otros filósofos que le precedieron a fin de establecer en el mundo la monarquía de su doctrina, desacreditando todas
5 las demás, y haciendo, dice el gran Bacon de Ve ·
rulamio, con los demás filósofos lo que hacen
los emperadores otomanos, que para reinar seguros matan a todos sus hermanos. Pero vol-
vamos a nuestro propósito.

10   § 4.

En cuanto a la virtud y el vicio, tomando
una por otro en sujetos determinados, fueron
tantos los errores de los pueblos, que se tropieza a cada paso con ellos en las historias. No hay
15 más que ver que los mayores embusteros del
mundo pasaron por depositarios de los secretos del cielo. Numa Pompilio introdujo en los
romanos la policía y la religión que quiso, a
favor de la ficción de que la ninfa Egeria le
20 dictaba todo cuanto él proponía. Debajo de las

---

9 En la *Apología de algunos personajes notables en
la historia,* [*Teatro Crítico,* tomo VI, discurso segundo],
notamos que muchos críticos se inclinan a que las cartas
de Hipócrates a Demócrito son supuestas. [Sobre las cartas
de Hipócrates que figuran entre sus obras, véase la edición
de Littré (París, 10 vols., 1839-1861), I, pág. 385.]

banderas de Sertorio militaron ciegos los españoles contra los romanos, por haberle creído que en una cierva blanca, que había criado a su modo y de quien con astucia se servía, ostentando que sabía por ella todas las noticias que por vías ocultas se le administraban, le hablaba la deidad de Diana. Mahoma persuadió a una gran parte de la Asia que el Arcángel San Gabriel era nuncio que había deputado para él la corte celestial, debajo de la figura de una paloma, a quien había enseñado a arrimarle el pico a la oreja. Los más de los heresiarcas, aunque manchados de vicios bastantemente descubiertos, fueron reputados en varios pueblos como archivos venerables de los misterios divinos. Dentro del mismo seno de la Iglesia romana se produjeron semejantes monstruosidades. Tanquelino, hombre flagiciosísimo, dado descubiertamente a toda torpeza, en el siglo undécimo fué venerado de todo el pueblo de Amberes por santo, en tanto grado, que guardaban como reliquia el agua en que se lavaba. La República florentina, que nunca pasó por pueblo rudo, respetó muchos años como hombre santo y dotado de espíritu profético a fray Jeró-

---

18 Tanchelino, Tandemo o Tanquelmo, hereje flamenco, muerto hacia 1115.

25 Véase el *Apéndice* que antecede, núm. 62. La biblio-

nimo de Savonarola, hombre de prodigiosa facundia y aún mayor sagacidad, que les hizo
creer que eran revelaciones sus conjeturas políticas y los avisos ocultos que tenía de la cor-
5 te de Francia, sin embargo, de que muchas de
sus predicaciones salieron falsas, como la de la
segunda venida de Carlos VIII a Italia, de la
mejoría de Juan Pico de la Mirandola en la
enfermedad de que dos días después murió, y
10 otras. Ni haberle quemado en la plaza públi-
ca de Florencia bastó para desengañar a todos
de sus imposturas, pues no sólo los herejes le
veneran como un hombre celestial y precursor
de Lutero, por sus vehementes declamaciones
15 contra la corte de Roma, mas aún algunos católicos hicieron su panegírico, entre los cuales
sobresalió Marco Antonio Flaminio, con este
hermoso, aunque falso epigrama:

> Dum fera flamma tuos, Hieronime, pascitur artus
20   Religio sacras dilaniata comas

---

grafía acerca de Savonarola (Ferrara 21 de septiembre
de 1452.—Florencia 23 de mayo de 1498) es copiosísima.
Vid. José Godoy Alcántara: *Savonarola juzgado por los
escritores españoles* en *Revista de España*, 1870. I. y J. O.
Neill: *Fray Jerónimo Savonarola* en *España Moderna*.
septiembre-octubre 1894.

8 [1462-1494].

20 "Mientras la fiera llama, oh Jerónimo, devora tus
miembros, llora la religión, y lacerando su cabellera sagrada
exclama: ¡Oh llamas crueles, perdonadlo! ¡Perdonadlo!
¡Ved que sobre la pira arden nuestras propias entrañas!"

Flevit, et "oh", dixit "crudeles parcite flammae"
"Parcite, sunt isto viscera nostra rogo."

Lo que ha habido en esta materia más monstruoso es que algunas iglesias particulares ce-
lebraron y dieron culto como a Santos a hom- 5
bres perversos o que murieron separados de la
comunión de la Iglesia romana. La iglesia de
Limoges celebró solemnemente mucho tiempo
con rezo propio, que aun hoy existe en el Bre-
viario antiguo de aquella Iglesia, a Eusebio Ce- 10
sariense, que vivió y murió en la heregía arria-
na, por equivocación, a lo que se puede discurrir,
que hubo al principio, de Eusebio, obispo de
Cesarea en Capadocia, sucesor de San Basilio,
con Eusebio, obispo de Cesarea en Palestina, 15
de quien hablamos. Bien sé que uno u otro autor dicen que Eusebio se redujo en el Concilio
Niceno a la creencia católica, y fué después
constante en ella; pero contra tantos testimonios en contrario y contra sus mismos escri- 20
tos, que, al parecer, carece su defensa de toda
probabilidad. La iglesia de Turon veneró a un
ladrón como mártir y le tenía erigido altar, que
destruyó, sacando de su error al pueblo, San
Martín, como afirma Sulpicio Severo en su 25
Vida.

§ 5.

Para desconfiar del todo de la voz popular
no hay sino hacer reflexión sobre los extrava-
gantísimos errores que en materia de religión,
5 policía y costumbres se vieron y se ven auto-
rizados con el común consentimiento de varios
pueblos. Cicerón decía que no hay disparate alguno tan absurdo que no le haya afirmado
algún filósofo: *Nihil tam absurdum dici potest,*
10 *quid non dicatur ab aliquo philosophorum.*
Con más razón diré yo que no hay desatino alguno tan monstruoso que no esté patrocinado
del consentimiento uniforme de algún pueblo.

Cuanto la luz de la razón natural representa
15 abominable, ya en esta, ya en aquella región, pasó y aún pasa por lícito. La mentira, el perju-
rio, el adulterio, el homicidio, el robo; en fin,
todos los vicios lograron o logran la general
aprobación de algunas naciones. Entre los
20 antiguos germanos el robo hacía al usurpador
legítimo dueño de lo que hurtaba. Los hérulos,
pueblo antiguo poco distante del mar Báltico,
aunque su situación no se sabe a punto fijo,
mataban todos los enfermos y viejos, ni per-

12 Libro II. *De divinatione.*

mitían a las mujeres sobrevivir a sus maridos. Más bárbaros aún los caspianos, pueblos de la Scitia, encarcelaban y hacían morir de hambre a sus propios padres cuando llegaban a edad avanzada. ¿Qué deformidades no ejecutarían [5] unos pueblos de Etiopía, que, según Eliano, tenían por rey a un perro, siendo este bruto, con sus gestos y movimientos, regla de todas sus acciones? Fuera de la Etiopía señala Plinio los toembaros, que obedecían al mismo dueño. [10]

Ni está mejorado en estos tiempos el corazón del mundo. Son muchas las regiones donde se alimentan de carne humana y andan a caza de hombres como de fieras. En el palacio del rey Macoco, dueño de una grande porción de la [15] Africa, junto a Congo, se matan diariamente a lo que afirma Tomás Cornelio, doscientos hombres, entre delincuentes y esclavos de tributo, para plato del rey y de sus domésticos, que son muchísimos. Los yagos, pueblos del rei- [20] no de Ansico, en la misma Africa, no sólo se alimentan de los prisioneros que hacen en la guerra, mas también de los que entre ellos mueren naturalmente; de modo que en aquella nación los muertos no tienen otro sepulcro que el [25] estómago de los vivos. Todo el mundo sabe que

17 Tomás Corneille: *Dictionnaire géographique et historique.* Paris, 1708.

en muchas partes del Oriente hay la bárbara
costumbre de quemarse vivas las mujeres cuando mueren los maridos; y aunque ésta no es absoluta necesidad, rarísima o ninguna deja de
5 ejecutarlo, porque queda después infame, des-
preciada y aborrecida de todos. Entre los ca-
fres todos los parientes del que muere tienen
la obligación de cortarse el dedo pequeño de
la mano izquierda, y echarle en el sepulcro del
10 difunto.

¿Qué diré de las licencias que tiene la torpeza en varias naciones? En Malabar pueden
las mujeres casarse con cuantos maridos quieren. En la isla de Ceilán, en casándose la mujer
15 es común a todos los hermanos del marido, y
pueden los dos consortes divorciarse cuando
quieran, para contraer nueva alianza. En el
reino de Calicut todas las nuevas esposas, sin
excepción de la misma reina, antes de permi-
20 tirse al uso de sus maridos, son entregadas a la
lascivia de alguno de sus bracmanes o sacerdotes. En la Mingrelia, provincia de la Georgia,
donde son cristianos cismáticos con mezcla de
varios errores, el adulterio pasa por acción in-
25 diferente; y así rarísima persona hay, ni de
uno, ni de otro sexo, que guarde fidelidad a su
consorte; bien es verdad que el marido, en el
caso de sorprender a la mujer en adulterio, tie-

ne derecho para hacer pagar al adúltero un co-
chino, que es muy buena satisfacción, y suele ser convidado a comer de él el mismo reo.

§ 6.

Sería cosa inmensa si me pusiese a referir
las extravagantísimas supersticiones de varios
pueblos. Los antiguos gentiles, ya se sabe que
adoraron los más despreciables y viles brutos.
Fué deidad de una nación la cabra, de otra la
tortuga, de otra el escarabajo, de otra la mos-
ca. Aun los romanos, que pasaron por la gente
más hábil del orbe, fueron extremadamente ridículos en la religión, como San Agustín, en
varias partes de sus libros de la *Ciudad de Dios,*
les echa en rostro; en que lo más especial fué
aquella innumerable multitud de dioses que in-
trodujeron, pues sólo para cuidar de las mieses
y granos tenían repartidos entre doce deidades doce oficios diferentes. Para guardar la
puerta de la casa había tres: el dios Lorculo
cuidaba de la tabla, la diosa Cardea cuidaba
del quicio, y el dios Limentino del umbral; en
que con gracejo los redarguye San Agustín de
que, teniendo por bastante cualquiera un hombre solo para portero, no pudiendo un dios solo
hacer lo que hace un hombre solo, pusiesen tres

en aquel ministerio. Plinio, que va por el extremo opuesto de negar toda deidad y negar la providencia, hace la cuenta de que era, según la supersticiosa creencia de los romanos, mayor el número de las deidades que el de los hombres: *Quam ob rem maior caelitum populus etiam quam hominum intelligi potest.* El cómputo es fijo; porque cada uno se formaba una deidad singular en su propio genio, y sobre eso adoraba todos los dioses comunes, cuya multitud se puede colegir, no sólo de lo que acaba de decirnos San Agustín, mas también de lo que dice el mismo Plinio, que llegaron a erigirse templos y aras a las mismas dolencias e incomodidades que padecen los hombres: *Morbis etiam in genera descriptis, et multis etiam pestibus, dum esse placatas trepido metu cupimus.* Y es cierto, que la Fiebre tenía un templo en Roma, y otro la mala Fortuna.

Los idólatras modernos no son menos ciegos que los antiguos. El demonio, con nombre de tal, es adorado en muchas naciones. En Pegú, reino oriental de la península de la India, aunque reverencian a Dios como autor de todo

---

6 "De lo cual puede colegirse que es más numeroso el pueblo de los dioses que el de los hombres."

7 Libro I, cap. VI.

16 [Erigimos templos] a cada clase de enfermedades y dolencias, temblorosos de miedo y deseando aplacarlos.

bien, más cultos dan al demonio, a quien con una especie de maniquismo creen autor de todo mal. En la embajada que hizo a la China el difunto czar de Moscovia, habiendo encontrado los de la comitiva en el camino a un sacerdote [5] idólatra orando, le preguntaron a quién adoraba, a lo que él respondió en tono muy magistral: "Yo adoro a un dios al cual el Dios que vosotros adoráis arrojó del Cielo; pero pasado algún tiempo, mi dios ha de precipitar del [10] Cielo al vuestro y entonces se verán grandes mudanzas en los hijos de los hombres…" Alguna noticia deben tener en aquella región de la caída de Lucifer; pero buen redentor esperan si aguardan a que vuelva al Cielo esa deidad [15] suya. Por motivo poco menos ridículo no maldicen jamás al diablo los jecides (secta que hay en Persia y en Turquía) y es que temen que algún día se reconcilie con Dios y se vengue de las injurias que ahora se le hacen. [20]

En el reino de Siam adoran un elefante blanco, a cuyo obsequio continuo están destinados cuatro mandarines, y le sirven comida y bebida en vajilla de oro. En la isla de Ceilán adoraban un diente que decían haber caído de la bo- [25] ca de Dios; pero habiéndolo cogido el portugués Constantino de Berganza, lo quemó, con grande oprobio de sus sacerdotes, autores de la

fábula. En el cabo de Honduras adoraban los indios a un esclavo; pero al pobre no le duraba ni la deidad ni la vida más de un año, pasado el cual lo sacrificaban, sustituyendo otro en su
5 plaza. Y es cosa graciosa que creían podía hacer a otros felices quien a sí propio no podía redimirse de las prisiones y guardas con que le tenían siempre asegurado. En la Tartaria meridional adoran a un hombre, a quien tienen
10 por eterno, dejándose persuadir a ello con el rudo artificio de los sacerdotes destinados a su culto, los cuales sólo le muestran en un lugar secreto del palacio o templo, cercado de muchas lámparas, y siempre tienen de prevención
15 escondido otro hombre algo parecido a él, para ponerle en su lugar cuando aquél muera, como que es siempre el mismo. Llámanle *Lama,* que significa lo mismo que padre eterno, y es de tal modo venerado, que los mayores señores soli-
20 citan con ricos presentes alguna parte de las inmundicias que excreta, para traerla en una caja de oro pendiente al cuello, como singularísima reliquia. Pero ninguna superstición parece ser más extravagante que la que se prac-
25 tica en Balia, isla del mar de la India, al oriente de la de Java, donde no sólo cada individuo tiene su deidad propia, aquello que se le antoja a su capricho: o un tronco, o una piedra, o un

bruto, pero muchos (porque también tienen
esa libertad) se la mudan cada día, adorando
diariamente lo primero que encuentran al salir
de casa por la mañana.

§ 7.

¿Qué diré de los disparates históricos que
en muchas naciones se veneran como tradicio-
nes irrefragables? Los arcades juzgaban su origen anterior a la creación de la luna. Los del

---

3 Lo que decimos de los sacerdotes de la Tartaria Meridional, que mantienen aquellos pueblos en la creencia extravagante de que el gran Lama es eterno, con el rudo artificio de tener escondido en el mismo templo donde aquél
reside otro hombre algo parecido a él, para sustituir en
su lugar cuando muera, como que es idénticamente la misma persona, aunque referido por varios escritores, no es
así. En la descripción del imperio de la China y Tartaria
del padre Du-Halde (a), sobre el seguro testimonio del padre Regis, misionero jesuíta, observador ocular de las costumbres y supersticiones del Tibet, donde reside el gran
Lama, se lee que lo que creen aquellos paganos, a persuasión de sus sacerdotes, es que Foe, deidad suya, adorada
no sólo en el Tibet, mas en otros muchos países del Oriente habita o reside en el gran Lama, como espíritu que le ani-
ma y que cuando el que hace representación de gran Lama
muere, sólo muere aparentemente, trasladándose su espíritu a otro hombre, aquel que designan los sacerdotes o La-
mas subalternos, a quienes cree el pueblo que tienen señas
infalibles para conocer en quién reside de nuevo su deidad;
y así no dejan de continuar la adoración.

(a) Se refiere el autor a la *Description géographique,
historique, chronologique, politique de l'Empire de la Chi-
ne et de la Tartarie chinoise.* Paris, 1725, 4 vol., fol.

Perú tenían a sus reyes por legítimos descendientes del Sol. Los árabes creen como artículo
la fe la existencia de un ave que llaman *Anca
Megareb,* de tan portentoso tamaño que sus
5 huevos igualan la mole de los montes, la cual,
después que por cierto insulto la maldijo su
profeta Handala, vive retirada en una isla in-
accesible. No tiene menos asentado su crédito
entre los turcos un héroe imaginario llamado
10 *Chederles,* que dicen fué capitán de Alejandro;
y habiéndose hecho inmortal, como también su
caballo, con la bebida de la agua de cierto río,
anda hasta hoy discurriendo por el mundo, y
asistiendo a los soldados que lo invocan; sien-
15 do tanta la satisfacción con que aseguran estos
sueños, que cerca de una mezquita destinada a
su culto muestran los sepulcros de un sobrino
y un criado de este caballero andante, por cuya intercesión, añaden, se hacen en aquel si-
20 tio continuos milagros.

En fin, si se registra país por país, todo el
mapa intelectual del orbe, exceptuando las tierras donde es adorado el nombre de Cristo, en el
resto de tan dilatada tabla no se hallarán sino
25 borrones. Todo país es Africa para engendrar
monstruos. Toda provincia es Iberia para producir venenos. En todas partes como en Licia,
se fingen quimeras. Cuantas naciones carecen

de la luz del Evangelio están cubiertas de tan
espesas sombras como en otro tiempo Egipto.
No hay pueblo alguno que no tenga mucho de
bárbaro. ¿Qué se sigue de aquí? Que la voz
del pueblo está totalmente desnuda de autori- 5
dad, pues tan frecuentemente la vemos puesta
de parte del error. Cada uno tiene por infalible la sentencia que reina en su Patria; y esto
sobre el principio que todos lo dicen y sienten así. ¿Quiénes son esos todos? ¿Todos los 10
del mundo? No; porque en otras regiones se
siente y dice lo contrario. Pues ¿no es tan pueblo uno como otro? ¿Por qué ha de estar más
vinculada la verdad a la voz de este pueblo que
a la del otro? ¿No más que porque éste es pue- 15
blo mío, y el otro ajeno? Es buena razón.

§ 8.

No he visto que alguno de aquellos escritores dogmáticos que concluyentemente han pro-
bado por varios capítulos la evidente credibi- 20
lidad de nuestra santa fe, introduzca por uno
de ellos el consentimiento de tantas naciones
en la creencia de esos misterios, pero sí el consentimiento de hombres eminentísimos en santidad y sabiduría. Aquel argumento tendría 25
evidente instancia en la idolatría y en la secta

mahometana; éste no tiene respuesta ni instancia alguna; porque si se nos opone el consentimiento de los filósofos antiguos en la idolatría, procede la objeción sobre supuesto falso; constando por testimonios irrefragables que aquellos filósofos en materia de religión no sentían con el pueblo. El más sabio de los romanos, Marco Varrón, distinguió, entre los antiguos, tres géneros de teología: la natural, la civil y la poética. La primera era la que existía en la mente de los sabios, la segunda regía la voluntad de los pueblos, la tercera era invención de los poetas. Y de todas tres sólo la primera tenían por verdadera los filósofos. La distinción de las dos primeras, ya Aristóteles la había apuntado en el libro XII de los *Metafísicos,* capítulo XII, donde dice que en las opiniones comunicadas de los siglos antecedentes, en orden a los dioses, había unas cosas verdaderas, otras falsas, pero inventadas para el uso y gobierno civil de los pueblos: *Caetera vero fabulose ad multitudinis persuasionem,* etc. Es verdad que aunque aquellos filósofos no sentían con el pueblo, hablaban en lo común con el pueblo, que lo contrario era muy arriesgado; porque a quien negaba la pluralidad de dioses le tenían, como le sucedió a Sócrates, por impío; con que en la voz del pueblo estaba todo el error,

y en la mente de pocos sabios se encarcelaba lo
poco o mucho que había de verdad.

Menos aún se puede oponer a la moral evidencia que presta a la credibilidad de nuestros
misterios el consentimiento de tantos hombres, ⁵
a todas luces grandes, el decir que también entre los herejes hay y ha habido muchos sabios, porque éstos padecen dos gravísimas excepciones. La primera es que la doctrina no
fué acompañada de la virtud. Entre los here- ¹⁰
siarcas apenas hubo uno que no estuviese man-
chado con vicios muy patentes. Entre los que
los siguieron, ni los mismos parciales reconocen alguno de santidad sobresaliente. Uno u
otro que se quisieron meter a profetas, fueron ¹⁵
la risa de los pueblos al ver falsificadas sus
profecías, como sucedió en nuestros tiempos a
monsieur Jurieu cuyas erradas predicciones aún hoy son oprobio de los protestantes.
La segunda excepción es que, entre esos mis- ²⁰
mos herejes doctos, falta el consentimiento: *Unusquisque in viam suam declinavit.* Tan
lejos van de estar unos con otros de acuerdo,
que ni aun lo está alguno de ellos consigo mismo. Es materia de lástima y de risa ver en sus ²⁵
propios escritos las frecuentes contradicciones
de los mayores hombres que han tenido, y es-

---

18   1637-1713.
22   Cada cual sigue un camino distinto.

to, en los artículos más substanciales. Este fué
el gran argumento con que azotó terriblemen-
te a todos los herejes el insigne obispo meldense, Jacobo Benigno Bossuet, en su *Historia*
5 *de las variaciones de las iglesias protestantes.*
Duélome mucho de que esta maravillosa obra
no esté traducida en todas las lenguas euro-
peas; pues ni aun sé que haya salido hasta ahora del idioma francés al latino, cuando otros
10 libros inútiles, y aun nocivos, hallan traducto-
res en todas las naciones.

No obstante todo lo dicho en este capítulo,
concluiré señalando dos sentidos en los cuales
únicamente, y no en otro alguno, tiene verdad
15 la máxima de que la voz del pueblo es voz de
Dios. El primero es tomando por voz del pueblo el unánime consentimiento de todo el pueblo de Dios, esto es, de la Iglesia universal, la
cual es cierto no puede errar en las materias

---

4 *Histoire des variations des Eglises protestantes.* Paris, 1688. 2 vol., 4.º Hay una traducción latina y dos castellanas, posteriores todas a la fecha en que Feijóo escribió este *Discurso*: *Historia doctrinae protestantium, in Re-
ligionis materia continuis mutationibus, contradictionibus, in-
novationibus variatae.* Viennae Austriae, Typ. Trattnerianis,
1753. 2 vols. 8.º—*Historia de las variaciones de las Iglesias
protestantes, traducida en español según el original francés impresso en París en 1736.* Amberes, Marcos Miguel
Bousquet, 1737. 4 vols., 12.º, e *Historia de las variaciones
de las Iglesias protestantes y Exposición de la Doctrina de
la Iglesia Catholica,* traducidas por don Miguel Joseph Fernández. Madrid, Imp. del Mercurio, 1755, 5 vols. 4.º

de fe, no por imposibilidad antecedente que
se siga a la naturaleza de las cosas, sí por la
promesa que Cristo la hizo de su continua asistencia y de la del Espíritu Santo en ella. Dije *todo el pueblo de Dios,* porque una gran parte de
la Iglesia puede errar, y de hecho erró .en el
gran cisma del Occidente, pues los reinos de
Francia, Castilla, Aragón y Escocia tenían por
legítimo papa a Clemente VII; el resto de la
cristiandad adoraba a Urbano VI, y de los dos
partidos, es evidente que alguno erraba. Prueba evidente de que dentro de la misma Cristiandad puede errar en cosas muy substanciales,
no sólo algún pueblo grande, pero aun la colección de muchos pueblos y coronas.

El segundo sentido verdadero de aquella
máxima es tomando por voz del pueblo la de
todo el género humano. Es por lo menos moralmente imposible que todas las naciones del
mundo convengan en algún error; y así, el
consentimiento de toda la tierra en creer la
existencia de Dios se tiene entre los doctos
por una de las pruebas concluyentes de este artículo.

MEDICINA

§ I.

La nimia confianza que el vulgo hace de
la Medicina, es molesta para los médicos y
5 perniciosa para los enfermos. Para los médicos es molesta porque con la esperanza que tienen de hallar en su arte pronto auxilio para
todo, los obligan a multiplicar visitas, que por
la mayor parte pudieran excusarse; de que
10 se sigue también el gravísimo inconveniente de
dejarles para estudiar muy poco tiempo, y para
observar con reflexión (que es el estudio principal), ninguno. Para los enfermos es perniciosa
porque de esta confianza nace el repetir remedios
15 sobre remedios, cuya multitud siempre es nociva y muchas veces funesta; siendo cierto que,
como al emperador Adriano se puso por ins-
cripción sepulcral *Turba medicorum perii,* a
infinitos se pudiera poner con más verdad alte-

---

1 [Tomo I. Disc. V.]
18 Perecí a manos de la multitud de médicos.

rada de este modo : *Turba remediorum perii*.
Por esto creo que haría yo a unos y otros no
pequeño servicio si acertase a enmendar lo que
en esta parte yerra el vulgo.

Y para precaver desde luego toda equi- [5]
vocación debemos distinguir en la Medicina
tres estados : estado de perfección, estado de
imperfección y estado de corrupción. El estado
de perfección en la Medicina es el de la posibilidad, y posibilidad, a lo que yo entiendo, [10]
muy remota. Poca o ninguna esperanza hay
de que los hombres lleguen a comprender, como se necesita, todas las enfermedades, ni averiguar sus remedios específicos, salvo que sea
por vía de revelación. Pero, por lo menos has- [15]
ta ahora, estamos bien distantes de esa dicha.
El estado de imperfección es el que tiene la
Medicina en el conocimiento y práctica de los
médicos sabios. Y el de corrupción el que tiene en el error y abuso de los idiotas. [20]

La Medicina en el primer estado no es de
mi argumento, porque no la hay en el mundo, y si la hubiese merecerían sus promesas
toda la fe de aquellos que escuchan a los médicos como oráculos. Sólo, pues, intentaré mos- [25]
trar cuán falible es el estado medio, de donde
se inferirá cuán falsa es en el último.

———————————————————————————

1   Perecí a manos de la multitud de remedios.

§ 2.

Lo primero, para dar a conocer lo poco que los pobres enfermos pueden fiar en la Medicina, bastaría verificar lo mismo que aca-
5 bamos de decir; esto es, que el arte médico, en la forma que lo poseen los profesores más sabios, aún está muy imperfecto. Pero esto es cosa hecha, pues ellos mismos lo confiesan. De poco serviría, para demostrar esta verdad,
10 alegar autores de otros siglos, porque acaso me responderían que, después acá, se adelantó mucho la Medicina, y así sólo citaré algunos de más alta opinión entre los modernos.

El doctísimo Miguel Etmulero, a quien na-
15 die niega las calidades de eminente teórico y admirable práctico, en varias partes se queja del poco conocimiento que hasta ahora hay de los simples, de la antigüedad de los indicantes, de la ineficacia de los remedios que están
20 en uso. Pero singularmente a nuestro propósito, en el prólogo general del tomo segundo asienta que rarísima vez puede la Medicina remediar más que los síntomas o productos morbosos; pero que la esencia de la enfermedad se
25 queda intacta, hasta que por sí sola la vence la

---

14 *M. Ettmulleri opera medica theorico-practica, ex recenssione J. J. Mangeti.* Genevae, 1736. 4 vols. fol. (Edición reputada por una de las mejores).

naturaleza, y esto por la ignorancia que los
médicos padecen, o de la causa de la enfermedad o de su remedio apropiado; y añade que
este defecto del arte bien le comprenden y le
lloran los médicos sabios, al paso que los igno-   5
rantes viven muy satisfechos de que hacen ma-
ravillas: *Sane frequentissime in praxi occurrit,
ut non nisi a posteriori productis morbosis ac
symptomatis occurratur; a priori vero causa,
seu spina intacta relinquatur: idque vel ob cau-*   10
sae genuinae ignorantiam, vel appropriati re-
medii defectum: Medicis ignorantibus optime
se agere opinantibus; scientibus vero tacite in-
gemiscentibus, et suos defectus adhuc deplo-
rantibus.   15

La sublime reputación que entre los profesores de la Medicina obtiene el romano Jorge Ballivio se evidencia de que en el espacio
de treinta años, contados desde el de 95, que
se imprimió su *Práctica Médica* la primera vez   20
en Roma, hasta el próximo pasado de 725, van
hechas diez impresiones de sus obras (en que
se debe advertir el yerro del impresor Antuer-

---

7 Ocurre con gran frecuencia en la práctica el no
atender sino *a posteriori* a los productos morbosos o a los
síntomas, dejando intacta la espina o esencia del mal; esto
sucede, o por ignorancia de la causa verdadera o por falta
del remedio pertinente. Los médicos ignorantes creen obrar
acertadamente; los sabios, en cambio, gimen en silencio y
deploran sus defectos.

piano, que llamó nona a la edición novísima
del año de 25, siendo en la verdad décima; acaso porque no tuvo presente la que se hizo en
Venecia el año de 15, que fué la nona, habien-
5 do sucedido a la octava, que poco antes se había hecho en París). Este grande hombre,
después de señalar las causas que estorbaron los
adelantamientos de la Medicina, dice que los
libros médicos que hasta ahora se han escrito
10 dan tan escasa luz, que los profesores más doctos andan como a ciegas sin saber a quién han
de creer, qué doctrina han de seguir, qué rumbo han de tomar en la curación de las enfermedades; que la práctica médica que hoy se
15 observa está viciada con mil axiomas falsos
o inútiles; y, en fin, que la Medicina, lejos de
haber crecido a una estatura proporcionada, se
debe considerar aún entre las fajas, o en la cu-
na: *Ideo nemini mirum videri debet, quod li-*

2 Lib. I. *Prax. Med.*, cap. 10, núm. 4.
19 Nadie debe admirarse de que los libros de Medicina publicados en este tiempo y eruditamente escritos no
revelen más conocimiento que el de la filosofía abstracta
y pura: los juicios de la naturaleza yacen despreciados y
en olvido; los principios mismos de la práctica hasta tal
punto son confusos, que los más peritos no saben qué doctrina adoptar, a quién creer o qué camino seguir para la
perfecta curación de las enfermedades. Ahora bien: si
consideramos el estado de la práctica médica, lo hallaremos
en el mayor desconcierto, a causa de los axiomas vacíos
de sentido y de las falsas generalizaciones producidas, ya
por las sectas diversas de médicos, ya por las leyes con-
tradictorias de los métodos, ya por ciertos ídolos o prejui-

*bri Medici, per id temporis publici juris facti,
et uberrime conscripti, nihil aliud revera sa-
piant, quam puram et abstractam philoso-
phiam: naturæ interim judicia jacta jaceant et
depressa: ipsaque praxeos principia tantope-* [5]
*re turbata sint, ut inter peritissimos hodie non
facile constet, quid tenendum, cui credendum,
qua demum via progrediendum sit in absol-
vendis morborum curationibus. Si considera-
mus igitur praxeos medicae statum, eundem* [10]
*profecto commotum ac prorsus turbatum per
inania axiomata et falsas quasdam generalita-
tes, aut a sectis medicorum diversis, aut a prae-
posteris legibus methodorum, aut ab idolis qui-
busdam, et praejudiciis cui libet medico fami-* [15]
*liaribus, productas observabimus. Si vero illius
aetatem, illam in ipsis adhuc pueritiae finibus
contineri.*

Tomás Sydenhan, que es reconocido en
toda Europa por el más célebre práctico que tu- [20]
vo el último siglo, después de un prolijo estudio en los libros, después de observar con vigi-
lantísima atención por muchos años los pasos

cios familiares a algunos médicos. Si, por el contrario, observamos su edad, la encontraremos aún dentro de los límites de la infancia.

19 Tomás Sydenham: *Opera omnia medica.* Genevae,
1696. 8.º Véase *Obras médicas de Sydenham. Texto latino
de la edición veneciana de 1735. Versión castellana y estudios sobre las mismas obras de don Joaquín Rabanaque.*
Madrid, Antonio Pérez Dubrull, 1876. 4.º

de la naturaleza en las dolencias, habla con más incertidumbre y perplejidad que todos. Apenas se lee precepto suyo que no se reconozca haberlo estampado con mano trémula. Con noble
5 sinceridad (prenda que hermosea sus escritos, aún más que la pureza latina que resplandece en ellos) expone frecuentemente sus dudas y sus ignorancias. Muestra muy limitada confianza en sus propias experiencias, pero casi ninguna en
10 las doctrinas de los autores. De éstos dice que proponen fácilmente la cura de muchas enfermedades, las cuales ni ellos mismos ni otro hombre remedió hasta ahora. *Morborum curationes pro more facillime proponuntur: atqui*
15 *hoc ita praestare, ut verba in facta transeant, atque eventus promissis respondeant, magis ardui moliminis illi judicabunt qui vident haberi apud scriptores practicos morbos complures quos nec illi ipsi scriptores nec quisquam hactenus medi-*
20 *corum sanare valuerunt.* Culpa ciertamente grave de los escritores engañar al público con la ostentación de remedios que ellos mismos expe-

---

13 Del mismo modo es también facilísimo exponer el tratamiento de las enfermedades, según se acostumbra; pero hacerlo de manera que las palabras puedan traducirse en hechos, y que los resultados correspondan a las promesas, comprenderá que es empresa más ardua todo el que considere que se hallan consignadas en los autores prácticos muchas enfermedades que ni estos mismos escritores, ni hasta ahora otro médico alguno, han podido curar.

rimentaron inútiles y exponer a los pobres médicos que estudian sus obras a la curación y al pronóstico para quedar burlados, después de gastar con varias medicinas el caudal y la complexión de los enfermos.

El mismo Sydenhan, en otra parte, confiesa de sí que cuando, después de grande estudio y continua observación, pensó conseguir un método seguro para curar todo género de fiebres, halló que sólo había abierto los ojos para llenarlos de polvo. Tan confuso y perplejo se halló después de tanto estudio: *Statim didici me ideo tantum aperuisse oculos, ut pulvere haud quaquam vere Olympico, iidem complerentur.*

Algunos años después de los autores alegados, y fué el de 1714, monsieur Le-François, médico y doctor parisiense, dió a luz sus *Reflexiones críticas sobre la Medicina,* donde no llora menos que los antecedentes los cortísimos progresos de este arte; y hablando de los escritores, son notables las palabras siguientes, que traduzco fielmente del idioma francés: *La dificultad que hay en hacer observaciones con todo el cuidado y toda la exactitud necesaria, la multitud de enfermedades diferentes que es-*

---

12 *In epist. dedic.*

17 *Reflexions critiques sur la Médecine, où l'on examine ce qu'il y a de vray et de faux dans les jugements que l'on porte au sujet de cet art.* Paris, Jacques Quillau, 1714. 12.º

torba el que se encuentren muchas semejantes en sus circunstancias esenciales, el poco
caso que el público hizo siempre de los obser-
vadores, la estimación que por el contrario
5 ha tenido de los inventores de sistemas y de
los que los han seguido, todo esto es causa
de que entre tanto número de tratados de
Medicina de que estamos oprimidos, se hallen
poquísimos que sean muy útiles. Y aún se pue-
10 de decir que no hay uno solo de quien se pueda
hacer entera confianza. Si esto es así como suena, los médicos en el ejercicio de su arte anda-
rán como a ciegas, porque en la dificultad que
hay en discernir los pocos libros útiles, para es-
15 tudiar por aquéllos abandonando éstos (lo que
muchos no son capaces de hacer y más habiendo
en esto tantas opiniones, como en todo lo demás, pues unos celebran la práctica de un autor
y otros de otro), resta el arduísimo negocio de
20 saber cuándo y cómo se ha de fiar a la doctrina
de esos pocos tratados útiles y cuándo no, supuesto que no puede fiarse enteramente de ellos.

El mismo autor dió a luz el año de 16
un proyecto de reforma de la Medicina, donde
25 largamente muestra la imperfección grande con
que hoy posee el mundo este arte; y exponiendo
las causas, cuenta entre ellas la inutilidad de los

---

24 *Projet de reformation de la Médecine.* Paris, Guill.
Cavelier et Jacq. Quillau, 1716. 12.º

libros médicos, aún con más fuerte expresión
que la antecedente, pues dice así: *Los tratados
que se han escrito tocante a este arte están llenos de oscuridad, de incertidumbres y de falsedades.* Y no omitiré lo que antes había pro- 5
palado del estado presente de la Medicina en
Francia, porque conduce mucho para nuestro
desengaño. *Aunque no hay —dice— país alguno
donde no sea menester hacer nuevos estableci-
mientos para perfecionar la Medicina, esta refor- 10
ma es más necesaria en Francia que en otras partes, porque en ningún país hay tanto desorden
en la práctica de la Medicina como en Francia.*
A vista de esto, es bien visible la candidez de
los españoles, que en viendo acá un médico fran- 15
cés de los que allá tienen mediana reputación,
piensan que han logrado un hombre capaz de
revocar las almas del otro mundo.

Novísimamente nuestro ingeniosísimo español don Martín Martínez, en sus dos to- 20
mos de *Medicina Scéptica,* doctísimamente dió
a conocer al mundo la incertidumbre de la Medicina, donde impugnando muchas máximas muy
establecidas entre los profesores, si sus argumentos no son siempre concluyentes para con- 25
vencerlas de falsas, lo son, por lo menos, para

---

20 Acerca de este médico y de sus relaciones con Feijóo, véase el prólogo que antecede.

dejarlas en el grado de dudosas y a veces de arriesgadas.

Finalmente, es cosa tan común en los médicos de mayor estudio y habilidad confesar
5 la debilidad de su arte para expugnar las enfermedades, como en los más inhábiles ostentar gran confianza en ella, para triunfar de estos enemigos. De modo que viene a ser ésta como señal característica para distinguir los sabios de
10 los ignorantes, lo que expresó bien Etmullero en las palabras que arriba citamos: *Medicis ignorantibus optime se agere opinantibus; scientibus vero tacite ingemiscentibus et suos defectus adhuc deplorantibus.* Y mucho antes el
15 Conciliador, en la definición que hizo del médico malo, puso la inseparable calidad de su perpetuo inconfitente, de su ignorancia propia: *Propriae ignorantiae constantissimus inconfessor.*

Consideren ahora los vulgares (que en un
20 médico ordinario contemplan la deidad de Apolo, y en la más inútil poción de la Botica la virtud del oro potable) qué confianza pueden tener de una facultad de quien desconfían tanto los que más han estudiado en ella. Si en los
25 preceptos establecidos por los mejores autores

---

15 La obra citada es la de Pedro de Abano o Apono: *Conciliator differentiarum philosophorum et praecipue medicorum, clari viri Petri de Abano patavini.* Mantua, 1472, fol. Fué libro muy leído, a juzgar por las varias ediciones que de él se hicieron.

hay tanta incertidumbre, ¿con qué seguridad
puede prometerles la salud un médico que lo sumo que puede haber hecho es tener muy bien
estudiados esos mismos preceptos? Si los profesores más insignes se hallan perplejos en el 5
rumbo que deben seguir para curar nuestras dolencias, ¿qué aciertos se pueden esperar de los
médicos comunes? Si para combatir estos grandes enemigos de nuestra vida se sienten sin fuerzas los gigantes, ¿qué podrán hacer los pigmeos? 10

§ 3.

¿Y qué importaría que los autores médicos no nos manifestasen la incertidumbre de
su arte, si sus perpetuas contradicciones nos la
hacen patente? Todo en la Medicina es disputa- 15
do, luego todo es dudoso. Las continuas guerras de los médicos debieron dar fundamento
a Pedro de Apono para decir que la Medicina
no estaba dedicada a Apolo, sino a Marte; aunque Cornelio Agripa, siguiendo su genio le da 20
interpretación más maligna. Están y han estado siempre más encontrados sus dogmas que

8 Vid. *Apéndice* que antecede, núm. 22.
18 Vid. pág. 131, nota 12.
21 *Lib. de Vanit. Scient.,* cap. 83. [Enrique Cornelio
Agripa de Nettesheim (1486-1535). *De incertitudine et vanitate scientiarum,* Amberes, 1530.]

las cuatro cualidades de los humores que señalan
en los cuerpos humanos. Desde su concepción va
siguiendo a la Medicina esta desdicha, pues señalan o fingen por primer padre suyo al Cen-
5 tauro Quiron, maestro de Esculapio, en quien
el encuentro de dos naturalezas puede considerarse como constelación que influyó en la Medicina, al nacer tanta oposición de doctrinas.
Fué criada después algún tiempo como niña ex-
10 pósita, porque no había otra regla para curar los
enfermos que exponerlos en las plazas y calles
públicas, para que los que transitaban les pres-
cribiesen sus remedios, en que precisamente había infinita diversidad de pareceres, hasta que
15 Hipócrates la tomó por su cuenta para darle leche en la pequeña Isla de Coo, donde el perpetuo embate de las aguas pudo ser nuevo presagio de la interminable lucha de opiniones.

Inmediatos en la fama a Hipócrates y
20 no muy distantes en el tiempo fueron Praxá-
goras y Diocles Caristino, que alteraron algo
la doctrina del prudentísimo Viejo, reduciendo
el primero todas las enfermedades al desorden
de los líquidos y extendiendo éste la fuerza del
25 número Septenario, a quien Hipócrates había
dado jurisdicción sobre los días Críticos a los
Años Climatéricos. Sucedió Herófilo reduciendo
toda la Medicina al razonamiento y a la disputa, desviándola de la experiencia y práctica con

pésimo designio, pues fué lo mismo que apartar
el arte de la Naturaleza. Vino después Crisipo,
trastornando cuanto habían dicho sus antecesores, y no mucho más fiel con él su discípulo
Erasistrato, nieto de Aristóteles, mudó mucho 5
de lo que había enseñado Crisipo, bien que maestro y discípulo se convinieron en desterrar de
la Medicina la sangría y la purga.

Conservábanse, entre tanto, algunos restos
de la antigua Medicina, hasta que Asclepia- 10
des, en la edad del gran Pompeyo, echó por tierra enteramente toda la doctrina hipocrática (a
la cual insultaba llamándola meditación de la
muerte), colocando únicamente en la clase de
remedios lo que podía ser alivio y recreo de los 15
dolientes. Conspiró con esta lisonja del gusto,
para hacerle dentro de su facultad dueño del
orbe, el accidente de haber observado señas de
vida en un hombre que conducían al túmulo, y
haciéndole recobrar fácilmente, se creyó haber- 20
le resucitado. También contribuiría mucho haber desafiado públicamente a los Hados (digámoslo así) con la constante promesa de que jamás le verían enfermo, como de hecho jamás lo
estuvo ni aun para morir, pues terminó la larga 25
carrera de su vida tropezando y cayendo en una
escalera. Themison, discípulo de Asclepiades,
luego que éste expiró, alteró toda la doctrina de
su maestro y se hizo caudillo de la secta de los

metódicos, que no debió de granjearse grande
aplauso en Roma, cuando Juvenal, hablando de
los sectarios debajo del nombre de su jefe, can-
tó: *Quot Themison aegros autumno occiderit*
5 *uno*. Floreció luego Ateneo, que atribuyó todas
las enfermedades a la emanación de ciertos espíritus desprendidos, así de los cuerpos mixtos
como de los elementos. Tras de él pareció Ar-
quígenes, fundador de la secta ecléctica (cuyo
10 asunto era recoger cuanto hallasen de bueno en
las demás sectas), tan supersticiosamente obser-
vante de las reglas de su arte, que protestaba no
abandonaría jamás alguna, aun cuando de ob-
servarla se hubiese de seguir la ruina de una
15 ciudad.

Pasamos por el elegante Cornelio Celso,
que no muestra en sus obras adherencia a
secta alguna, y sólo observamos que, siguiendo
a Asclepiades, se rió de la observación de los
20 días críticos por números impares que había establecido Hipócrates, para llegar a Galeno, hombre de vasta comprensión y sutil ingenio, sin duda capaz de reponer en la posesión del mundo
la doctrina de Hipócrates si ese hubiera sido su
25 designio y no antes el de introducir la suya propia debajo del especioso pretexto de comentar
y defender la hipocrática, como lo logró con tan

---

4 Cuantos enfermos cayeron en un solo otoño, víctimas
de Themison. El verso es el 221 de la Sátira X.

extraña felicidad que en muchos siglos no hubo
quien le contradijese, porque en la decadencia
del imperio romano, con las irrupciones de los
bárbaros se extinguió la cultura de artes y ciencias y los médicos que se aplicaron a escribir no 5
hicieron más que copiar a los antiguos.

Por otra parte, los árabes que se aprovecha-
ron de este descuido de la Europa para hacerse
dueños de la Filosofía y Medicina, fueron secuaces de Galeno; contentándose los principa- 10
les, entre ellos Rasis, Averroes, Alquindo y Avi-
cena con añadir discursos superfluos y sutile-
zas inútiles.

Así se conservó por largo tiempo el dominio de Galeno, verdaderamente tiránico, por 15
la mucha sangre que derramó a todo el linaje
humano este gran patrono de la lanceta; hasta
que al principio del siglo décimosexto, resuci-
tando Paracelso la antiquísima Hermética filosofía, dió sobre Hipócrates y sobre Galeno con 20
tan extraña furia, que no les dejó principio ni
conclusión a vida; y al favor de algunas curas
portentosas (acaso no verdaderas, porque no
sé que tengamos más testimonio de ellas que el
que nos dejó su discípulo Oporino) de enferme- 25

19 Teofrasto Paracelso, médico y alquimista suizo, 1493-
1541. (Cf. Jaime Peyri y Rocamora, *De Clio medica,* Barcelona, 1908).

25 Juan Herbstn Oporin, discípulo de Paracelso y famoso editor de libros de Medicina (1507-1568).

dades tenidas por incurables, se hizo bastante
séquito, bien que él murió a los cuarenta y ocho
años de su edad, falsificando en sí mismo la
repetida jactancia de que podía con la superior
5 valentía de sus remedios alargar la vida a un
hombre por algunos siglos. Entre los secuaces
de Paracelso, Helmoncio, de quien también se
cuentan curas prodigiosas, añadió a las ideas de
aquél el sueño de Arqueo o alma del mundo,
10 espíritu duende que en todo se halla y todo lo
mueve.

Formóse después la escuela química o segunda secta hermética (como algunos llaman),
que fundada en las experiencias administradas
15 por la violencia del fuego, no conoce otros principios, así de la constitución de los entes como
de la salud y de las enfermedades, que la sal,
azufre y mercurio. De esta escuela salió Take-
nio, levantando nueva facción o esforzando la
20 que ya estaba levantada, con los Acidos y Alka-
lis que vienen a ser, según su planta, los Wige-

---

7 Juan Bautista von Helmont (1577-1644), *Archaeus,
faber, causae et initia rerum*. Forma parte de sus obras publicadas por su hijo con el título de *Ortus medicinae, id est,
initia phisicae inaudita*, etc., Amsterdam, 1648. En la doctrina de Helmoncio el arqueo o agente seminal es el que
opera las transformaciones del agua.
18 Otto Tackenius: *Hippocrates Chymicus, qui novissi-
mi viperini salis antiquissima fundamenta ostendit*. Venetiis,
apud Combum et La Nou. 1666, 12.º

tes y Toris de la naturaleza. Este partido hizo
fortuna y le quitó provincias enteras a Galeno,
aunque sin declararse contra Hipócrates, a
quien, antes bien, pretende tener por patrono.

Como entre tanto se fuese cultivando la
Anatomía, sobre sus observaciones concibie-
ron Silvio, Willis y otros, particulares de-
signios, igualmente opuestos a químicos que
a galénicos. Por otra parte, Santorio produjo
el plausible sistema de la Medicina matemáti-
ca, en que (según las reglas de la Estática y
Mecánica) se considera la alternativa fuerza
de los sólidos y líquidos de nuestro cuerpo; y
todo el cuidado del médico debe ser, como el
de Catalina de Médicis en Francia, conservar
el equilibrio de los dos partidos opuestos, poniéndose ya de parte de uno, ya de parte de
otro; porque declarada de parte de cualquiera
de ellos la ventaja, amenaza ruina a esta animada república.

Así se iban variando los sistemas y des-
truyéndose unos a otros cuando, o el tedio
de tantos o la incertidumbre de ellos, hizo tomar a los médicos más advertidos otro rumbo, que fué buscar la naturaleza en sí misma,

1   Alusión a los dos grandes partidos ingleses *Whig* y
Tory (liberales y conservadores).
7   Sylvius. *Opera medica.* Amsterdam, 1679, 4.º
9   Médico italiano, autor, entre otras, de la obra titulada: *Ars de statica medica,* Venecia, 1614, 12.

fiándose a la experiencia sola. Es verdad que desde el gran Bacon de Verulamio abrió los ojos a médicos y filósofos, dándoles a conocer que sólo por este camino podían adelantar algo en las dos facultades, no faltaron algunos médicos cuerdos que dieron hacia la experiencia algunas ojeadas y con este cuidado recogieron algunas observaciones, aunque por la mayor parte defectuosas, como apuntaremos adelante. En efecto, esta facción tiene hoy de su parte a los médicos de más ilustre ingenio en toda Europa; pero con la advertencia de que los más, aunque divorciados enteramente de Galeno, no por eso dejan de militar fielmente debajo de las banderas de Hipócrates, cuya doctrina, dicen, hallan siempre en constante alianza con su experiencia propia.

Ballivio, bien que gran promotor de las observaciones y declarado enemigo de los sistemas, enamorado, no obstante, del nuevo de la Medicina estática, no pudo resolverse a abandonarle, a la manera del vicioso que ama a una mujer con reprehensible ternura, al mismo tiempo que habla mal generalmente de todo el sexo. Pero en realidad este sistema no goza más privilegios que los otros, sino (como recién nacido) el de los niños hermosos en quie-

18 Jorge Baglivi (1669-1707). *Opera omnia medica, practica et anatomica*, Lyon, 1704.

nes todo parece agudeza. En efecto; Ballivio,
intentando poner en armonía tres voces, la de
Hipócrates, la de su sistema y la de la observación, quiso establecer en este triunvirato el
gobierno absoluto de la práctica médica. Y en 5
cuanto a cambiar a Hipócrates con la experiencia, es bien escuchado de los más médicos que
hoy hay, habiéndose restablecido altamente en
este tiempo la estimación de aquel discretísimo
anciano, si bien otros más cautos pretenden 10
que los mismos preceptos de Hipócrates se
examinen con cuidado a la luz de la razón, y
no falta uno u otro que desconfíen enteramente de su doctrina, como Miguel Luis Sinapio,
médico húngaro, que pocos años ha imprimió 15
un tratado con el título *De vanitate, falsita-
te et incertitudine Aphorismorum Hippocratis.*

Omitimos algunas cosas en este histórico resumen de la Medicina, como es la división de ella en las tres especies de Empírica, 20
Metódica y Racional, y los progenitores o pro-
tectores que en varios tiempos tuvo cada una
de estas especies, por no hacer muy prolija esta
Memoria y porque bastan tantas contradicciones como hemos apuntado para conocer la gran- 25
de incertidumbre de la Medicina.

§ 4.

Y por último, después de tantos deba-
tes, ¿se han convenido los médicos? Nada menos.
Ahora están más que nunca discordes, porque
⁵ se han ido aumentando las variaciones así
como se fueron multiplicando los libros. Están
hoy divididos los profesores en hipocráticos,
galénicos, químicos y experimentales puros, porque los paracelsistas y helmoncianos, casi del
¹⁰ todo se acabaron, y según esta diferencia de clase siguen también en la curación diferentes rumbos; porque decir (como algunos pretenden)
que los médicos que siguen sistema diverso convienen en la práctica, es trampa manifiesta.
¹⁵ Véase a Etmullero, donde dice: *Prout hypote-*
ses Medicorum, seu judicia variant, etiam va-
riat medendi methodus: alia nempe est Galenica,
Paracelsica, Poteriana. En los libros de los que
siguieron diferentes sistemas se nota un gran-
²⁰ de encuentro en los preceptos prácticos. Y no

---

6 '*A medida que.*'

15 *Inst. Med., part. 3, c. 2.* [*Institutiones medicae*, in-
cluídas en el tomo I de su *Opera medica*, editada por su
hijo Miguel Ernesto. Francofurti ad Moenum, ex Officina
Zunneriana, 1708, fol. 3 vol.]

18 "El método de curar varía como las hipótesis y juicios de los Médicos; una cosa es el Galénico, otra el Pa-
racélsico, otra el Poteriano, etc."

es menester más que oír a Juan Doleo para ver que después de exponer el juicio de cada enfermedad, según sistemas distintos, propone, arreglada a cada sistema, diferente cura.

No sólo se oponen en la curación los médicos que siguen sistema diverso, mas también los que siguen uno mismo. Como se ve en España, donde casi todos los médicos son galénicos y rarísima vez convienen en la curación dos o tres si los consultan separados; de donde se puede inferir que en la conformidad que muestran después de la concurrencia, no influye tanto el dictamen como la política. Y aún no para aquí. No sólo se advierte esta oposición entre los secuaces del mismo sistema, mas aun entre los que se gobiernan enteramente por el mismo autor. La práctica de Lázaro Riberio es la absoluta norma de los médicos ordinarios, los cuales, si leen otros autores, usan de ellos, no para curar, sino para hablar, y, con todo, frecuentísimamente están discordes, como todo el mundo ve, pues si el enfermo consulta a un médi-

---

1 Autor de la *Encyclopedia Medicinae Theoretico-Practicae*. Francofurti ad Moenum, apud Fridericum Knochium, 1684. 4.º

17 *Praxis Medica cum Theorica*. Lutetiae Parisiorum. Apud Olivarium de Varennes. 1640 y 1647, 8.º Los 17 libros de esta obra forman el tomo II de su *Opera medica universa*. Venetiis, apud Bartholomaeum Tramontinum, 1676, 4.º

co le dice una cosa, y si a otro, otra. Uno pone
los ojos en un precepto de Riberio y otro en otro;
y aun uno mismo le entiende de diferente manera, como yo he visto más de una vez. Este
5 acusa la plétora y ordena sangría; aquél la ca-
coquimia y receta purga. Y si llega un tercero
suele hallar contraindicado en la falta de fuerzas uno y otro remedio.

§ 5.

10 En tanta discordia de los médicos, ya por
la oposición de los autores, ya por la diferente inteligencia de ellos, ya por la diversa observación y juicio de los indicantes, ¿qué hará
el pobre enfermo? ¿Llamará, si tiene en qué es-
15 coger, el médico más sabio? Muchas veces no
sabrá quién es éste. El aplauso común frecuentemente engaña, porque suele tener más parte
en él el artificio y la política que la ciencia. Una
casualidad pone en crédito a un ignorante, y
20 una desgracia sola desautoriza a un docto. Como sucedió a Andrés Vesalio que teniendo por
muerto a un caballero español, a quien él mismo había asistido, mandó hacer la disección del
cuerpo; pero no bien rompió el cuchillo anató-

21 André Vésale, médico belga (1514-1564), autor, entre
otras obras, de las tituladas: *De humani corporis fabrica,*
Basilea, 1543, fol.; *Chirurgia magna,* Venecia, 1569.

mico el pecho, cuando se notaron señales manifiestas de vida, de modo que el infeliz murió
de la herida y no de la enfermedad. Mas acierte norabuena el enfermo con el médico más docto; no por eso va más seguro. Juan Argenterio
fué tenido por un prodigio de saber, y casi todos los enfermos que caían en sus manos mo-
rían o eran precipitados en otras enfermedades
peores, de modo que llegó el caso de que nadie
le buscaba.   10

Sea cuanto se quisiere un médico docto,
siempre su dictamen curativo será arriesgado, por cuanto están contra él otros médicos,
también doctísimos. Todos alegan experiencias
y razones; ¿qué Ariadna le da el hilo, ni al mé-   15
dico ni al enfermo para penetrar este laberin-
to? Apenas hay máxima alguna perteneciente
a la curación que no esté puesta en controversia, empezando desde el famoso principio: *Contraria contrarius curanda sunt*. Y sin duda es-   20
te principio, tomado generalmente, o es falso o
inútil. Es inútil si por contrariedad de parte
del medicamento se entiende (como algunos entienden) la virtud expulsiva de la causa morbí-

5   Médico piamontés (1513-1572). Sus obras principales
son: *De consultationibus medicis liber*, Florencia, 1551;
Commentarii tres in artem medicinalem galeni, París, 1553.
De erroribus veterum medicorum, Florencia, 1553; *De morbis libri xiv*, Florencia, 1558.

fica; porque en este sentido es una verdad de
Pedro Grullo, y quiere decir el axioma que la
causa morbífica se ha de expeler con aquello
que pueda expelerla. Es falso el principio si se
5 entiende de la contrariedad de las cualidades
sensibles, porque ni todos los contrarios de este
modo son remedios, y hay infinitos remedios
que no son contrarios de este modo. Lo primero
se ve en que no se curan todas las fiebres con
10 cosas frías, antes son desconvenientes muchísimas veces; en las cuales antes bien se debería
aumentar el calor febril que está lánguido, para
promover la fermentación y ayudar a la naturaleza en este empeño, que es el que entonces tiene
15 entre manos, a fin de segregar por medio de ella
lo que la incomoda. Lo segundo se palpa en todos los específicos, en los cuales no se percibe
alguna contrariedad de cualidades manifiestas
con las de la enfermedad que curan. Y si quie-
20 ren entender el axioma de la contrariedad en
cualidades ocultas o, como otros explican, oposición a *tota substantia,* es también inútil, porque esta oposición no la descubre la filosofía
sino la experiencia, y después que yo, por expe-
25 riencia, palpo que tal remedio tiene oposición
con tal enfermedad, no he menester el axioma
para nada. También se puede decir que aun en
este sentido el axioma es falso, porque hay me-

dicamentos que obran, no por vía de oposición,
antes bien por vía de concordia y amistad, como los absorbentes que embeben en sí la causa morbífica por la conformidad de sus poros
con la figura de las partículas de ella.   5

Pero dejando aparte este principio (del cual
ni aun los médicos que lo veneran se sirven para la práctica, antes sí, por la práctica se
gobiernan para la aplicación del principio, fin-
giendo, después que la experiencia ha mostra-   10
do el remedio, las calidades opuestas que se les
antoja en el remedio y en la causa morbífica),
descendamos a particularizar las dudas que se
ofrecen sobre los remedios más comunes, para mostrar la poca o ninguna seguridad que pue- 15
de haber en ellos.

§ 6.

El primero que se ofrece a la consideración es la sangría, remedio que, si creemos a
Plinio y a Solino, aprendieron los hombres del 20
hipopótamo, bruto anfibio, el cual, cuando se
siente muy grueso, moviéndose sobre las pun-
tas más agudas de las cañas quebrantadas, se
saca sangre de pies y piernas, y después, con lo-
do, se cierra las cicatrices, bien que por Gesnero 25

---

25 Conrado de Gesner (1516-1565). La obra a que alude

no puede sacarse en limpio qué animal es éste, ni
aun si le hay en el mundo.

Hipócrates fué el primero que autorizó la
sangría. Después Galeno la puso en mayor
5 crédito, dando mucha mayor extensión a su uso,
y a Galeno siguieron unánimes cuantos médicos
le sucedieron hasta Paracelso, cuya oposición
no estorbó que reinase después y reine ahora
(aunque con mucha diversidad en cuanto al uso)
10 este remedio. Ha tenido, no obstante, grandes
contradictores, que generalmente, y casi sin excepción alguna, le reprobaron. Entre los antiguos se cuentan Crisipo, Aristógenes, Erasistrato y Estraton, y, dejando a otros, creo que
15 también se debe contar Asclepiades. De los siglos próximos, Paracelso, Helmoncio, Pedro Se-

---

Feijóo es su *Historia animalium*, que comenzó en 1551. Acerca de la existencia del hipopótamo publicó don Bernardo
López de Araujo y Azcárraga, contradictor de Feijóo, el
siguiente escrito: *Disertación zoológica sobre la existencia
del hipopótamo*, Madrid, Imprenta de la Merced, 1749.
40 págs. 4.º

7 Vid. pág. 136, nota.

16 Vid. pág. 136, nota.

16 Vid. pág. 137, nota.

16 Pedro Severino (1542-1602): *Idea Medicinae Phi-
losophicae, fundamento continens totius doctrinae Paracelsi-
cae, Hippocraticae et Galenicae*. Basileae, apud Sixtum Hen-
ric, 1571, 4.º

17 Oswaldo Crollio: *Basilica Chymica*. Francofurti, apud
Claudium Marnium, 1609.

verino, Crollio, el Quercetano, Poterio, Fabro,
Crusio, Tozzi, y otros muchos hombres insignes.

Ahora, siguiendo las reglas comunes, no
se puede negar que tantos hombres y tan grandes hacen opinión probable; y como ellos con- 5
denaron la sangría no sólo por inútil, mas también por nociva, se sigue que es probable que
la sangría es siempre dañosa. Con que este riesgo se lleva cualquiera que se sangre; y aunque
se me diga que aquella opinión es de pequeña 10
probabilidad, respecto de la mucha mayor que
tiene la opuesta, no me importa; lo uno, porque
multa falsa sunt probabilia veris: lo otro, porque aunque el riesgo que tiene la sangría, como fundado en esta probabilidad corta, hasta 15
ahora sea pequeño, ya le iremos abultando de
modo que en la práctica suba a una estatura más
que mediana. Pero conduce lo dicho para el intento, porque cuantos más capítulos concurran
a fundar la duda, tanto será mayor el peligro. 20

---

1 Josephus Quercetanus, señor de la Violette († 1609):
De Priscorum Philosophorum verae Medicinae materia.
S. Gervasii, 1603, 8.º

1 Pedro Poterio: *Insignes curationes et singulares ob-
servationes centum.* Venetiis apud Joh. Baptista Ciottum,
1615, 8.º *Centuria secunda,* 1622, 8.º

1 David Crusius: *Theatrum morborum hermeticorum
Hippocraticum,* 2 partes. Erfurti, apud Johan. Espiscopium,
1615 y 1616, 8.º

1 Lucas Tozzi: *Medicinae pars prior... veterum recen-
tiorumque medendi methodum complectens.* Lugduni, 1681,
8.º *Pars altera,* Avenione, 1687, 8.º

Pero si se me dijese que aquella sentencia no es probable poco ni mucho, por ser contra la experiencia, que constantemente muestra ser la sangría en muchos casos saludable, salga Hipócrates a mi defensa con la sentencia: *Experimentum fallax*. En realidad, exceptuando poquísimos accidentes en que la experiencia parece está declarada a favor de la sangría (y aun esos casos se curarían mejor de otro modo), en lo demás está muy dudosa. Los autores que contradijeron la sangría no ignoraron los experimentos. No deben, pues, de ser tan claros, cuando no los rindieron a la opinión común. Los que, siguiendo ciegamente a Galeno, sangran en toda fiebre pútrida. También protegen esta práctica con la experiencia, sin embargo de lo cual, lo miran infinitos como barbarie, y el doctor Martínez dice que esta máxima mata más hombres que la artillería.

El fundamento de la experiencia, no siendo ésta muy constante y muy notoria, es harto débil, porque todos lo alegan a su favor. Y esto viene de que de cualquier modo que trate el médico a los enfermos, si no les da veneno viven unos y mueren otros. El que está a favor del remedio aplicado, atribuye la salud al remedio, si el enfermo vive, y la muerte a la fuerza insuperable de la enfermedad, si

muere; y la salud a la valentía de la naturaleza,
si vive.

Por esta causa muchas veces achacan injus-
tamente al médico la muerte del doliente, y muchas le agradecen sin razón la mejoría. Lo cier- 5
to es que muchas veces vivirá y mejorará el enfermo, no sólo ordenándole el médico una sangría fuera de propósito, mas también aunque
le dé una puñalada, porque con todo puede su
complexión. En las Efemérides de la Academia 10
Leopoldina se cuenta de una religiosa que con-
valeció de una fiebre cotidiana habiéndole sacado de las venas cerca de diez libras de sangre
en el espacio de dos meses. Quisiera yo saber
del señor Vallisnieri (que es quien participó a 15
la Academia este suceso, a fin de hacer más ani-
mosos en la sangría a los de su profesión) qué
ángel le reveló que aquella religiosa no sana-
ría y acaso mucho más presto si no se hubiera
sangrado tanto. También nos resta saber cómo 20
quedó aquel temperamento después de un combate tan rudo, pues no es dudable que algunos
enfermos que escapan a pesar del violento proceder del Médico, quedan después con una complexión débil, capaz solamente de una vida bre- 25
ve y penosa (triunfando entretanto el médico,
como si hubiera hecho otra cosa que dilatar la
mejoría y arruinar el temperamento), los cuales si se hubieran fiado a la naturaleza o trata-

do con más benignidad, no sólo lograrían la
salud, pero también quedarían con más robustez. El mismo Vallisnieri refiere de otro hombre a quien se le quitó casi cuanta sangre tenía
5 en las venas, que era muy acre, y se iba sucesivamente reparando por otra más bien condicio-
nada. Dejo al juicio de los médicos sabios la
verdad de este suceso, entretanto que me dicen
los cuerdos si será bien gobernarse por este
10 ejemplar. Lo que hay de realidad en esto es
que médicos tan desaforados nos ponen delante
uno u otro enfermo, cuya valiente complexión
pudo lidiar con la enfermedad y con la furia
del doctor, dejándose en el tintero a infinitos
15 que perecieron a sus manos. Tan falaces son como todo esto muchísimas observaciones experimentales que se hallan en los libros y con que
los médicos quieren autorizar sus prácticas.
De donde infiero que habiendo tanta falencia
20 en los experimentos, no parece que basta la experiencia con que se protege la sangría para
hacer improbable la sentencia que absolutamente la reprueba.

34. Pero convengo ya en que sea verdadera
25 la opinión común de que en varios casos es conveniente sangrar, y así lo creo. Réstanos la
dificultad del *cuándo* y el *cuánto*. En el *cuánto* no cabe regla fija, porque depende de la
magnitud del indicante y de las fuerzas del do-

liente, que un médico juzga mayores y otro
menores. En el *cuándo* son tantas y tan opuestas las sentencias, que no puede menos de ocasionar en el médico una suma confusión y duda,
así como un peligro manifiesto del yerro. Lee ⁵
en unos autores que en tal enfermedad y en tales
circunstancias es convenientísima y necesaria la
sangría. Lee en otros que en aquella misma enfermedad y circunstancia es perniciosa; y en
unos y otros propuestas razones y citadas ex- ¹⁰
periencias. ¿Qué partido tomará? El enfermo,
por lo común, no duda en obedecer al médico,
porque oyéndole hablar con confianza piensa
que en lo que ordena no hay cuestión; pero si
al mismo tiempo que le decreta la sangría es- ¹⁵
cuchara veinte o treinta gravísimos y expertí-
simos autores que al médico le están gritando
dentro de su entendimiento: *Tente, no le san-
gres, que le destruyes,* aunque no le faltan otros
que le animan, ¿qué hiciera? O que este mé- ²⁰
dico pesa la probabilidad de una y otra sentencia: ¿de qué consta que la pesa bien, cuando
otros infinitos la pesan de otro modo?

Los galénicos comunes, verdaderamente yo
no sé cuando lo aciertan en sangrar; pero sé ²⁵
que infinitas veces lo yerran, pues tienen a
la fiebre pútrida por indicante general de la
sangría; siendo constante, como advierten los
mejores autores y la razón claramente lo dic-

ta, que en muchísimas ocasiones la sangría es
nociva, por cuanto estorba, suspende o retarda
la obra de la fermentación, lo cual, por remisa,
antes debiera promoverse para que la naturaleza
5 lograse la despumación, adonde camina por
medio de la fermentación. Es la fiebre instrumento de la naturaleza para exterminar lo que
la agrava, como dice el incomparable práctico
en materia de fiebres Sydenham y con él los
10 más sabios médicos de estos tiempos: *Cum et
febris naturae instrumentum fuerit ad huius se-
cretionis opus debita opera fabricatum.* Y poco
más abajo: *Febris naturae est machina ad dif-
flanda ea quae sanguinem male habent.* Lucas
15 Tozzi observó que las enfermedades donde no
se suscita fiebre, son mucho más prolijas. Y todo el mundo sabe el poder de las fiebres para
resolver los catarros, convulsiones, insultos de
gota y otros diferentes afectos. Por lo cual
20 muchos siglos ha que Celso, y antes que él
Hipócrates, recomendaron como útil la calentura en varios accidentes. No obstante todo esto, los médicos comunes consideran siempre en ella un capital enemigo, contra quien
25 deben proceder con sangría y purga, que es

10 Siendo así que la fiebre es un instrumento de la naturaleza elaborado a propósito para estimular la secreción.
12 *Fol. mihi,* 100.
13 La fiebre es recurso de la naturaleza para destruir
las impurezas de la sangre.

lo mismo que a sangre y fuego. Yo por mí digo lo que Etmullero, que después de referir las observaciones de algunos autores que hallaron en cadáveres de febricitantes toda la sangre consumida por el ardor de la fiebre, de don-[5]de infiere cuán inicuamente ayuda a evacuarla la lanceta, concluye así: *Itaque ego cum ejusmodi lanionibus et sanguisuguis non facio, qui vitae thesaurum tam inutiliter obliguriunt.*

Y no omitiré aquí que las señales que to-[10]man los médicos de la misma sangre, para conocer su bondad o malicia, son muy falaces, ya porque se altera sensiblemente luego que sale de sus vasos, ya porque cada individuo tiene sangre diferente y esa le conviene de tal modo que no pudiera vivir sin aquella misma sangre que al médico le parece mala, por cuya razón probó tan mal la invención de transfundir la sangre de un hombre sano en las venas de un enfermo. Este es el sentir de Etmullero. *Indi-[20]cium quod attinet de sanguine vena secta emisso, hoc non immerito rejicit Helmontius, cum*

---

7 Por eso yo nada tengo de común con esos matarifes y sanguijuelas, que de modo tan inútil malgastan el tesoro de la vida.

20 Ibid. *Institut. Medic.*, cap. 4.º Helmoncio rechaza con razón el juicio referente a la sangre que fluye de un corte de la vena, ya que cada hombre tiene su sangre peculiar y que en el estado de salud es muy grande la variedad de sangre.

unusquisque homo peculiarem suum habeat san-
guinem et in sanitatis latitudinem maxima
sanguinis sit varietas. Ya, en fin, porque el vario color de la sangre suele nacer de otros principios muy diferentes de los que juzgan los
médicos. El célebre anatómico Filipo Verheyen
observó que mezclado el espíritu de vitriolo a
la sangre, la ennegrece; luego no es la negrura
de la sangre fija señal de adustión. Y él mismo
experimentó que los álcalis la ponen más ru-
bicunda. En fin, quien sabe que dos gotas de
un color rubicundo, cual es la Leche Virginal,
dan color de leche a una escudilla de agua, no
hará caso alguno de lo que la filosofía ordina-
ria discurre en orden a las causas de la diversidad de colores.

§ 7.

De la sangría pasemos a la otra pierna
de la medicina (por usar de la metáfora de Galeno), que es la purga. Todos los médicos unánimes reconocen en los purgantes más o menos
cualidad deletérea o maligna, por donde siempre tienen algo de nocivos. Si son útiles en tales
o tales enfermedades, en tal o tal tiempo de
ella, está en cuestión. Con que el daño es cierto, y el provecho dudoso.

Los que son amigos de medicinarse, están en fe de que los purgantes sólo arrancan del cuerpo los humores viciosos, error en que yo también estuve algún tiempo y de que me desengañó, no menos mi experiencia propia que algunos buenos autores que he leído. Es cierto, pues, que indirectamente se pegan lo útil y lo inútil, y que colican, inficionan y precipitan, envuelto con los humores excrementicios, el mismo jugo nutricio.

También se debe advertir que no todo lo lo que se llama humor excrementicio, por ser incapaz de nutrir, se ha de considerar como inútil en el cuerpo; pues mucha parte de él tiene sus oficios y la naturaleza se sirve de él para algunos usos, como del humor bilioso para la precipitación cotidiana de las heces gruesas y del ácido del estómago para excitar el apetito. Y así, los purgantes de muchos modos dañan, ya con la mala impresión de su cualidad deletérea, ya arrancando del cuerpo mucha parte del jugo nutricio, ya evacuando lo que, aunque incapaz de nutrir, es necesario para algunas funciones naturales. A que se puede añadir el inconveniente de conducir parte de los excrementos por las vías que la naturaleza no tiene destinadas para su expulsión, lo que verisímilmente no puede ser sin algún daño de las mismas vías, pues si los humores acres

se encaminan violentamente por conductos estrechos y que no tienen poros acomodados a las
partículas de los humores, no pueden menos de
hacer algún estrago en las fibras.

5   La división de los purgantes por el efecto que hacen en los humores a que son apropiados, de modo que unos purgan la cólera,
otros la flema, etc., aunque muy recibida, es división imaginaria, en sentir de autores muy gra-
10 ves, los cuales aseguran que no hay purgante
que no evacue indiferentemente toda clase de
humores como esté dentro de la esfera de su actividad, esto es, a distancia donde él pueda
obrar, y que el vario color de los excrementos
15 según la variedad de los purgantes (que es lo
que en esta materia ha engañado) procede de la
tintura que el mismo medicamento le dió al humor. Lo que yo puedo asegurar es que si un
hombre, el más bien templado, repite el purgar-
20 se con epitimo (que se tiene por apropiado para la melancolía, por la negrura de las heces que
segrega) siempre arrojará humores negros o
nigricantes. Esto lo sé con toda certeza; y es
imposible hallarse tanto humor melancólico, no
25 digo yo en un cuerpo sano, mas ni aun en seis
hipocondríacos, cuando es el humor de que hay
menos copia en nuestros cuerpos.

Diráseme acaso que no obstante la conocida lesión de los purgantes y que éstos expe-

len lo útil con lo vicioso, pueden convenir cuando suceda serle a la naturaleza más nociva la retención de lo vicioso que la expulsión de lo útil.

Esto es cuanto puede decirse a favor de los purgantes. A que respondo: lo primero, que deberá asegurarse bien el médico de estar las cosas en esa positura, porque si no hará lo que los otomanos en el sitio de Rodas, que estando algunas tropas suyas empeñadas en el asalto, mezcladas ya con los cristianos de la guarnición, los turcos del campo, con bárbara furia, a unos y a otros asestaron la artillería e hicieron en los suyos y en los enemigos igual estrago.

Pero ¿cuándo llega el caso de tener esa seguridad el médico? En las enfermedades comunes rarísima vez, y aún no sé si alguna. Dúdase entre los médicos si en los principios de las fiebres se puede o debe purgar. El famoso aforismo de Hipócrates: *Concocta medicari oportet,* lo prohibe, menos en caso de urgencia y manda esperar a que la materia esté cocida para purgarla; pero aquí de Dios. Cuando la materia está cocida, la naturaleza la segrega por sí misma, como cada día se experimenta, con que es excusada la purga; y administrarla entonces sería lo mismo que acudir las tropas auxiliares a sus aliados, cuando ya van de vencida los enemigos. La razón y la experiencia me

han persuadido firmemente a que la naturaleza
jamás deja de perficionar esa obra, salvo que
en algún raro acontecimiento sea detenida por
un revés extraordinario. Dicen que es de temer
5 la recaída si no se purgan los enfermos después de cocida la materia. Pero sobre que esto
no es ya curar la enfermedad que se tiene presente sino precaver la venidera, pregunto: ¿De
dónde sabe el médico que las recaídas que se
10 experimentan nacen de la falta de purga en
aquella sazón? Recaen unos que se purgan y
otros que no se purgan; por donde yo sospecho
que no viene de ahí la recaída, sino de alguna
porción de materia morbífica, no sólo incocta,
15 pero que ni aun se había puesto en movimiento
para cocerse en todo el tiempo de la enfermedad antecedente, y después se pone con mayor
peligro del enfermo, porque encuentra sus fuerzas quebrantadas del primer choque. No sea es-
20 to cierto; por lo menos es dudoso, y basta la
duda para quitarle al médico la seguridad de
ser entonces necesaria la purga.

Vamos a la turgencia en que se considera
la purga inexcusable a los principios de la
25 enfermedad. También en este caso hizo dudosa
la necesidad de la purga el eruditísimo Martínez. Porque siendo la turgencia un movimiento inquieto y desenfrenado del humor que por
la amenaza de echarse sobre parte príncipe pide

expelerse porción de él a toda costa, este movimiento se experimenta en el principio de las viruelas y, con todo, no purgan entonces los mejores prácticos. De esta suerte el uso de los purgantes todos está lleno de dudas y riesgos. 5

Advierto, en fin, que aun prescindiendo de los peligros que amenazan los purgantes, no tiene tampoco las fuerzas que les atribuyen para exterminar del cuerpo la materia morbífica. En un tiempo que yo tenía más fe con ellos, los 10 usaba en unas indisposiciones que de tiempos a tiempos padecía y aún hoy padezco, cuyos ordinarios síntomas son: pesadez de los miembros, decadencia del apetito y aun alguna opresión de las facultades del alma, y suelen durar dos 15 meses, ya más, ya menos. Persuadíame yo, consintiendo en ello los médicos, que todo esto procedía de la carga de humores excrementicios y, por consiguiente, que el remedio estaba en los purgantes. Pero protesto que jamás experimenté 20 algún alivio en ellos, aunque por el espacio de siete años, cuando ocurrían semejantes indisposiciones usé de casi toda clase de purgantes, variando así la especie como la cantidad, de muchas maneras, y lo mismo digo del modo de ré- 25 gimen. Más hay en éstos, y es que, comúnmente, todo este mal aparato terminaba prorrumpiendo algunos pocos granos, ya en esta, ya en aquella parte del cuerpo. Cavilando sobre esta

experiencia repetida, vine a dar en el pensamiento de que muchos de nuestros males vienen de una pequeñísima porción de materia, que
se ha como un femento de mala casta, y por
⁵ hallarse altamente intrincado en el cuerpo, o por
otra razón que yo no alcanzo, no está sujeto
a la acción de los purgantes sino a la naturaleza sola, la cual tiene sus períodos establecidos
para disponer su expulsión, sin que puedan ha-
¹⁰ cerle acelerar el curso todas las espuelas de la
botica, y, en llegando el plazo, en una pústula o
en unos granillos, desaloja aquel enemigo, de
grandes fuerzas, sí, pero de mínima estatura.
Estuve algunos años en esta sospecha, con la des-
¹⁵ confianza que me ocasiona la cortedad de mi
conocimiento, hasta que leyendo alguna vez en
Etmullero, tuve el consuelo de hallar patrocinado por este grande autor puntualísimamente
mi pensamiento, aunque de paso. Después de
²⁰ tratar del grande estrago que hacen en el
cuerpo los purgantes, acusándolos también de
ineficaces, dice así: *Sane fermenta morbosa mi-
nima illa non attingunt. Hinc subinde post re-
petitum licet purgantium usum, nihilominus
²⁵ morbi contumaces persistunt.* De modo que ve-
nimos a parar en que los purgantes, sobre los

---

22   Además, no atacan ni a los más pequeños fermentos
morbosos, de donde se sigue que las enfermedades rebeldes persisten, aunque se repita el uso de los purgantes.

muchos daños que ocasionan respecto de la materia morbifica, se andan por las ramas, exceptuando cuando ésta está en las primeras vías,
que en ese caso no es dudable su utilidad, pero
es muy dudable no pocas veces el caso, pues 5
entre los médicos frecuentemente se disputa si el
vicio está en las primeras vías o no.

En cuanto a la elección de purgantes, cada médico tiene su antojo, y apenas hay purgante que no tenga sus especiales apasionados. 10
Comúnmente se prefieren los que evacuan con
quietud y sin mover retortijones en los intestinos. Yo confieso que tengo en este punto mi recelo de que la elección es errada; porque acaso
los retortijones no vienen del medicamento in- 15
mediatamente, sino del humor acre, movido por
él; y siendo así, se deberán preferir los purgantes que inquietan los intestinos, porque son los
que expelen los humores más acres, y abandonar
la hipócrita blandura de los que evacuan tran- 20
quilamente, lo cual podría provenir de que por
su malignidad oculta, colicuan mayor porción
del jugo nutricio, cuya dulzura embota la acri-
monia de los humores excrementicios, para que
al salir no exciten dolores. Si los purgantes fue- 25
sen electivos, se podría discurrir que estos purgantes pacíficos sólo evacuan los humores blan-
dos e inocentes, que, por ser de tan buen genio,
no excitan tumulto alguno en los lugares por

donde transitan. Esto sólo es pensamiento mío,
el cual sujeto, dócil, al examen de cualquier médico docto, como otro cualquiera en que no esté
patrocinado de algún autor clásico.

5   Después de las purgas, es natural decir
alguna cosa de sus camaradas y sustitutas las
ayudas, de las cuales se sirven los médicos cuando no ha lugar a aquéllas, para laxar el vientre,
siempre que él no está laxo por sí mismo, en su-
10   posición de que el uso de ayudas blandas nunca tiene riesgo. Pero el supuesto no es tan cierto; porque el famoso Sydenhan prohibe se-
verísimamente el uso de ellas, como de todas
las demás evacuaciones, en todas aquellas fie-
15   bres donde el movimiento fermentativo sea algo
remiso, porque le hacen más lento. Y no sólo
esto sino que generalísimamente en todas las
fiebres, en el tiempo de la declinación, las condena, en tanto grado, que dice de sí, que du-
20   rante la declinación, ponía estudio en conservar
el vientre del febricitante adstricto: *Atque mox
ad alvum adstringendam memet accingo*, y bien
saben los profesores que el modo de tratar los
febricitantes Sydenhan, por sí solo hace opi-
25   nión probable. Conciérteme, pues, estas medidas
el que quisiere defender la coherencia y seguridad de los preceptos médicos.

---

12   Véase pág. 127, nota 19.

§ 8.

En fin, no hay cosa segura en la Medicina. Este médico detesta el remedio que el otro adora. ¿Qué maldades no acusan unos y qué virtudes no predican otros del hellébaro? Lo mismo del antimonio. La pedrería, que hace el principal fondo de los boticarios, es reprobada, no sólo como inútil, más aún como nociva, por excelentes autores. Y yo, por lo menos, creo que sirve más la menos virtuosa hierba del campo, que todas las esmeraldas que vienen del Oriente. ¿Qué diré de tantos cordiales, que lo son no más que en el nombre? El oro alegra el corazón, guardado en el arca, no metido en el estómago. ¿Y cómo ha de sacar nada de él el calor nativo, si no puede alterarle poco ni mucho el más activo fuego? La virtud de la piedra bezoar, que entra en casi todas las recetas cardíacas, es una pura fábula si creemos, como parece se debe creer, a Nicolao Bocangelino, médico del emperador Carlos V, y a Jerónimo Rubeo, médico de Clemente VIII, que habiendo usado muchas veces de benzoares recomendadí-

20 Médico español, de origen genovés: *De las enfermedades malignas y pestilentes, su causa, remedios y preservación*. Madrid, Luis Sánchez, 1600, 4.º, obra que el mismo tradujo al latín: *De febribus, morbisque malignis, et pestilentia earumque causis, preservatione et curatione*. Madrid, Luis Sánchez, 1600, 4.º

21 Médico e historiador de la Ciudad de Rávena.

simas, que estaban en poder de príncipes y mag-
nates, jamás experimentaron en ellas alguna virtud. Lo mismo asientan otros muchísimos.

Los remedios costosos y raros son del gus-
5 to de muchos médicos y del de todos los boticarios. No les falta ya a alguno más que recetar,
como dijo Plinio, las cenizas del Fénix: *Petitis
etiam ex nido Phoenicis, cinereque medicinis.*

Lo mismo digo de los remedios exóticos y
10 que vienen de lejas tierras. En ellos tienen su
asiento los médicos para la ostentación de su
arte y los droguistas para aumento de su caudal;
pero, como dice el mismo Plinio en otra parte
y la experiencia enseña, son mucho más útiles
15 y seguros los remedios baratos y caseros: *Ul-
ceri parvo medicina a rubro mari imputatur;
cum remedia vera pauperrimus quisque coenet.*

Mons. Duncan, doctor de Mompeller, refiere de otro famoso médico francés que re-
20 cetaba el café universalmente a todos sus enfermos. Con todo, los más están hoy persuadi-
dos a que ni del té, ni del café se puede esperar
mucho provecho.

Aun los específicos más notorios no están
25 exentos de ser cuestionados. La quina ya se sa-

---

10 Medicamentos sacados del nido y cenizas del ave
Fénix.
18 Se cree necesario traer los remedios del Mar Rojo,
aun para la úlcera más pequeña, cuando hasta el más pobre
lo tiene al alcance de su mano.

be que tiene muchos enemigos, y lo que es más que todo, Fernelio declamó contra el mercurio, aunque contra toda razón, cuando todo el mundo experimenta la valentía singular de este generosísimo remedio.

A esta inconstancia de la Medicina, por la oposición de dictámenes, se añade lo que alteran las modas, las cuales no tienen menos imperio sobre el arte de curar que sobre el modo de vestir. Al paso que van cobrando crédito unos medicamentos, lo van perdiendo otros, y a la Medicina le sucede con los remedios que propone lo que a Alejandro con los reinos que conquistaba, que al paso que adelantaba sus empresas iba perdiendo mucho de lo que dejaba a las espaldas.

Todos los remedios en su primera composición fueron celebradísimos; de aquí vienen aquellos epítetos magníficos que establecieron como renombres suyos: agua angélica, ni las píldoras *sine quibus,* ni todas las otras, a quienes dió estimación el recomendadísimo acíbar, se atreven a musitar delante de la sal de Inglaterra, que para mí es un remedio sospechoso, por el mismo caso de purgar con tanta suavidad. Pero ya a este y a otros que hoy reinan vendrán quienes los derriben del solio; porque siempre

---

2   Juan Fernel, matemático y médico francés (1497-1556). *Universa Medicina sive Opera medicinalia.* Venetiis, 1564, 4.°

fué ésta la suerte de la Medicina: *Mutatur ars quotidie interpolis, & ingeniorum Graeciae flatu impellimur.*

¿Y qué diré de las virtudes que falsamente
5 se atribuyen a muchos remedios? Bástame en este punto la autoridad de Vallés, que asegura que en ninguna materia hablan los médicos con menos verdad o fundamento que en ésta: *Facile concesserim mulla de re nugari*
10 *magis medicos, quam de medicamentorum viribus.*

§ 9.

Concluiré el desengaño de los remedios
15 con la importante advertencia de que aun siendo escogidos y apropiados, dañan cuando son muchos: *Impediunt certe medicamina plura salutem.* En esto yerran infinito los médicos vulgares: *Tirones mei* (exclama Ballivio) *quam*

1 Cambia a diario el arte con las novedades y nos vemos impelidos por el soplo de los ingenios de Grecia.

6 Francisco Vallés, médico español, nacido en Covarrubias (Burgos) en 1554 y apellidado el *Divino.* La obra a que alude Feijóo es su *Methodus medendi,* Venetiae, 1589. (Matriti, 1614; Lovainae, 1647.)

9 Concedería sin dificultad que nunca mienten tanto los médicos como cuando hablan de la eficacia de los medicamentos.

17 La multiplicidad de medicamentos impiden la salud.

19 ¡Oh, discípulos míos! ¡Qué pocas enfermedades se curan con remedios! ¡Cuántos perecen víctimas del fárrago de medicamentos!

*pauci remediis curantur morbi! Quam plures
e vita tollit remediorum farrago!* Sydenhan se
lamenta del mismo desorden en varias partes,
persuadiendo a los médicos que se vayan con
pies más perezosos en ordenar remedios y que ₅
fíen mucho más de la naturaleza, porque es un
grande error pensar que siempre necesita ésta
de los auxilios del arte: *Et sane mihi nonnum-
quam subiit cogitare nos in morbis depellendis
haud satis lente festinare, tardius vero nobis* ₁₀
*esse procedendum; et plus saepe numero natu-
rae esse committendum quam mos hodie obti-
nuit; errat namque, sed neque errore erudito,
qui naturam artis adminiculo ubique indigere
existimat.* ₁₅

Es verdad que en esta infame práctica
menos influyen los médicos que los mismos enfermos; los cuales los están importunando para que receten todos los días y casi todas las
horas. Este acaso es el mayor error del vulgo ₂₀
en el uso de la Medicina. Tienen por médico
sabio a aquel que sin cesar amontona medicamentos sobre medicamentos, y aun después que
con este tirano y homicida procedimiento llevó
el enfermo a la sepultura, dicen que hizo cuanto ₂₅

---

8   Más de una vez he pensado que cuanta lentitud se
ponga en combatir las enfermedades, es poca; que es preciso
confiar en la naturaleza más de lo que se acostumbra; en
error vulgar incurriría quien pensara que la naturaleza necesita en todo momento de los auxilios del arte.

cabía en el arte de la Medicina; siendo así que hizo cuanto cabía en la más estúpida ignorancia o en la más criminal condescendencia. Estos médicos oficiosísimos, que recetan siempre que se

5 lo piden los enfermos (dice Leonardo Botalo, médico de Enrico III de Francia) son los más perniciosos de todos: *Cum officiossimi esse volunt, tunc sunt maxime noxii.*

Los que defienden el dogma de los días

10 decretorios no tienen que responder otra cosa a la objeción que se les hace de que la experiencia no los demuestra, antes lo contrario, estorba y a veces precipita a la naturaleza su curso; pero de aquí salen dos consecuencias. La primera

15 es que todos los médicos pecan en el abuso de los remedios, pues ninguno hay, si quiere confesar ingenuamente la verdad (como asegura Lucas Tozzi), que observe constantes las crisis, según los períodos señalados. La segunda es

20 que deberá estarse el médico tan quieto por no turbarle a la naturaleza su operación, que apenas le ordene remedio alguno, pues ninguno hay que no altere poco o mucho. Pero sobre esto ya dijo harto el doctor Boix, cuyas reglas no

5 Leonardo Botallo, autor de las obras tituladas *De curandis vulneribus scopletorum*, Lyón, 1560, y *De lue venerea*, París, 1563.

7 A medida que quieren mostrarse más oficiosos, son más dañinos.

18 Vid., pág. 147, nota 11.

sé si se deben seguir en todo; sólo sé que la multitud de remedios que aplican los médicos vulgares no puede menos de debilitar mucho a la naturaleza (y esto puntualmente en aquel tiempo en que ella necesita de más vigor, por hallarse en actual combate con su enemigo) y turbarle la operación que tiene entre manos de preparar la materia morbífica para la segregación.

A los médicos incapaces, que por ignorancia pecan en esto, es ocioso persuadirlos, porque siempre la necedad es indócil. Lo mismo digo si hay uno u otro que, aun con conocimiento de que daña, receta mucho, por ser amigo del boticario o porque él también se interesa en el consumo de los medicamentos, pues el alma de ése más deplorada está que la salud de ningún doliente. Y digo si hay uno u otro, porque pensar que por lo común los médicos son tan inicuos sólo cupo en la insolente maledicencia de Enrico Cornelio Agripa, con ser él de la profesión. Antes bien he observado ser por lo común los médicos hombres de honesto proceder, lo que atribuyo a que en los cuartos de los enfermos, especialmente si están peligrosos, se oyen casi siempre palabras de edificación y se ven ejemplos de cristiana piedad.

---

22 Cf., pág. 133, nota 21.

Sé que hay algunos, y no pocos, que recetan más de lo que les dicta la razón a fin de conservar su crédito, porque ven que los desestiman y aun los desechan y llaman a otros 5 si cada día no ordena algo de nuevo. A éstos los reconvendré con la gravísima obligación que tienen, en conciencia, de no pasar por respeto alguno, ni de conveniencia ni de honra, de aquella raya que les señala su conocimiento; 10 siendo cierto que ni el riesgo de ser menos buscados de los enfermos, ni el de que los desacrediten los boticarios, ni el de que los tengan por ignorantes los necios, los excusará de ser reos en los ojos de Dios de cualquier daño que 15 por su exceso en recetar sobrevenga a los dolientes.

Muchos toman un camino medio, que es recetar para cumplir; esto es, ordenar unas cosillas leves, que aunque no harán provecho 20 tampoco se teme de ellas daño alguno; pero si lo que ordenan está dentro de la clase de los medicamentos, no puede menos de alterar, y por consiguiente, si no aprovecha, forzosamente ha de dañar poco o mucho. Sobre esto tam-25 poco puede el médico hacer gastar a los enfermos su caudal en lo que no les ha de aprovechar y quedará obligado a la restitución sin duda y sin que les aproveche decir que los enfermos lo quieren así, pues ciertamente los en-

fermos no quieren gastar en lo que el médico
sabe que no les ha de servir, y como él esté
constante en desengañarlos de la inutilidad del
medicamento, bien cierto es que no darán por
él un cuarto.   5

§ 10.

Después que he señalado tantos capítulos
que concurren a hacer incierta la Medicina,
veo que me dirán algunos: "¿Pues qué han
hecho la experiencia y la observación de tan-   10
tos siglos, que no han desengañado de lo
que daña y de lo que aprovecha?" Pero a esto
tengo respondido con lo que dije arriba de la
falibilidad de la experiencia, a que añado que
las observaciones que se hallan recogidas en   15
algunos autores, tan lejos están de desengañar
que engañan más, porque son tan defectuosas
que ni merecen el nombre de observaciones: ya
porque muchas se fundan sobre una experiencia
sola, en que por infinitos capítulos cabe falen- 20
cia, ya porque tal vez la insinceridad del médico ostenta un suceso en que probó bien el
remedio y calla dos en que probó mal, ya porque no se señalan exactamente las circunstancias, siendo muchísimas las que pueden con-   25
currir para que dentro de la misma especie de
enfermedad el mismo remedio una vez apro-

veche y otra dañe; ya porque en el caso que
señala la observación se aplicarán diferentes
remedios inconexos, y no es fácil saber a cuál
se debe la cura, aunque el médico quiere atri-
5 buirlo al que es de su invención o de su cari-
ño; y si concurren sucesivamente diferentes
médicos, cada uno atribuye la salud al que él
decretó, aunque la mejoría no se lograse entonces sino mucho después, lo cual bien podía
10 suceder; ya porque las más enfermedades, cuya cura se propone en las observaciones, son
curables por la naturaleza sola, y de hecho cada día se ven curar sin remedio alguno y así
no puede saber el médico si a él o a la natura-
15 leza se debe la mejoría.

Todo el mundo tiene presentes las observaciones de Riberio, que no son las que corren con menos aplauso. Y subiendo el número
a cuatro centenares apenas se hallará una que
20 no sea defectuosa por alguno de los expresa-
dos capítulos. Es cosa graciosa verle jactar a
este autor de que curó una cólica biliosa con
cuatro sangrías y cuatro purgas, entrevera-
das con ayudas, emolientes, anodinos y otros
25 remedios, en que necesariamente se habían de
consumir muchos días, cuando se termina
en menos tiempo, por lo común, esa enferme-

---

17 Vid., pág. 142, nota 10.
22 *Centur. 4. observ.* 75.

dad, entregada a la naturaleza o manejada con mucho menos medicina. Es muy creíble que en aquel caso mejoraría más presto el enfermo, si no le hubiera gastado tanto la fuerza la fiereza del médico. ¡Cuántas veces, habiéndose interpolado varios remedios, atribuye la victoria, no más que porque quiere, a su agua teriacal o a otro medicamento de su invención! Es mucho lo que podía decir de la inutilidad de estas observaciones, que sólo en el nombre son tales. El hacer observaciones fructuosas pide gran sabiduría, gran perspicacia y gran sinceridad, y estas prendas juntas no se hallan a cada paso. Es verdad que entre los autores modernos algunos han trabajado en esta materia con mucho mayor cuidado y discreción que los antiguos, y si los demás que van sucediendo los fueren imitando, puede esperar muchos adelantamientos la Medicina, que hasta ahora está muy imperfecta.

§ II.

No sé si será muy grato a los médicos este desengaño que doy al público de la incertidumbre de la Medicina. A lo que puedo discurrir de algunos, desde luego me puedo prometer el enojo. Supongo declarados contra mí a los de corto estudio y aún más limitado en-

tendimiento, porque éstos juzgan que tienen
un tesoro de infalible doctrina en aquel autor
a quien dieron la obediencia. A que se añadirá el temor de que si se da en ahorrar de medicinas, también se ahorrará de médicos y en
este caso serán algunos de ellos descartados.
Pero en este punto pueden vivir sin cuidado,
porque el mundo siempre será el mismo que
fué, ni hay ingeniero capaz de torcer el curso
a los impetuosos ríos de preocupaciones y costumbres universales. ¡Cuánto declamaron contra médicos y Medicina, y pasando mucho, a
la verdad, la raya de lo justo: en España, Quevedo; en Italia, el Petrarca; en Francia, primero Montaña y después Molière! Sus escritos son leídos y celebrados; pero las cosas se
quedaron como se estaban. Yo me contentaré
con persuadir a algunos pocos que se acaban la
vida con los mismos medios que buscan para
restablecer la salud.

Entre los médicos discretos y doctos habrá de todo; porque algunos son de candor
tan generoso, que ellos mismos propalan la insuficiencia de la Medicina y su perplejidad
propia; pero a otros que no son dotados de
ánimo tan noble no les desagrada ver que se
confíe en la Medicina mucho más de lo que se
debe, y como esta estimación del arte pasa por
reflexión en los profesores, no los lisonjeará

mucho quien los litigue en esa profesión. Acaso este motivo fué el que ensangrentó algunas
plumas contra el doctor Boix, cuya sinceridad
y celo del bien público merecían diferente tratamiento.   5

Y que algunos médicos doctos por pura
política ocultan lo que sienten de la ninguna seguridad de su arte, consta por experiencia. Ballivio, que larguísimamente se las-
tima del infeliz estado en que se halla la Me- 10
dicina, sin embargo se vuelve más de una vez
contra algunos pocos autores, que manifesta-
ron al mundo su falencia, tratándolos de im-
prudentes, porque con este desengaño desau-
torizaron a los profesores. Gaspar de los Re- 15
yes en su *Campo Elisio* pone en tan alto punto los riesgos de su profesión, que no encuentra caso alguno en que el médico obre con seguridad del acierto. Así dice, hablando de sí y
de los demás: *Quis enim est, qui semel non* 20
erret? Aut quis, qui semel tantum erret? Du-
bito an semper non erremus. No digo yo tanto. En otra parte asienta que frecuentemente ye-

16 Médico portugués, autor de la obra titulada *Elysius*
jucundarum quaestionum campus; philosophicarum, theolo-
gicarum, philologicarum et maxime medicarum, Bruxellae,
1661, fol. Es una especie de enciclopedia médica en cien
cuestiones. *Quaest.* 20.

20 ¿Hay alguien que no se equivoque una vez o que no
se equivoque sino una vez sola? Casi estoy por creer que
nos equivocamos siempre.

rran las curas los médicos más sabios: *Perfe-
ctissimi saepe Medici in varios rapiuntur errores*. Sin embargo, este desengañado médico no
fué desengañador en igual grado; porque des-
5 pués de advertir que a los discretos y doctos pueden confesar los médicos sus errores, como a
gente que conoce la obscuridad suma y dificultad insuperable de la Medicina, añade que se
los oculten al ignorante y rudo vulgo, el cual
10 imagina en el médico mucho mayor conocimiento del que verdaderamente tiene ni puede tener: *Caeterum apud rude, et indoctus vulgus, & quod in medico plus credit, quam ha-
bet aut habere potest, si quando errare contin-
15 gat, ego tacere potius duxerim quam peccat-
tum fateri*. Concluyendo con la razón de que
esta confesión de los errores propios no le
sirve de nada ni al médico ni al enfermo: *Prae-
sertim cum ex tali confessione nihil utilitatis
20 aegro, aut medico accedere possit*.

Pero yo, por el contrario, hallo grande
utilidad de los enfermos y no poca de los médicos en este desengaño. De los enfermos, por-

---

1 Aun los médicos más sabios caen con frecuencia en
errores diversos.

12 Por lo demás, estimo mejor callar el error que con-
fesárselo al vulgo indocto que supone en el médico más conocimientos de los que tiene o puede tener.

18 Y, sobre todo, porque de tal confesión no se le sigue ni al enfermo ni al médico ninguna utilidad.

que instruídos de la poca seguridad que hay
en la Medicina, de que apenas hay remedio
que carezca de peligro, que los médicos más
acreditados de sabios cometen varios errores
que muchas veces que convalecen de sus dolen-   5
cias sólo a la naturaleza deben la mejoría y
al médico no más que la mala obra de retar-
dársela, con otras cosas a este tono, se irán más
poco a poco en medicarse, con que conservarán
más enteras sus fuerzas; no gastarán inútil-   10
mente, a veces con notorio daño, en las boticas
el dinero que necesitan para otras cosas; dejarán a la naturaleza aquellos accidentillos de
poca monta, que ella por sí misma cura y en
los cuales, dado que la Medicina pueda ayudar   15
algo, más es el daño que hace por otra parte;
contentáranse con arreglar el régimen y cuando más tomar una u otra vez alguna cosita muy
leve en las indisposiciones habituales que vienen del nacimiento, sabiendo que, como inse-   20
parables del temperamento, no se las podrá
curar médico alguno del mundo, por más que
les hablen de curas radicales que no hay *in re-*
rum natura. Con este desengaño muchas señoras delicadas dejarán de ser molestas a sus ma-   25
ridos y familias, servirán útilmente al público
muchos hombres que se hacen inútiles por estar
medicándose a cada paso. Estos y otros muchos provechos que traerá el conocimiento de

lo poco que se puede esperar de la Medicina
me movieron a hacer esta advertencia al público, y los médicos deben en conciencia, como dije arriba, concurrir por su parte al desengaño.

5   A los médicos mismos les está esto muy
bien, por lo menos a los doctos y acreditados de
tales, pues a éstos nunca les faltarán salarios y
empleos, suponiendo que nunca ha de llegar el
caso, ni es razón echar a todos los médicos del
10 mundo, como se dice que en un tiempo los echa-
ron de Roma, y por otra parte no serán molesta-
dos sin propósito y sin necesidad de enfermos y
aun de sanos impertinentes y ridículos. No los
llamará a cada paso ni la melisendra que todas
15 las horas quisiera que la estuviese tomando el
doctor el pulso, ni el maníaco por naturaleza,
enfermo imaginario, como el de la comedia de
Molière, que está dando gritos cuando no le
duele nada; ni el viejo semidecrépito, que juz-
20 ga que pueden alejarle muchas leguas de la sepultura las drogas de la botica. Con esto ten-
drán más tiempo para estudiar y para reflexio-
nar sobre lo que estudian y lo que experimentan, como también para asistir a las disecciones
25 anatómicas; los más eminentes estarán más des-
ocupados para escribir libros. De esta suerte los
médicos se harán más doctos y la Medicina irá
dando cada día hacia la perfección de que es
capaz algunos pasos.

Yo no estoy mal con la Medicina, antes la amo mucho. Sé que el Espíritu Santo la recomienda, aunque alguno pudiera responder que la Medicina recomendada en la Escritura no es la que hoy se practica. Es cierto que hay 5 males que no puede vencer la naturaleza por sí sola y los vence con el auxilio de la Medicina, como se palpa en la infección venérea. Confieso que en los males de manifiesto peligro es prudencia acudir en su socorro y que muchas ve- 10 ces la prontitud repentina del efecto saludable mostró ser causa suya el remedio dado a tiempo, porque la naturaleza por sí sola no acostumbra esas mudanzas repentinas: que han hecho muchos milagros el opio, la quina, los eméticos 15 y otros muchos medicamentos de manifiesta actividad; sólo estoy mal con que las promesas del médico se extiendan adonde no llegan su ciencia y su poder, y que cuando va palpando sombras se ostente coronado de rayos. 20

Si acaso en una u otra expresión he figurado los riesgos de la curación algo más abultados de lo que dicta la razón eso mismo pudo ser prudencia, que tiene en su patrocinio altísimos ejemplos; porque estando el vulgo tan 25 torcido hacia el extremo de un ciego asenso a todos los preceptos del médico más ignorante, es menester inclinarle algo al extremo opuesto para que quede en la rectitud debida. Y si bien

que yo en todo este discurso he hablado debajo de la sombra de ilustres autores médicos,
pues lo que he dicho de mi propia advertencia
lo he propuesto, no como regla, sino como duda,
si alguno se complaciese en contradecirme me
dará ocasión de añadir, en escrito aparte, mucho que he omitido en este asunto por no hacer el discurso demasiado largo.

Y concluyo exhortando a todos que en
la elección de médico tengan presentes las siguientes circunstancias. La primera, que sea
buen cristiano, porque teniendo presente la estrecha cuenta que ha de dar a Dios de sus descuidos, atenderá con más seriedad al cumplimiento de su obligación y se aplicará con más
conato al estudio de su facultad. La segunda,
que sea juicioso y de temperamento no muy ig-
neo; porque, aun en los más discretos, el fuego del natural suele llenar de humo la razón. La
tercera, que no sea jactancioso en ostentar el
poder y la seguridad de su arte; porque siendo
cierto que no hay tal seguridad en ella, es fijo
que el que la propone tal o es muy ignorante o
muy engañador. La cuarta, que no sea adicto
a sistema alguno filosófico, de modo que re-
gle por el de la práctica; porque éste está sin
comparación más expuesto a curar que el que
se gobierna por la experiencia, así suya como de
los mejores autores prácticos. La quinta, que

no sea amontonador de remedios, especialmente mayores, salvo en caso de urgencia apreta-
dísima que no conceda tregua alguna, teniendo por cierto que todo médico que decreta y
receta mucho es malísimo médico, aun cuando 5
supiese de memoria todo cuanto se ha escrito de la Medicina.

La sexta, que observe y se informe exactamente de las señales de las enfermedades,
que son muchas y se toman de muy varias 10
fuentes. Los médicos comunes, en tocando el
pulso y viendo la orina, y eso bien de paso, al
instante toman la pluma para la receta. El pulso es una señal muy obscura y la orina muy
falible; ni se puede hacer concepto algo segu- 15
ro de la enfermedad y de sus causas (salvo
una u otra vez que están muy a la vista) sin
atender al complejo de muchas circunstancias,
ya concomitantes, ya antecedentes. Por no de-
tenerse los médicos en esto se ocasionan tan 20
graves errores en la capitulación de las enfermedades. ¡Cuántas veces un costado se declara por flato y al contrario!

La séptima, que correspondan por lo común los sucesos a sus pronósticos. Digo por 25
lo común, porque acertar siempre en esta materia no es de hombres sino de ángeles. Casi
con esta advertencia se excusaban todas las antecedentes, pues con ella sólo puede conocer

el hombre más rudo cuál médico es sabio y cuál ignorante. El que tiene acierto en pronosticar es cierto que conoce el estado presente de la enfermedad, pues sólo por lo que hay ahora se puede conocer lo que ha de suceder después. Al contrario, el que comúnmente yerra los pronósticos, es fijo que no sabe palabra de Medicina. Así como el que en los almanaques errase los tiempos de las lunaciones y de los eclipses, nadie dudaría de que no sabía palabra de Astronomía.

Algunos consideran el arte de pronosticar como una facultad separable de la curativa, y así suelen celebrar a un médico para el pronóstico y a otro para la cura. Es notable error, pues por lo que dijimos es imposible que acierte con la cura el que yerra el pronóstico. Este yerro depende del que no hizo recto juicio de la enfermedad, y errando el concepto de la enfermedad ¿cómo ha de acertar con la curación si no es que sea por mera casualidad? Aun cuando fuera posible curar mal el que pronostica bien y curar bien el que pronostica mal, se debiera hacer más estimación del primero que del segundo. La razón es fuerte y grande; porque de errar la cura sólo se arriesga la salud temporal del cuerpo; de errar el pronóstico se arriesga muchas veces la salud eterna del alma. En una enfermedad maligna y alevosa dice el médico ignorante que no es nada; que aquello es una ligera crudeza del estómago, que se quitará al día siguiente con un jarabillo. Con esto descuidan el enfermo y los asistentes de las prevenciones cristianas con que se debe esperar la muerte. Entre tanto la repentina escalada de un delirio ocupa el alcázar de la razón y viene a morir el enfermo, no sólo como pudiera morir un pagano, más aún como muere un bruto. ¡Ay, Dios, y cuánto de esto sucede, por permitirse a muchos ignorantes la práctica de la Medicina! El mayor crimen o el único que atribuyen a los médicos indoctos es ser homicidas de los cuerpos. No es ése el mayor, sino que a veces son reos de la muerte eterna de las almas.

Otros más cautos o más dolosos por un artificio vulgarizado siguen el partido opuesto. De cualquier enfermo en quien encuentran algo de fiebre dicen que tiene un grande aparato, que el accidente es peligroso; arrúgase la frente, arquéanse las cejas, dánse varias órdenes, pónese en cuidado a toda la gente de casa, al fin se ofrece visitar con frecuencia y ejecutar cuando cupiere en el arte. Hecha esta prevención, lo que se sigue es que si el enfermo muere elogian la comprehensión del médico, que desde el principio penetró la escondida malignidad de la dolencia. Si sana engrandecen la cura y dan a Dios mil gracias de que el enfermo haya caído en las manos de un médico tan valiente, que pudo vencer las fuerzas de una enfermedad gigante.

5 Por la culpa de tales médicos no se morirán los enfermos sin Sacramentos; pero lo que sucede a veces es morirse sin tener enfermedad para tanto; porque cayendo estas amenazas en enfermos pusilánimes se entristecen y conturban, de modo que el mal, que era muy ligero, se hace grave. Todo es harto malo, aunque lo primero es peor. Señores médicos (hablo con aquellos que, o con poco estudio se dan a este ministerio, o abarcan más enfermos de aquellos que puede comprender su atención): tengan presente que algún día los ángeles a quienes estuvo encomendada la custodia de sus enfermos los han de acusar delante de Dios y ponerles presentes ya los que murieron antes de tiempo por su culpa, ya (¡oh, qué cosa tan terrible!) los que se condenaron por su ignorancia.

ADICION

Los señores médicos que tomaron la pluma para impugnar lo que escribí en este Discurso desahogaron su cólera, sin mejorar su causa. Puedo decir, y lo han dicho otros que la

empeoraron; ya porque los que hacen la guerra con injurias en eso mismo muestran que
carecen de mejores armas, ya porque oponiéndose frecuentemente entre sí, en los dictámenes que estampaban, confirmaron abundantí- 5
simamente lo que yo había escrito de la variedad de opiniones que hay en la Medicina. Yo no
necesitaba esta confirmación. Las muchas observaciones que hice después acá radicaron en
mí más y más el concepto de que la Medicina, 10
del modo que la ejerce la mayor parte de los
médicos, más daña que aprovecha. De cien sangrías (lo mismo digo de las purgas) que se recetan y ejecutan, las noventa y ocho se fundan
sobre principios extremadamente falibles y las 15
dos que restan no los tienen sino, cuando más,
conjeturables. Sobre lo cual me ha parecido in-
sertar aquí lo que el erudito autor del *Tratado
de la opinión* razona, ya de los purgas, ya de
las sangrías, en el tomo III, lib. 4, cap. IV. 20

"Crisipo y Erasistrato —dice— improba-
ban el uso de los purgantes. Tesalo los condenaba enteramente. Haced —decía— experiencia en el hombre más robusto y sano dándole
una purga; veréis que no habiendo antes en su 25

---

18. *Traité de l'opinion on Mémoires pour servir a l'histoire de l'Esprit humain,* par M. Gilbert-Charles Legendre,
Marquis de Saint-Aubin-Sur-Loire. Paris, Briasson, 1735,
tomo III, págs. 459 y sigs.

cuerpo cosa viciosa, lo que evacuará todo será
corruptísimo. De aquí debemos inferir, como
cosa indubitable, lo primero, que lo que se eva-
cua no estaba antes en el cuerpo de ese hombre,
5 pues él se hallaba muy bueno; lo segundo, que el
medicamento hizo dos cosas en este caso: la primera, corromper lo que no estaba corrupto; la
segunda, echar fuera lo que conducía a la salud y robustez de este hombre.

10   Hipócrates comúnmente no hacía otra cosa
que observar atentamente los enfermos. Cono-
ciendo el peligro de los remedios, ordenaba poquísimos. Celso era de dictamen de usar rara
vez de purgantes y elogia a Asclepiades por ha-
15 ber suprimido la mayor parte de los medicamentos, haciendo esta reflexión: que siendo los purgantes enemigos del estómago y llenos de jugos
perniciosos, obraba Asclepiades prudentísima-
mente poniendo toda su atención en el régi-
20 men." Esto en cuanto a la purga.

En orden a la sangría, después de referir
algunos remedios crueles que por medio del fuego practicaba Hipócrates y otro del hierro que
usaban los médicos del Japón, prosigue así:
25 "Estos prácticos son crueles, pero no igualan
el riesgo de las sangrías. Crisipo de Gnido y
Erasistrato, a quien llama Macrobio el más ilustre de los médicos, condenaban totalmente las
sangrías. Otros no admitían su uso sino en ca-

so que una fermentación violentísima no diese
tiempo para usar de otro remedio." Hipócrates
no quería que se sangrasen ni los niños ni los
viejos y prohibía la sangría en las fiebres. Si
alguno —dice— tiene úlcera en la cabeza debe 5
sangrarse, como no padezca calentura. Es oportuno —añade— sangrar a los que pierden re-
pentinamente el habla, como no tengan fiebre.

"La sangría —prosigue poco después— saca el licor más puro, el humor más sutilizado 10
que hay en el cuerpo, quitando de las venas lo
que ha sido filtrado por todos los canales donde le hizo pasar la circulación. Otro efecto malísimo de la sangría es deteriorar la sangre que
queda en las venas; porque el vacío que hizo se 15
llena luego de un quilo imperfecto, de una bilis
acre y del sedimento de los humores, que abun-
dan en un enfermo: toda la materia contenida
en el canal pancreático, en el reservatorio de
Pecquet, en las venas lácteas secundarias y aun 20
en las radicales, pasa a la cavidad derecha del
corazón, y no estando bastantemente prepara-
da y atenuada produce una sanguificación muy
defectuosa. La cólera o la flema, según que estos
humores dominan; en una palabra, todos los ex- 25
crementos de la sangre, se introducen en las venas en lugar de aquella que les quitó la láctea.

---

20 *Pecquet.* Cf. sus *Experimenta nova anathomica,* ya.
citadas.

Esto viene a ser lo mismo que si para purificar
el vino de un tonel se quitase el licor que está
arriba y se dejasen en él todas las heces, o como
si, para limpiar un conducto, se le quitase el
agua corriente, introduciendo en lugar de ella
el agua hedionda de algún vecino charco.

"La experiencia es conforme a este discurso. Sángrese un hombre sano muchas veces
consecutivamente: su sangre sucesivamente sal-
drá más corrompida. ¿Por qué la que sale en
la primera sangría es buena y la de la tercera o
cuarta mala, sino porque las heces de los humores se mezclaron con la sangre en lugar de aquella más sutil y pura que antes se extrajo?

"Asimismo con las sangrías se altera la
acción de los vasos que ayuda la circulación;
los espíritus se disminuyen y desmayan; la fermentación se vicia; la sangre se hace grosera,
serosa, cruda y pesada; toda la máquina, ata-
cada ya por la enfermedad, se descompone; la
aversión de la naturaleza por este remedio indica que le es contrario.

"Naturalmente se siente horror al ver correr
la sangre, porque ella es principio de la vida."

Hasta aquí el autor citado, de cuyas razones hará el lector el juicio que mejor le pa-
rezca, pues yo no las propongo como concluyentes. Lo que es cierto es que hay médicos que
nunca o casi nunca sangran; otros que nunca o

casi nunca purgan; otros, como los paracelsistas, que ni purgan ni sangran y en todas tres clases hay algunos de grandes créditos y muy aplaudidos por sus aciertos. También es verdad hay algunos de los que purgan y sangran 5 muy aplaudidos; pero éstos purgan y sangran mucho menos de lo que comúnmente se practica y es de creer que lo ejecutan con otro conocimiento muy superior al de los médicos ordinarios. 10

Aunque también se puede discurrir que el tener éstos mejores sucesos no viene de lo que purgan y sangran, sino de lo que dejan de purgar y sangrar, no puedo arrojar de mí una fuerte sospecha contra estos que llaman 15 remedios mayores, fundada no sólo en lo que debilitan las fuerzas, mas también en que interrumpen y turban la sabia naturaleza en los rumbos que toma para vencer la enfermedad. En lo que estoy firme es en no tener jamás por 20 médico bueno, ni aun mediano, al que nunca sabe visitar seis u ocho veces consecutivas a un enfermo sin recetarle cosa.

Si el mundo quiere creerme, a todo el mundo amonesto que cuando en cualquier pue- 25 blo se trate de buscar médico, el informe que principalísimamente, y aun estoy por decir únicamente, se ha de tomar, es si receta poco o mucho. Cuanto menos recetare, mejor; cuanto más

recetare, peor. Es absolutamente imposible que
esté dotado de mediano entendimiento médico
que no es escasísimo en recetar. Y es también
absolutamente imposible que no cometa innumerables homicidios el que receta mucho. Pero
acaso esto es hablar a sordos. La buena verba,
la audacia, la faramalla, los modales artificio-
sos, la embustera sagacidad para mentir aciertos y despintar errores, son las partidas que
acreditan en el mundo a los médicos; y con estas partidas he conocido médicos no sólo ignorantísimos, pero incapaces, aplaudidos.

No puedo menos de lastimarme cuando
contemplo las groseras trampas con que éstos
engañan al mísero vulgo. Entre muchas que tienen estudiadas, dos son las más ordinarísimas.
La primera es encarecer desde los principios,
ya con palabras, ya con visajes, la enfermedad
como muy grave, aunque sea levísima. Con eso
si el enfermo sana son aplaudidos de haber
hecho una gran cura y si muere lo son de haber comprendido a la primera ojeada la gravedad de la dolencia. La segunda es que habiendo
con intempestivos remedios hecho grave la enfermedad que era leve, muy ufanos se glorían.
¿De qué? De que con su sabia conducta han
descubierto al enemigo que estaba oculto y em-
boscado y no es menester más para que los estú-
pidos asistentes preconicen su sabiduría por el

pueblo y aun el mismo enfermo le agradezca el homicidio.

Otro error notable y comunísimo de los pueblos, perteneciente también a la materia de este discurso, se me ofrece notar aquí, y es el poco aprecio que se hace de la Medicina quirúrgica en comparación de la farmacéutica. Pónese mucho cuidado en la elección de un médico; para no errarla se toman muchos informes y se le brinda con un buen salario. Al contrario, a un cirujano apenas le dan con que subsistir y así aceptan por tal al primero que se presenta. Digo que es este un notable y perjudicial error. Si corriese por mi cuenta la dirección de cualquier pueblo en esta materia, entre un cirujano de grandes méritos y un médico que en su facultad los tuviese iguales, si con menos interés no pudiese lograr al cirujano le aplicaría a éste mayor salario, aunque con esta providencia no lograse al médico. Esto por dos razones de gran consideración. La primera porque la utilidad del cirujano es evidente y visible; la del médico, muy incierta. A cada paso se está viendo que un cirujano muy diestro cura a sujetos que, sin su existencia, evidentemente morirían; lo que nunca se puede asegurar de los enfermos que asiste el médico, como ya en otra parte hemos advertido con autoridad de Cornelio Celso. La segunda razón dimana de la

primera, y es que los grandes créditos del cirujano nunca son falaces; los del médico, frecuentísimamente. Aquéllos siempre son producción
de sus aciertos, éstos lo son infinitas veces de la
5 osadía, de la astucia, de la verbosidad del médico, a que concurre también a veces el acaso.

Es notable la falta de cirujanos que hay
en España; lo cual, sin duda, pende de la poca
estimación y salario que tienen. Aun los pocos
10 que hay buenos son de una extensión muy limitada en orden a las partes de que consta su
facultad. De cuantos cirujanos españoles he
conocido sólo uno vi que fuese algebrista, y es
cosa notable que siendo tan frecuentes las frac-
15 turas, luxaciones y dislocaciones, al que padece algo de esto le hacen recurrir a tal o tal hombre del campo, que dicen tiene esa gracia curativa, siendo así que son ignorantísimos tales
curanderos, como ya varias veces he visto y pal-
20 pado. Uno de ellos, muy acreditado en el país
donde vivía, siendo llamado de mí para curar-
me una pequeña luxación en un pie, me hizo
estar tres meses cabales en la cama y otro mes
más andar con gran tiento, arrimado a un
25 bastón.

DESAGRAVIO DE LA PROFESION LITERARIA

§ 1.

Para contrapeso de los hermosos atractivos con que las letras encienden el amor de los estudiosos, se introdujo la persuasión universal de que los estudios abrevian a la vida los plazos. ¡Pensión terrible si es verdadera! ¿Qué importa que el sabio exceda al ignorante lo que el racional al bruto, que el entendimiento instruído se distinga del inculto, como el diamante colocado en la joya del que yace escondido en la mina, si cuantos pasos se dan en el progreso de la ciencia son tropiezos en la carrera de la vida? Igualó Séneca los sabios a los dioses; pero si son más perecederos que los demás hombres, distan más que todos de la deidad, porque distan más que todos de la inmortalidad. La virtud, supremo ornamento del alma, es pacto legítimo de

---

2 Tomo I, disc. 7.

la ciencia: *Virtutem doctrina parit,* que decía
Horacio. Pero ¡cuántos exclamarán con Bruto
al tiempo de morir: *Oh infeliz virtud,* si esa
misma luz que corona al hombre de rayos es
⁵ fuego que le reduce a cenizas! La honra, com-
pañera inseparable de la sabiduría, será corto
estímulo de la aplicación, en quien juzgue que
los pasos que da hacia los resplandores del
aplauso son vuelos hacia las lobregueces del
¹⁰ sepulcro.

Vuelvo a decir que esta es una pensión terrible, si es verdadera; fantasma formidable que,
atravesado en el umbral de la casa de la sabiduría, es capaz de detener a los más enamorados de
¹⁵ su hermosura. Por tanto, es cierto que haría a
la república literaria un señalado servicio quien
desterrase el miedo de este fantasma del mundo.
Intentáronlo los estoicos, procurando persuadir que el vivir o el morir son cosas indiferentes
²⁰ o igualmente elegibles. Pero tan lejos estuvieron
de hacérselo creer a los demás hombres que
pienso que ni aun lo creían los mismos filósofos que lo predicaban: *Nam munere charior
omni adstringit sua quemque salus,* decía Clau-
²⁵ diano. Sólo, pues, resta otro medio de apartar
este estorbo del camino de las letras, que es

---

1 La ciencia es madre de la virtud.
23 Pues a todos preocupa intensamente su salud, don
más preciado que todos los tesoros.

persuadir que su honesta ocupación no acorta
los períodos a la edad. Conozco que abrazar
este empeño es lidiar con todo el mundo, pues
todo está por el opuesto dictamen. Sin embargo,
yo me animo a desagraviar las letras de la nota 5
de estar reñidas con la vida, probando que ese
común dictamen es un error común, originado
de falta de reflexión.

§ 2.

El fundamento grande de mi sentir es la ex- 10
periencia, sobre la cual, si se hubiera hecho la
reflexión debida, no hubiera ganado tanta tierra la opinión contraria. Ruego a cualquiera
que esté por ella que observe con atención si
los sujetos que conoce o conoció, dedicados a las 15
letras, murieron más en agraz, por lo común,
que los demás hombres. Para hacer con una
exactitud prudencial este cotejo, el medio es
poner los ojos en los congresos de hombres literatos de universidades, tribunales y colegios 20
y comparar el número de éstos con otro igual
de hombres dedicados a cualesquiera otras ocu-
paciones y aun sin ocupación alguna. Yo aseguro que en el paralelo no se hallará que hayan
llegado a una larga senectud mayor número de 25
éstos que de aquéllos; y lo aseguro porque tengo hecha la cuenta con la puntualidad posible.

Apenas hay universidad donde, de treinta o cuarenta individuos, no lleguen o pasen de la edad septuagenaria cuatro o seis; lo mismo se observa en los que siguen la carrera de las judi-
5 caturas; pues en verdad que no hallamos mayor número de septuagenarios en los que pasan tranquilamente la vida libres de todo cuidado. En las sagradas religiones se hace más visible, por ser la comparación más fácil, la
10 fuerza de este argumento. A proporción del número, tantos y aun creo que más ancianos se encuentran de los que se ocupan en el estudio que de los que están destinados al coro o al manejo de la hacienda. Cotéjese en cual-
15 quiera religión el número de septuagenarios u octuagenarios de uno y otro ejercicio y se hallará que no me he engañado en la cuenta.

Luciano, tratando de los macrobios, o hombres de larga vida, de intento se pone a nu-
20 merar los sujetos dados a las letras en los tiempos antiguos que vivieron mucho y sólo de filósofos célebres cuenta diez y nueve, que todos pasaron de ochenta años; los más pasaron también de los noventa. Solón, Tales-Milesio
25 y Pitaco, contados entre los siete sabios de Grecia, vivieron a cien años cada uno; Cenón, príncipe de la secta estoica, noventa y ocho; Demócrito, ciento cuatro; Jenófilo Pitagórico, ciento cinco. De historiadores y poetas trae el mis-

mo Luciano otra larga lista. No sólo esto: en el
mismo escrito asienta este autor que en todas
las naciones se ha observado vivir más, por lo
común, que los demás, los hombres de profesión
literaria, por razón de su mayor cuidado en el ⁵
régimen de vida, citando por ejemplares los escritores sagrados entre los egipcios, los intérpretes de fábulas entre los asirios y árabes, los
bracmanes entre los indios y, generalmente, todos los que cultivaron con cuidado la filosofía: ¹⁰
Cuiusmodi sunt Aegiptiorum sacri scribae, et
apud assyrios et arabes fabularum interpretes,
et apud indos brachmanes, adamussim philo-
sophiae studiis vacantes.

Y no obsta a nuestro intento el que Luciano ¹⁵
atribuya a su exacto régimen la larga edad de
los literatos; porque si los estudios abreviaran
la vida, como se piensa, parece que lo más que
se podría deber al régimen sería que los estudiosos viviesen tanto como los que no lo son; ²⁰
pero no sólo se nota igualdad, sino exceso; fuera de que, siendo la templanza en la comida,
en la bebida, en el sueño, como también la abs-
tinencia de otros excesos, secuela casi necesaria
del ejercicio de las letras, siempre la larga vida ²⁵

---

11 A cuya clase pertenecen los escribas sagrados de los
egipcios, entre los asirios y árabes los intérpretes de fábulas y, entre los indios, los bracmanes, consagrados con
regularidad al estudio de la filosofía.

de los literatos se deberá, como a causa mediata, a la ocupación de los estudios.

§ 3.

Confírmase esto con los ejemplares de los
hombres más estudiosos que hubo en estos tiempos. Por tales cuento al cardenal Enrico de Morris, augustiniano, de quien se cuenta que antes de vestirse la sagrada púrpura estudiaba catorce horas cada día. Al famoso Caramuel, que
de sí mismo dice en el prólogo de la *Teología
fundamental* que daba diariamente el mismo
número de horas al trabajo literario. Al célebre
benedictino don Juan Mabillon, conocido y venerado de todo el mundo por tantas y tan excelentes obras. Al infatigable francés Antonio
Arnaldo, cuya reprensible pasión por la doctrina janseniana no rebaja la admiración de haber sido autor de más de ciento y treinta volúmenes. Al laborioso dominicano Natal Alejan-

---

11   Juan Caramuel Lobkowitz (1606-1682), *Theologia mo-
ralis fundamentalis.* Francofurti, 1651, fol.

13   (1632-1707). La más famosa y conocida de sus obras
es la titulada *De re diplomatica libri sex.* París, 1681-1709,
folio.

16   (1612-1694). En 1644 y 45 publicó dos Apologías
de Jansenio. Sus obras completas, publicadas desde 1775
a 83, forman 45 volúmenes en 8.°

dro, en cuyas vastas obras, siendo tanto el peso
de la cuantidad material, aún es mayor el de la
erudición. A los dos grandes escritores jesuí-
tas, el padre Atanasio Kircher y el padre Daniel Papebrochio. Al doctísimo hijo del gran 5
Basilio, nuestro español, el maestro fray Miguel
Pérez, biblioteca animada y oráculo de la Academia salmantina. Todos estos hombres, cuya
vida fué un continuo estudio, alargaron más
allá del término común su bien empleada edad. 10
Enrico de Morris vivió setenta y tres años; Caramuel, setenta y ocho; Mabillón, setenta y cinco; Antonio Arnaldo, ochenta y dos. De Natal
Alejandro no sé puntualmente la edad, pero sé
que fué muy dilatada, porque nació el año de 39 15
del siglo pasado y pocos años ha oí decir que
aún vivía, aunque casi del todo viejo. El *Diccionario histórico,* impreso el año de 18, aunque habla largamente de Natal, nada dice de
su muerte, de que infiero que aún vivía enton- 20

---

1 (1639-1724). Fué autor, entre un considerable número de obras latinas y francesas, de la *Historia ecclesias-
tica veteris novique Testamenti,* 21 vol. París, 1675-86.

4 Filólogo alemán (1602-1680). Acerca de sus obras
véase Carlos Sommervogel. *Bibliothèque de la Compagnie
de Jésus.* Bruxelles-Paris, 1893, IV, cols. 1046-1047.

5 Daniel van Papenbroeck (1628-1714). Cf. Sommervogel, *Op. cit.* VI (1895), col. 178-185.

18 Se refiere al *Grand Dictionnaire historique* de Moreri, publicado por vez primera en Lyon en 1674. Tuvo nu-
merosas ediciones.

ces, porque en aquel escrito se observa referir
el año de la muerte de los sujetos de que trata.
El padre Kircher vivió ochenta y dos años y
el padre Papebrochio, lo mismo, o algo más, se-
5 gún la especie que tengo. El maestro Pérez hago juicio bastante seguro que pasa ya de los noventa.

Pudiéramos añadir, por ser de muy especial
nota, aunque no tan moderno, al ejemplar de
10 Guillermo Postel, natural de Normandía, gran
peregrinador y de mucho estudio, aunque infeliz, habiendo en sus dichos, obras y escritos de-
jado algunas señas de que se desvió, no sólo
de la Religión Católica, más aún del cristianis-
15 mo; así algunos le miran como primer caudillo de los deístas. De éste dice el Verulamio que
vivió cerca de ciento y veinte años. Pero otros
autores no quieren que haya llegado ni aun a
ciento y la última edición del Diccionario de Mo-
20 reri no le da más de setenta y cinco. Así, la edad
de este erudito se quedará en la duda que tiene,
bastando los ejemplares alegados para prueba

---

2 Noël Alexandre murió de ochenta y cinco años en
1724.

4 Ochenta y seis años.

7 Al catálogo de los doctos longevos de estos tiempos
añadimos ahora a Urbano Cheureu, francés, aplicadísimo al
estudio, que murió de ochenta y ocho años, en el de 1701

10 (1505-1581.) Acerca de este personaje, véase Fr.
José Terrase Desbillons: *Eclaircissements nouveaux sur
la vie et les ouvrages de Guillaume Postel*. Liège, 1773, 8.°

experimental de que el estudio está bien avenido con la larga vida.

§ 4.

A la experiencia sufraga la razón. El ejercicio literario, siendo conforme al genio y no excediendo en el modo, tiene mucho más de dulzura que de fatiga; luego no puede ser molesto o desapacible a la naturaleza, y, por consiguiente, ni perjudicial a la vida. He puesto las dos limitaciones de ser conforme al genio y no exceder en el modo; pero éstas son trascendentes a toda ocupación, pues ninguna hay que siendo o en la cantidad excesiva o respecto del genio violenta, no sea nociva. ¿Qué cosa más dulce hay que estar tratando todos los días con los hombres más racionales y sabios que tuviesen los siglos todos, como se logra en el manejo de los libros? Si un hombre muy discreto y de algo singulares noticias nos da tanto placer con su conversación, ¿cuánto mayor le darán tantos como se encuentran en una biblioteca? ¿Qué deleite llega al de registrar en la Historia todos los siglos, en la Geografía todas las regiones, en la Astronomía todos los cielos? El filósofo se complace en ir dando alcance a la fugitiva naturaleza; el teólogo, en contemplar con el teles-

copio de la revelación los misterios de la gracia.
Y aunque es cierto que en muchas materias no
se puede descubrir el fondo o apurar la verdad,
en esas mismas se entretiene el entendimiento
5 con la dulce golosina de ver los sutiles discursos con que la han buscado tantas mentes sublimes. Esta ventaja tienen sobre todas las demás ciencias las Matemáticas, cuyo estudio
siempre va ganando tierra en el imperio de la
10 verdad. De aquí viene aquel como extático em-
beleso de los que con más facilidad siguen esta
profesión. Arquímedes, ocupado en formar líneas geométricas en la arena, estaba insensible
a la sangrienta desolación de su propia Patria
15 Siracusa. El francés Francisco Vieta, inventor
de la Algebra especiosa, se estaba a veces tres
días con sus noches sin comer ni dormir, arrebatado en sus especulaciones matemáticas. Res-
póndaseme con sinceridad si hay algún otro
20 placer en el mundo capaz de embelesar tanto.

Los que en materias más áridas estudian para
instruir a otros con producciones propias, tienen a veces la fatiga de llevar cuesta arriba el
discurso por sendas espinosas. Pero en ese mis-
25 mo campo desabrido, al riesgo de su sudor les

---

15 Francisco Viete, geómetra francés (1540-1603), fué
autor, entre otras obras, del *Canon mathematicus*, París,
1579, y *De aequationum recognitione et emendatione libri
duo*, París, 1600.

nacen hermosas flores. Cada pensamiento nuevo que aprueban es objeto festivo en que se
complacen. La fecundidad mental sigue opuesto orden a la física. La concepción es trabajosa
y el parto dulce. Es felicidad de los escritores 5
que cuanto discurren les parece bien y juzgan
que así ha de parecer a los demás que vean sus
discursos en el libro o los oigan en la cátedra
y en el púlpito. Por esto, en cada rasgo que dan
con la pluma, contemplan un hermoso hijo de 10
su mente, que les hace dar por feliz y bien em-
pleado el trabajo de la producción.

Con razón, pues, el otro amigo de Ovidio le
aconsejaba a este poeta que aliviase sus males
con el recreo del estudio. 15

Scribis ut oblectem studio lacrimabile tempus.

Porque es esta una diversión grande y diversión que tiene en su mano cualquiera. Empero
es preciso confesar que hay grande diferencia
entre el estudio arbitrario y el forzado. Aquel 20
siempre es gustoso, éste siempre tiene algo de
fatigable y mucho más en uno u otro apuro violento, como de una lección de oposición o de un
sermón cuasi repentino. Mas estos casos son
raros. Y en el estudio forzado se logra el deleite 25
de adelantar y aprender, lisonja común de todo

---

15 *Tristes.,* libro V, elegía XII.

racional. Fuera de que todos los de ventajoso
ingenio están exentos de la mayor parte de
aquella fatiga, siendo poco el tiempo que han
menester para cumplir con la precisa tarea.

§ 5.

Finalmente, a la experiencia y a la razón
añade patrocinio con su autoridad un filósofo,
el que entre todos con más diligencia y sagacidad, extendiendo su atención a cuanto hay animado en la naturaleza, observó cuánto favorece
o estorba la prolongación de la vida. Por lo menos no puede negarse que fué el que más de intento y con más extensión escribió sobre esta
materia. Ya por estas señas conocen los eruditos que cito a Francisco Bacon, en su precio-
so libro intitulado *Historia Vitae et Mortis,*
donde discurriendo por todas las profesiones o
estados más oportunos para vivir mucho tiempo, después de colocar en primer lugar la vida
religiosa, eremítica o contemplativa, pone inmediata a ésta la profesión literaria, por estas
palabras: *Huic próxima est vita in litteris phi-*
losophorum, rhethorum et grammaticorum. Da

---

16 *Instauratio magná,* 1622. 2.º título de la parte III.
22 Inmediata a ésta es la vida de los filósofos, retó-
ricos y gramáticos, consagrada a las letras.

la razón: *Degitur hic quoque in otio, et in his cogitationibus, quae, cum ad negotia vitae nihil pertineant, non mordent, sed varietate et impertinentia delectant: vivuunt etiam ad arbitrium suum, in quibus maxime placeat, horas et tempus terentes.*

Debo, no obstante, confesar que esta razón no es generalísima para todos los literatos, sí sólo limitada a aquellos cuya subsistencia no depende de su estudio. Los abogados y los médicos, pongo por ejemplo, cuyo mayor o menor saber les granjea, no sólo mayor honra, mas también aumento de conveniencia, al paso que en la lectura y la meditación encuentran especies que los deleitan, tropiezan también en cuidados que los conturban. En estas dos profesiones es un gran contrapeso de la dulzura del estudio la emulación de otros de la misma facultad, con quienes en frecuentes concurrencias se disputa la ventaja. Es esta una guerra más mental que sensible, donde, aunque no es mucho el estruendo de las voces, no pocas veces por el estallido de los labios se conoce la pólvora que arde en los corazones.

---

1 Viven tranquilos y ocupados por pensamientos que, no teniendo nada que ver con los negocios de la vida, no degastan, sino que deleitan, por su misma variedad: viven, además, a su arbitrio, y pasan las horas y el tiempo en aquello que más les agrada.

§ 6.

Después de probar mi sentir con experiencia, razón y autoridad, es preciso hacerme cargo de una grande objeción que se me puede hacer, tomada de las frecuentes quejas que a los literatos se oyen de sus corporales indisposiciones. Raro es el hombre dado a las letras a quien no oigamos quejarse de reumas y catarros, a muchos de vahídos y jaquecas. De aquí es que algunos médicos célebres, compasivos a sus dolores, escribieron de intento sobre los medios o auxilios para conservar la salud de los literatos, como Marsilio Ficino, *De Studiosorum valetudine tuenda;* Fortunato Pemplio, *De Togatorum valetudine tuenda,* y Bernardino Ramazzini, *De Litteratorum morbis.* Siendo esto cierto, también lo es que toda indisposición habitual, por leve que sea, especialmente si en ella padece el cerebro, es una lima que insensiblemente va royendo la vida. Luego es preciso que ésta tenga

15 Médico florentino (1433-1499). *De vita, libri tres. Quorum primus de studiosorum sanitate tuenda. Secundus, de vita producenda. Tertius, de vita coelitus comparanda, Accessit epidemiarum Antidotus, tutelam quoque bonae valetudinis continens.* Lugduni, apud Gul. Rovilium. 1657, 16.º

16 *De Litteratorum morbis,* es el *Supplementum* a su tratado *De Morbis artificum diatriba.* Mutinae, typis Antonii Capponii, 1708.

más limitado plazo en los profesores de las letras que en los demás hombres.

Pero este argumento no es tan fuerte como representa su apariencia. Lo primero, las quejas de fluxiones de la cabeza hoy son tan universales, que tanto casi suenan ya en las bocas de los gañanes como en las de los catedráticos. Todos se quejan de reumas, no porque haya más reumas en este siglo que en los antecedentes, sino porque hay más melindres. Más fluyen a la boca que al pecho, porque más es el clamor que el daño.

Lo segundo, es cierto que cualquiera leve indisposición habitual, o como habitual, abrevie la vida, antes bien hay algunas que conducen a prolongarla. Tales son las fluxiones, que de tiempo en tiempo repiten. La razón es porque por medio de ellas se alivia el cuerpo de los humores excrementicios o impuros que le gravan y que retenidos más tiempo y creciendo a mayor cantidad, ocasionaran alguna enfermedad peligrosa. De aquí depende que muchos sujetos enfermizos viven largamente y algunos robustísimos mueren en la flor de su edad; porque en aquellos, con varias fermentaciones ligeras se va sucesivamente desahogando el cuerpo de los humores nocivos y estancándose en éstos, no prorrumpen ni se hacen sentir hasta que la copia es tanta que no puede superarla la naturaleza.

Lo tercero, si el aforismo en que Hipócrates dice que el hábito robustísimo es peligroso y amenaza pronta decadencia es verdadero, será más segura para alargar la vida una salud algo quebrada. La consecuencia parece forzosa, especialmente añadiendo el mismo Hipócrates que al que se siente perfectamente sano, sin dilación se le debe disolver o destruír el buen hábito que goza. *His de causis bonum habitum statim solvere expedit.* Sin embargo, yo no me gobernaré jamás por este aforismo, si se entiende como suena.

Finalmente, no padece la salud de los hombres de letras tanto como vulgarmente se dice. Con ellos vivo y he vivido siempre y no veo tales males ni oigo tantos gemidos. Ramazzini, con otros médicos, dice que el estudio hace a los hombres melancólicos, tétricos, desabridos. Nada de esto he experimentado ni en mí ni en otros que estudian más que yo; antes bien cuanto más sabios, los he observado más apacibles. Y en los escritos de los hombres más eminentes se nota un género de dulzura superior a lo común de la condición humana.

---

11   Por estas causas conviene destruír el buen hábito.

§ 7.

Lo que se ha dicho en este discurso se debe
entender con algunas advertencias. La primera
es la apuntada arriba que no se exceda en el estudio. El exceso puede considerarse, no sólo en 5
la cantidad, mas también en las circunstancias.
En la cantidad excede el que estudia hasta fa-
tigarse mucho. Deben dejarse los libros antes
que engendren notable tedio o produzcan sensible cansancio, porque en llegando a este extre- 10
mo, el estudio aprovecha poco y daña mucho.
En las circunstancias se peca si se estudia estando la cabeza achacosa o quitando sus horas
al sueño.

La segunda advertencia es que no se exceda 15
en comida y bebida, cuya demasía ofenderá más
a los hombres dados a las letras que a los ocupados en otras cosas. La tercera, que se inter-
ponga oportunamente el ejercicio temporal con
el mental. Donde noto con Plutarco que el ejer- 20
cicio de la disputa es uno de los más útiles que
hay para la salud y robustez del cuerpo; porque en la contención de la voz y esfuerzos del
pecho se agitan, no sólo los miembros externos
sino las entrañas mismas y partes más vitales.
Oigase el mismo Plutarco: *Ipse quotidianus*

---

26 El diario uso de la discusión, esforzando la voz, es

*disputationis usus, si voce peragatur, mira
quaedam est exercitatio, conducens non solum
ad bonam valetudinem, verum etiam ad corporis
robur.* Y poco más abajo: *Cum vox sit agitatio
5 spiritus non leviter, nec in superficie, sed ve-
luti in ipso fonte, in ipsis visceribus valens, et
calorem auget, et sanguinem subtilem reddit,
et omnes purgat venas, et omnes aperit arterias,
humorem vero superfluum non sinit crassesce-
10 re, neque concrescere, qui foecis in morem sub-
sidit in his conceptaculis, quibus accipitur et con-
ficitur cibus.*

Grande ventaja es de la profesión escolástica
tener dentro de su esfera un ejercicio tan útil a
15 la salud.

La cuarta advertencia es que alternen con el
estudio algunas recreaciones honestas, las cuales conducen, no sólo a reparar las fuerzas del
cuerpo, mas también las del espíritu, porque la
20 alegría da soltura y vivacidad al ingenio. Los

---

un admirable ejercicio que no sólo contribuye al buen estado de salud, sino a la robustez del cuerpo.

4 Liber *De Tuenda bona valetuidine.*

4 Ya que la voz agitando la respiración no ligera-
mente, sino por así decirlo, en su origen mismo y en las
propias vísceras, hace la sangre más sutil, limpia las venas, purifica las arterias e impide que el humor super-
fluo que a manera de heces se deposita en los órganos
encargados de recibir y formar el alimento, se espese y
concrecione.

escritores necesitan más de este alivio y entre
éstos, mucho más los de genio melancólico.

La última es que, si se puede, se varíen los
estudios en diferentes materias; porque la variedad, aún más en esto que en las cosas mate- 5
riales, deleita el espíritu y todo lo que le deleita le conforta. Por cuya razón a veces la lectura de un libro suele ser alivio de la fatiga que
dió la lectura de otro. He dicho si *se puede,* porque el divertir el entendimiento a materias dife- 10
rentes no es para todos. Todos los espíritus son,
ya más, ya menos limitados. Y algunos hay de
tan estrecha extensión que, aunque muy hábiles para alguna determinada facultad, si quieren estudiar dos les sucede lo que al otro, de 15
quien se cuenta que olvidó la lengua vizcaína y
no pudo aprender la castellana.

ASTROLOGIA JUDICIARIA
Y ALMANAQUES

§ 1.

No pretendo desterrar del mundo los almanaques, sino la vana estimación de sus predicciones, pues sin ellas tienen sus utilidades,
que valen por lo menos aquello que cuestan. La
devoción y el culto se interesan en la asigna-
ción de fiestas y santos en sus propios días; el
comercio, en la noticia de las ferias francas; la
Agricultura y acaso también la Medicina, en
la determinación de las lunaciones : esto es cuanto pueden servir los almanaques; pero la parte
judiciaria que hay en ellos, sin embargo, de hacer su principal fondo en la aprensión común,

---

2 Tomo I. Disc. 8. Sobre este discurso y las polémicas a que dió lugar, véase el prólogo que antecede.

14 Consagrada a los pronósticos o predicciones, o sea al
juicio del año. Feijóo volvió sobre la cuestión de la Astrología en la carta 38 del t. I de las eruditas, en que analizó
detenida y victoriosamente el caso del astrólogo francés
Juan Morin.

es una apariencia ostentosa, sin substancia alguna, y esto no sólo en cuanto predice los sucesos humanos que dependen del libre albedrio,
mas aun en cuanto señala las mudanzas del
tiempo o varias impresiones del aire.   5

Ya veo que, en consideración de esta propuesta, están esperando los astrólogos que yo les
condene al punto por falsas las predicciones de
los futuros contingentes que traen sus reperto-
rios. Pero estoy tan lejos de eso que el capítu-   10
lo por donde las juzgo más despreciables es ser
ellas tan verdaderas. ¿Qué nos pronostican estos
judiciarios sino unos sucesos comunes, sin determinar lugares ni personas, los cuales, con-
siderados en esta vaga indiferencia, sería mila-   15
gro que faltasen en el mundo? Una señora que
tiene en peligro su fama, la mala nueva que
contrista a una corte, el susto de los dependien-
tes por la enfermedad de un gran personaje,
el feliz arribo de un navío al puerto, la tormen-   20
ta que padece otro; tratados de casamientos ya
conducidos al fin, ya desbaratados, y otros sucesos de este género tienen tan segura su existencia, que cualquiera puede pronosticarlos sin
consultar las estrellas; porque siendo los acae-   25
cimientos que se expresan nada extraordina-
rios y los individuos sobre quienes pueden caer
innumerables, es moralmente imposible que en
cualquier cuarto de luna no conprehendan a al-

gunos. A la verdad, con estas predicciones generales no puede decirse que se pronostica futuros contingentes, sino necesarios, porque aunque sea contingente que tal navío padezca nau-
5 fragio, es moralmente necesario que entre tantos millares que siempre están surcando las ondas alguno peligre, y aunque sea contingente que
tal príncipe esté enfermo, es moralmente imposible que todos los príncipes del mundo, en cual-
10 quier tiempo del año, gocen de entera salud.
Por esto va seguro quien, sin determinar individuos ni circunstancias, al navío le pronostica el naufragio, al príncipe la dolencia y así de
todo lo demás.

15 Si tal vez señalan algunas circunstancias,
obscurecen el vaticinio en cuanto a lo substan-
cial del acaecimiento, de modo que es aplicable
a mil sucesos diferentes, usando en esto del
mismo arte que practicaban en sus respuestas los
20 oráculos y el mismo de que se valió el francés
Nostradamo en sus predicciones, como también
el que fabricó las supuestas profecías de Malaquías. Así en este género de pronósticos halla
cada uno lo que quiere, de que tenemos un re-
25 ciente y señalado ejemplo en la triste borrasca
que poco ha padeció esta monarquía, donde, según la división de los afectos, en la misma pro-

22 Véase el discurso titulado *Profecías supuestas,* que figura en esta edición y las notas correspondientes.

fecía de Malaquías, correspondiente al presente
reinado, unos hallaban asegurado el cetro de
España a Carlos VI, emperador de Alemania,
y otros al monarca que por disposición del cielo,
ya sin contingencia alguna, nos domina.

§ 2.

Pero ¿qué más pueden hacer·los pobres
astrólogos si todos los astros que examinan no
les dan luz para más? No me haré yo parcial del
incomparable Juan Pico Mirandulano en la opinión de negar a los cuerpos celestes toda virtud
operativa fuera de la luz y el movimiento; pero constantemente aseguraré que no es tanta
su actividad cuanta pretenden los astrólogos.
Y debiendo concederse lo primero que no rige
el cielo con dominio despótico nuestras acciones, esto es, necesitándonos a ellas, de modo que
no podamos resistir su influjo; pues con tan
violenta batería iba por el suelo el albedrío y no
quedaba lugar al premio de las acciones buenas,
ni al castigo de las malas, pues nadie merece
premio ni castigo con una acción a que le precisa el cielo sin que él pueda evitarlo, digo que,
concedido esto, como es fuerza concederlo, ya
no les queda a los astros para conducirnos a los

4 Felipe V.
10 Vid., pág. 242, nota 3.

sucesos o prósperos o adversos otra cadena
que la de las inclinaciones. Pero fuera de que
el impulso que por esta parte se da al hombre
puede resistirlo su libertad, aun cuando no pu-
⁵ diera es inconexo con el suceso que predice el
astrólogo.

Pongamos el caso que a un hombre, exa-
minado su horóscopo, se le pronostica que ha
de morir en la guerra. ¿Qué inclinaciones pue-
¹⁰ den fingir en este hombre que le conduzcan a
esta desdicha? Imprímale norabuena Marte un
ardiente deseo de militar, que es cuanto Marte
puede hacer; puede ser que no lo logre, porque
a muchos que lo desean se lo estorba, o el impe-
¹⁵ rio de quien los domina o algún otro accidente.
Pero vaya ya a la guerra, no por eso morirá en
ella, pues no todos, ni aun los más que militan,
rinden la vida a los rigores de Marte. Ni aun
los riesgos que trae consigo aquel peligroso em-
²⁰ pleo le sirven de nada para su predicción al astrólogo, pues éste, por lo común, no sólo pronostica el género de muerte de aquel infeliz,
mas también el tiempo en que ha de suceder, y
los peligros del que milita no están limitados a
²⁵ aquel tiempo sino extendidos a todo tiempo en
que haya combates.

Y veis aquí sobre esto un terrible emba-
razo de la judiciaria y no sé si bien advertido
hasta ahora.

Para que el astrólogo conozca por los astros que un hombre por tal tiempo ha de morir en la batalla, es menester que por los mismos astros conozca que ha de haber batalla en aquel tiempo; y como esto los astros no pueden decírselo, sin mostrarle cómo influyen en ella (pues es conocimiento del efecto por la causa), es consiguiente que esto lo vea el astrólogo. Ahora, como el dar la batalla es acción libre en los jefes de ambos partidos, o por lo menos en uno de ellos, no pueden los astros influir en la batalla sino inclinando a ella a los jefes. Por otra parte, esta inclinación de los jefes no puede conocerla el astrólogo, pues no examinó el horóscopo de ellos, como suponemos, y de allí depende en su sentencia toda la constitución de las inclinaciones y toda la serie de los sucesos.

Aún no para aquí el cuento. Es cierto que el jefe, influyan como quieran en él los astros, no determinará dar la batalla sino en suposición de haber hecho tales o tales movimientos el enemigo, y acaso de haber conspirado en lo mismo algunos votos de su consejo, de hallarse con fuerzas probablemente proporcionadas y de otras muchas circunstancias, cuya colección determina a semejantes decisiones, siendo infalible que el caudillo es inducido al combate por algún motivo, faltando el cual se estuviera quieto o se retirara. Con que es menester que todas

estas disposiciones previas, sin las cuales no se
tomará la resolución de batallar, por más fogo-
so que le haya hecho Marte al caudillo, las tenga presentes y las lea en las estrellas el astrólogo.
5 Pasemos adelante. Estas mismas circunstancias
que se prerequieren para la resolución del choque dependen necesariamente de otras muchas
acciones anteriores, todas libres. El tener el campo más o menos gente depende de la voluntad
10 del príncipe y más o menos cuidado de los ministros; los movimientos del enemigo, de mil
circunstancias previas y noticias, verdaderas
o falsas, que le administran; los votos del consejo de guerra nacen en gran parte del genio de
15 los que votan, y retrocediendo más, el mismo
rompimiento de la guerra entre los dos príncipes, sin el cual no llegará el caso de darse esta
batalla, ¿en cuántos acaecimientos anteriores,
todos contingentes y libres, se funda? De mo-
20 do que esta es una cadena de infinitos eslabo-
nes, donde el último, que es la batalla, se quedará en el estado de la posibilidad faltando cualquiera de los otros. De donde se colige que el
astrólogo no podrá pronunciar nada en orden
25 a este suceso, si no es que lea en las estrellas una
dilatadísima historia. Y ni esta historia está escrita en los astros, ni aun cuando lo estuviera pudieran leerla los astrólogos. No está
escrita en los astros, porque éstos sólo pueden

inferir tantas operaciones como se representan
en ella, influyendo en las inclinaciones de los ac-
tores; y esta ilación precisamente ha de flaquear,
porque entre tanto número de sujetos, es totalmente inverisimil que alguno o algunos no ⁵
obren contra la inclinación más poderosa, como
sucede en el avaro vengativo, que por más que
la ira le incite, deja vivir a su enemigo por no
arriesgar su dinero; y una operación sola que
falte de tantas a que los astros inclinan y que ¹⁰
son precisamente necesarias para que llegue el
caso de darse la batalla, no se dará jamás.

Tampoco, aunque toda aquella larga serie de
sucesos y acciones, que precisamente han de pre-
ceder al combate, estuviera escrita en las estre- ¹⁵
llas, fuera legible por el astrólogo. La razón es
clara, porque casi todos esos sucesos y acciones
dependen de otros sujetos, cuyos horóscopos no
ha visto el astrólogo (pues suponemos que sólo vió el horóscopo de aquel a quien pronosti- ²⁰
ca la muerte en la batalla), y no viendo el horóscopo de los sujetos, no puede terminar nada
la judiciaria de sus acciones.

§ 3.

Esfuerzo esto de otro modo. Cuando el as- ²⁵
trólogo, visto el horóscopo de Juan, le pronos-

tica muerte violenta, es cierto que los astros no
pueden representarle esta tragedia, sino porque
la contienen en sí, como causas suyas. Pregunto ahora : ¿ Cómo causarán los astros esta muerte ? No influyendo derechamente en la acción
del homicidio, porque, como son causas necesarias y no libres, no sería la acción del homicidio contingente, sino necesaria, y así no podría evitarla el agresor. Tampoco determinan-
do la voluntad y brazo del homicida, porque se
seguiría el mismo inconveniente de ser movidas
necesariamente a la acción las potencias de éste ;
por cuya razón asientan los teólogos que si la
primera causa obrase necesariamente, las se-
gundas no podrían obrar con libertad. Luego
sólo resta que los astros influyan en aquella
muerte violenta, imprimiendo alguna inclinación que conduzca a ella. Pero esta inclinación
¿ en quién la han de imprimir ? No en Juan, porque éste nunca tendrá inclinación a ser muerto
violentamente, ni el que le inspiren un genio co-
lérico y provocativo hace al caso ; porque los
más de éstos expiran de muerte natural, como
asimismo muchos pacíficos mueren a golpe de
cuchillo. Con que quedamos en que esta inclinación se la han de imprimir al matador. Pero éste,
con toda su inclinación a matar a Juan, es muy
posible que no pueda ejecutarlo. Es muy posible también que el miedo del castigo, que el ries-

go de sus bienes, que el amor de sus hijos le de-
tengan. Mas concedámosle una inclinación tan
violenta, que haya de superar todos esos estorbos y aun facilitarle los medios. ¿Cómo puede el astrólogo conocer esa inclinación del ma- 5
tador, cuyo horóscopo no ha visto, sino sólo del
que ha de ser muerto? Y por otra parte, los astros, que sólo por ese medio han de causar la
muerte, sólo pueden representársela al astrólogo en cuanto contienen la inclinación del ma- 10
tador en su influjo.

Y que no depende ni el género ni el tiempo
de la muerte de los hombres de la constitución
del cielo que reina cuando nacen, se ve claro
en que mueren muchísimos a un tiempo y de 15
un mismo modo, los cuales nacieron debajo de
aspectos muy diferentes. ¿Por ventura, como
dice bien Juan Barclayo, cuando la tormenta
precipita al fondo del mar una grande nao y
perecen todos los que iban en ella, se ha de 20
pensar que todos aquellos infelices nacieron debajo de un sistema celeste, que amenazaba naufragio, disponiendo los mismos astros que sólo
se juntasen en aquella nave los que habían nacido debajo de aquel sistema? Buenas creede- 25
ras tendrá quien lo tragare. Antes es cierto que
en los mismos puntos de tiempo en que nacieron esos hombres nacieron otros muchísimos
en el mundo que tuvieron muerte muy diferen-

te. En la guerra llamada servil, donde conspiraron a recobrar con el hierro la libertad de todos los esclavos de los romanos, murieron, sin que se salvase uno solo, cuantos seguían las banderas del pastor Atenion, que eran algunos, no pocos, millares. ¿Quién dirá que todos estos rebeldes nacieron debajo de tal constitución de astros que les destinaba a esa desdicha? Y más, cuando los mismos astrólogos asientan que son pocos los aspectos que pronostican muerte en la guerra. ¡Cuántos nacerían en el mundo al mismo tiempo que aquellos esclavos, los cuales murieron en su propio lecho y ni aun tomaron jamás las armas en la mano!

§ 4.

La correspondencia de los sucesos a algunas predicciones, que se alega a favor de los astrólogos, está tan lejos de establecer su arte, que antes, si se mira bien, lo arruina. Porque entre tantos millares de predicciones determinadas como formaron los astrólogos de mil y ochocientos años a esta parte, apenas se cuentan veinte o treinta que saliesen verdaderas; lo que muestra que fué casual y no fundado en reglas el acierto. Es seguro que si algunos hombres, vendados los ojos un año entero, estuviesen sin ce-

sar disparando flechas al viento matarían algunos pájaros. ¿Quién hay —decía Tulio— que
flechando aun sin arte alguna todo el día no dé
tal vez en el blanco? *Quis est qui totum diem ja-
culans, non aliquando collinet?* Pues esto es lo [5]
que sucede a los astrólogos. Echan pronósticos a
montones, sin tino, y por casualidad uno u otro
entre millares logra el acierto. Necesario es
—decía con agudeza y gracia Séneca en la persona de Mercurio, hablando con la Parca— que [10]
los astrólogos acierten con la muerte del emperador Claudio, porque desde que le hicieron
Emperador todos los años y todos los meses se
la pronostican, y como no es inmortal, en algún
año y en algún mes ha de morir: *Patere mathe-* [15]
maticos aliquando verum dicere, qui illum, post-
quam princeps factus est, omnibus annis, omni-
bus mensis efferunt."

Este método, que es seguro para acertar
alguna vez después de errar muchas, no les [20]
aprovechó a los astrónomos que quisieron determinar el tiempo en que había de morir el papa
Alejandro VI, por no haber sido constantes en
él. Y fué el chiste harto gracioso.

---

8   Recuérdese, por ejemplo, la muerte de Luis I, profeti-
zada por Torres Villarroel en uno de los números de su
Gran Piscator de Salamanca.

10   *In ludo De morte Claudii Caesaris.*

15.   Es evidente que los astrólogos que cada año y cada
mes, desde que le hicieron emperador le auguran la muerte,
han de acertar alguna vez.

Refiere el Mirandulano que, formado el horóscopo de este Papa, de común acuerdo le pronosticaron la muerte para el año de 1495. Salió de aquel año Alejandro sin riesgo alguno, con que los astrólogos le alargaron la muerte al año siguiente, del cual habiendo escapado también el Papa, consecutivamente, hasta el año de 1502, casi cada año le pronosticaban la fatal sentencia. Finalmente, viéndose burlados tantas veces, en el año de 1503 quisieron enmendar la plana, tomando distinto rumbo para formar el pronóstico, en virtud del cual pronunciaron que aún le restaban al Papa muchos años de vida. Pero, con gran confusión de los astrólogos, murió el mismo año de 1503.

§ 5.

Añade que algunas famosas predicciones, que se jactan por verdaderas, con gran fundamento se pueden reputar inciertas o fabulosas. De Leoncio Bizantino, filósofo y matemático, se refiere que predijo a su hija Atenais que había de ser emperatriz, y por eso en el testamento, repartiendo todos sus bienes entre dos hijos que tenía, a ella no le dejó cosa alguna. Pero los mejores autores nada dicen del pronóstico; sí solo que Leoncio, en consideración de la singularísima belleza, peregrino en-

tendimiento y ajustada virtud de Atenais, conoció que no podía menos de ser codiciada para
esposa de algunos hombres acomodados, teniendo harto mejor dote en sus propias prendas que
en toda la hacienda de su padre, y por esto fué 5
olvidada en el testamento, lo que ocasionó su
fortuna; porque yendo a quejarse a Pulqueria,
hermana de Teodosio el Segundo, enamoró tanto a los dos príncipes, que Pulqueria luego la
adoptó por hija y después el Emperador la tomó 10
por esposa.

Del astrólogo Ascletarion dice Suetonio que
predijo que su cadáver había de ser comi-
do de perros; lo cual sucedió, por más que
Domiciano, a quien el mismo Ascletarion había 15
pronosticado su funesto éxito, procuró preca-
verlo, para desvanecer el pronóstico de su muerte, falsificando el que Ascletarion había hecho
de aquella circunstancia de la suya propia; porque habiendo, luego que mataron al astrólogo, 20
arrojado, de orden del Emperador, el cadáver
en una grande hoguera para que prontamente
se deshiciese en ceniza, sobrevino al punto una
abundante lluvia que apagó el fuego, y no con
menos puntualidad acudieron los perros a cebar- 25
se en aquella víctima, inútilmente sacrificada
a la seguridad del Príncipe sangriento. Pero

---

13   La cita se halla en el cap. 15 de la *Vida de Domiciano.*

todo este hecho, dice el jesuíta Dechales, es muy
sospechoso, porque no se señala en libro alguno
de los que señalan de la judiciaria aspecto o
tema celeste, a quien atribuyan los astrólogos
⁵ tal circunstancia o especie de muerte.

Del célebre Lucas Gaurico cuentan algunos autores que, consultado de María de Médicis, reina de Francia, sobre el hado de su
hijo Enrico II, pronosticó con harta individua-
¹⁰ ción su muerte, diciendo que moriría de la herida que en una justa había de recibir en un
ojo. Pero el citado Dechales y Gabriel Naudé
lo refieren muy al contrario, diciendo que antes
bien erró cuanto pudo errar la predicción pro-
¹⁵ nosticándole a aquel Príncipe muerte natural y
tranquila después de una vida muy larga, como
erró asimismo pronosticando a Juan Bentivollo
la expulsión de Bolonia y designando a Francisco II el año de su muerte.

²⁰ De otro astrólogo se dice haberle vati-
cinado a María de Médicis que había de morir
en San Germán, lo cual se cumplió, asistiéndola
en aquel trance un abad llamado Juliano de San
Germán. Pero fuera de que esto no fué verifi-
²⁵ carse la profecía, pues no había sido esa la

---

6 (1476?-1558.) Sus escritos de Astrología judiciaria,
Almanaques, Astronomía e historia de esta ciencia están re-
unidos en su *Opera omnia*, Bâle, 1575, 3 vol. fol.

12 *Apologie pour les grands hommes accusés de magie.*
Paris, 1625.

mente del astrólogo, sino que había de morir en
el lugar o monasterio de San Germán, o no
hubo tal vaticinio, o si le hubo no se fundó en
las reglas de la judiciaria, pues en los libros
astrológicos no se señalan aspectos significado- 5
res de los lugares que han de ser teatros de las
tragedias, ni de los nombres de las personas que
han de intervenir en ellas, ni esto podría ser sin
crecer a inmenso volumen los preceptos de este
arte.   10

Acaso no serían más verdaderas que las
expresadas la predicción de Sputina a César, la
de los Caldeos a Nerón, y otras semejantes, que,
por la mayor parte, recibieron los autores que
las escriben de manos del vulgo. Y bien se sabe 15
que en el común de los hombres es bien frecuente, después de visto el suceso, hallar alusión a
él en una palabra que anteriormente se dijo sin
intento, y aun sin significación, y poco a poco
mudando y añadiendo, llegar a ponerla en para- 20
je de que sea un pronóstico perfecto. De esto
tenemos mil ejemplos cadía día.

§ 6.

Una u otra vez puede deberse el acierto
de las predicciones, no a las estrellas, sino a polí- 25
ticas y naturales conjeturas, gobernándose en
ellas los astrólogos, no por los preceptos de su

arte, de que ellos mismos hacen bien poco aprecio, por más que los quieren ostentar al vulgo,
sí por otros principios, que, aunque falibles, no
son tan vanos. Por la situación de los negocios
de una república se pueden conjeturar las mudanzas que arribarán en ella. Sabiendo por experiencia que raro valido ha logrado constante
la gracia de su príncipe, de cualquier ministro
alto, cuya fortuna se ponga en cuestión, se puede pronunciar la caída con bastante probabilidad. Y con la misma, a un hombre de genio
intrépido y furioso se le podrá amenazar muerte violenta. Por la fortuna, genio, temperamento e industria de los padres, se puede discurrir
la fortuna, salud y genio de los hijos. Es cierto
que por este principio se dirigieron los astrólogos de Italia, consultados por el Duque de Mantua, sobre la fortuna de un recién nacido, cuyo
punto natalicio les había comunicado. En la noticia que les había dado el Príncipe se expresaba
que el recién nacido era un bastardo de su casa,
cuya circunstancia determinó a los astrólogos
a vaticinarle dignidades eclesiásticas, siendo común que los hijos naturales y bastardos de los
príncipes de Italia sigan este rumbo; y así, en
esta parte fueron concordes todas las predicciones, aunque discordes en todo lo demás. Pero el
caso era que el tal bastardo de la casa de Mantua era un mulo, que había nacido en el palacio

del Duque, al cual con bastante propriedad se le
dió aquel nombre, para ocasionar a los astrólogos con la consulta la irrisión que ellos merecie-
ron con la respuesta.

Algunas veces las mismas predicciones influyen en los sucesos, de modo que no sucede
lo que el astrólogo predijo porque él lo leyó en
las estrellas; antes sin haber visto él nada en las
estrellas, sucede sólo porque él lo predijo. El
que se ve lisonjeado con una predicción favorable, se arroja con todas sus fuerzas a los medios, ya de la negociación, ya del mérito, para
conseguir el profetizado ascenso, y es natural
lograrle de ese modo. Si a un hombre le pronostica el astrólogo la muerte en un desafío, sabién-
dolo su enemigo le saca al campo, donde éste
batalla con más esfuerzo, como seguro del triunfo, y aquél lánguidamente, como quien espera
la ejecución de la fatal sentencia, al modo que
nos pinta Virgilio el desafío de Turno y Eneas.
Creo que no hubiera logrado Nerón el imperio
si no le hubieran dado esa esperanza a su madre
Agripina los astrólogos, pues sobre ese fundamento aplicó aquella ardiente y política Princesa
todos los medios. Acaso César no muriera a pu-
ñaladas si los matadores no tuvieran noticia
de la predicción de Spurina, que les aseguraba
aquel día la empresa. Lo mismo digo de Domiciano y otros.

Es muy notable a este propósito el suceso de Armando, mariscal de Virón, padre del otro mariscal y Duque de Virón, que fué degollado de orden de Enrique IV de Francia. Pronosticóle un adivino que había de morir al golpe de un bala de artillería, lo que le hizo tal impresión que, siendo un guerrero sumamente intrépido, después de notificado este presagio, siempre que oía disparar la artillería le palpitaba el corazón. El mismo lo confesaba a sus amigos. Realmente una bala de artillería le mató; pero no le matara si él hubiera despreciado el pronóstico. Fué el caso, que en el sitio de Epernai, oyendo el silbido de una bala hacia el sitio donde estaba, por hurtarle el cuerpo se apartó despavorido, y con el movimiento que hizo fué puntualmente al encuentro de la bala, la cual, si se estuviese quieto en su lugar, no le hubiera tocado. Así el pronóstico, haciéndole medroso para el peligro, vino a ser causa ocasional del daño. Refiere este suceso Mezeray.

Ultimamente, puede también tener alguna parte en estas predicciones el demonio, el cual, si los futuros dependen precisamente de cau-

22 François Eudes de Mezeray, *Histoire de France depuis Pharamond jusqu'a maintenant* (1598), París, 1643-51, 3 vols., fol. *Abregé chronologique de l'histoire de France.* Amsterdam, 1673-74, 6 vols., 8.°

sas necesarias o naturales, puede con la comprehensión de ellas antever los efectos. Pongo
por ejemplo la ruina de una casa, porque pe-
netra mejor que todos los arquitectos del mundo el defecto de su contextura, o porque sabe 5
que no basta su resistencia a contrapesar la
fuerza de algún viento impetuoso, que en sus
causas tiene previsto; y aquí con bastante probabilidad puede, por consiguiente, avanzar la
muerte del dueño, si es por genio retirado a 10
su habitación. Aun en las mismas cosas que
dependen del libre albedrío puede lograr bastante acierto con la penetración grande que tiene de inclinaciones, genios y fuerzas de los
sujetos, y de lo que él mismo ha de concurrir 15
al punto destinado con sus sugestiones. Por
esto son muchos, y entre ellos San Agustín,
de sentir, que algunos, que en el mundo suenan profesar la judiciaria, no son dirigidos en
sus predicciones por las estrellas, sino por el 20
oculto instituto de los espíritus malos. Yo convengo en que no se deben discurrir hombres de
semejante carácter entre los astrólogos católicos. Sin embargo de que Jerónimo Cardano,
que fué muy picado de la judiciaria, no dudó 25
declarar que era inspirado muchas veces de un
espíritu, que familiarmente le asistía.

---

17 *De Civitate Dei*, libro V, cap. IX.

§ 7.

Establecido ya que no pueden determinar
cosa alguna los astrólogos en orden a los
sucesos humanos, pasemos a despojarlos de lo
poco que hasta ahora les ha quedado a salvo;
esto es, la estimación de que por lo menos pueden averiguar los genios e inclinaciones de los
hombres, y de aquí deducir con suficiente probabilidad sus costumbres. El arrancarlos de
esta posesión parece arduo y es, sin embargo,
facilísimo.

El argumento que comúnmente se les hace
en esta materia es que no pocas veces dos
gemelos que nacen a un tiempo mismo, descubren después ingenios, índoles y costumbres diferentes, como sucedió en Jacob y Esaú. A que
responden que, moviéndose el cielo con tan extraña rapidez, aquel poco tiempo que media entre la salida de uno y otro infante a la luz basta para que la positura y combinación de los astros sea diferente. Pero se les replica: si es menester tomar con tanta precisión el punto natalicio, nada podrán determinar los astrólogos
por el horóscopo, porque no se observa ni se
puede observar con tanta exactitud el tiempo del
parto. No hay reloj de sol tan grande que, moviéndose en él la sombra por un imperceptible

espacio, no avance el sol, entre tanto, un grande
pedazo de cielo, y esto aun cuando se suponga
ser un reloj excelentísimo, cual no hay ninguno.
Ni aun cuando asistieran al nacer el niño astrónomos muy hábiles con cuadrantes y astrola-
bios pudieran determinar a punto fijo el lugar
que entonces tienen los planetas, ya por la imperfección de los instrumentos, ya por la in-
exactitud de las tablas astronómicas; pues como
confiesan los mismos astrónomos, hasta ahora
no se han compuesto tablas tan exactas en señalar los lugares de los planetas, que tal vez no
yerren hasta cinco o seis grados, especialmente
en Mercurio y Venus.

Mas girando dos planetas con tanta rapidez, en que no hay duda, es cierto que en
aquel poco tiempo que tarda en nacer el infante desde que empieza a salir del claustro materno hasta que acaba, camina el sol muchos millares de leguas; Marte, mucho más; más aún
Júpiter, y más que todos Saturno. Ahora se
pregunta: aun cuando el astrólogo pudiera averiguar exactísimamente el punto de tiempo que
quiere y el lugar que los astros ocupan, ¿qué
lugar ha de observar? Porque eso se vería sensiblemente entre tanto que acaba de nacer el infante. ¿Atenderá el lugar que ocupan cuando
saca la cabeza? ¿Cuando descubre el cuello, o
cuando saca el pecho, o cuando ya salió todo

lo que se llama el tronco del cuerpo, o cuando ya
hasta las plantas de los pies se aparecieron? Vo-
luntario será cuanto a esto se responda. Lo más
verisímil (si eso se pudiera lograr y la judiciaria tuviera algún fundamento) es que se debían
formar sucesivamente diferentes horóscopos:
uno para la cabeza, otro para el pecho y así de
los demás; porque, si lo que dicen los judiciarios de los influjos de los astros en el punto natalicio fuera verdad, habían de ir sellando sucesivamente la buena o mala disposición de inclinaciones y facultades, así como fuesen saliendo
a luz los miembros que le sirven de órganos; y
así cuando saliese la cabeza, se había de imprimir la buena o mala disposición para discurrir;
cuando el pecho, la disposición para la ira o para
la mansedumbre, para la fortaleza o para la pu-
silanimidad, y así de las demás facultades a
quienes sirven los demás miembros. Pero ni esa
exactitud es posible, como se ha dicho, ni los
astrólogos cuidan de ella.

Y si les preguntamos por qué los astros
imprimen esas disposiciones cuando el infante
nace y no anticiparon esa diligencia mientras estaba en el claustro materno, o cuando se ani-
mó el feto, o cuando se dió principio a la grande obra de formación del hombre, lo que parece
más natural, nada responden que se pueda oír.
Porque decir que aquella pequeña parte del

cuerpo de la madre interpuesta entre el infante
y los astros les estorba a éstos sus influjos, merece mil carcajadas cuando muchas brazas de
tierra interpuesta no les impiden, en su sentencia, la generación de los metales. Pensar, como   5
algunos quieren persuadir, que por el tiempo del
parto se puede averiguar el de la generación, es
delirio, pues todos saben que la naturaleza en
esto no guarda un método constante, y aun suponiendo que el parto sea regular, a novimestre   10
varía, no sólo horas, sino días enteros.

El caso es que aunque se formasen sobre el tiempo de la generación las predicciones,
no salieran más verdaderas. Refiere Barclayo en
su *Argenis* que un astrólogo alemán, ansioso   15
de lograr hijos entendidos y hábiles, no llegaba
jamás a su esposa sino precisamente en aquel
tiempo en que veía los planetas dispuestos a imprimir en el feto aquellas bellas prendas del espíritu que deseaba. ¿Qué sucedió? Tuvo este   20
astrólogo algunos hijos, y todos fueron lo-
cos.

---

15 *Argenis,* París, 1622, 8.º
22 Es digno de agregarse al suceso que hemos escrito
el que vamos a referir. El insigne astrónomo Tyco Brahe,
sin embargo de su excelente capacidad, padeció la flaqueza de aplicarse a la Astrología judiciaria y hacer estimación de ella. Habiéndole dado Federico II la isla de Wen,
con una gruesa pensión, edificó en ella un castillo, a quien
dió el nombre de *Uraniburg,* que significa villa o ciudad del
cielo, por razón de un excelente observatorio que construyó
en el mismo castillo para examinar los astros. Es de saber

Ni aun cuando los astros hubiesen de influír las calidades que los genetliacos pretenden en aquel tiempo que ellos observan, podrían concluír cosa alguna. Lo primero, porque son mu-
5 chos los astros y puede uno corregir o mitigar el influjo de otro y aun trastornarle del todo. Aunque Mercurio, cuanto es de su parte, incline al recién nacido al robo, ¿de dónde sabe el astrólogo que no hay al mismo tiempo en el
10 cielo otras estrellas combinadas de modo que estorben el mal influjo de Mercurio? ¿Com-

---

que él mismo dejó escrito que eligió un punto de tiempo en que el cielo estaba favorable a la duración del edificio para sentar la primera piedra. ¿De qué sirvió esta precaución? De nada. Pocos edificios habrán subsistido tan corto espacio de tiempo. Dentro de veinte años fueron demolidos observatorio y castillo por los que sucedieron a Tyco en aquella posesión para emplear los materiales en otras cosas que juzgaron más útiles. Mr. Picard, de la Academia Real de las Ciencias que visitó aquel sitio el año de 1671, con dolor suyo vió que *Uraniburg* o ciudad del cielo, estaba reducida a un cercado donde arrojaban esqueletos de bestias. ¡Qué poco cuidaron los astros ni de la existencia ni del honor de un edificio que su dueño les había consagrado! Ya en otra parte, notamos que Tyco, no obstante su bello entendimiento, tenía el genio supersticioso y agorero, pues se cuenta de él que, si saliendo de casa encontraba alguna vieja, volvía a recogerse por el temor de un mal suceso. Después leí que lo mismo hacía si veía alguna liebre.

Hace, a mi parecer, alguna falta en el discurso de la Astronomía judiciaria la definición que de ella hizo el inglés Tomás Hobbes; por tanto, la pondremos aquí. "Es —dice— un estratagema para librarse del hambre a costa de tontos." *Fugiendae egestatis causa, hominis stratagema est, ut praedam auferat a pópulo stulto.* (Hobb., *De homine*).

prehende, por ventura, las virtudes de todos los
astros, según las innumerables combinaciones
que pueden tener entre sí? Lo segundo, porque aun cuando esto fuera comprehensible y de
hecho lo comprehendiera el astrólogo, aún le res- 5
taba mucho camino que andar; esto es, saber
cómo influyen otras muchas causas inferiores
que concurren con los astros, y con harto mayor
virtud que ellos, a producir esas disposiciones.
El temperamento de los padres, el régimen de la 10
madre y afectos que padece mientras conserva
el feto en las entrañas, los alimentos con que
después le crían, el clima en que nace y vive,
son principios que concurren con incomparable-
mente mayor fuerza que todas las estrellas a 15
variar el temperamento y cualidades del niño,
dejando aparte lo que la educación o lo que el
uso recto o perverso de las seis cosas no naturales pueden hacer. Si tal vez una enfermedad
basta a mudar un temperamento y destruir el 20
uso de alguna facultad del alma como el de la
memoria, por más que se empeñen todos los astros en conservar su hechura, ¿qué no harán tantos principios juntos como hemos expresado? Y
pues los astrólogos no consideran nada de esto 25
y por la mayor parte les es oculto, nada podrán
deducir por el horóscopo en orden a costumbres,
inclinaciones y habilidades, aun cuando les con-
cediésemos todo lo demás que pretenden.

§ 8.

A la verdad, cuanto hasta aquí se ha discurrido contra los genetliacos poco les importa a los componedores de almanaques; porque éstos, como ya se advirtió arriba, se contentan con unas predicciones vagas de sucesos comunes, que es moralmente imposible dejar de verificarse en algunos individuos, y cualquiera podrá formarlas igualmente seguras, aunque no sepa ni aun los nombres de los planetas. El año de 10 fué celebradísima una predicción del Gotardo, que decía no sé qué de unos personajes cogidos en ratonera, como muy adecuada a un suceso que ocurrió en aquel tiempo. Yo apostaré que cualquiera que supiese con puntualidad todas las tramas políticas de los reinos de Europa, en cualquiera lunación hallaría varios personajes cogidos en estas ratoneras metafóricas; siendo bien frecuente hallarse sorprendido el goloso de mejorar su fortuna en el mismo acto de arrojarse al cebo de su ambición. Y cuando hay guerras, de cualquiera que es cogido en una emboscada se puede decir, con igual propiedad, que cayó en la ratonera.

Pero dos cosas nos restan que examinar en los almanaques, que son: el juicio general del

año y las predicciones particulares de las varias
impresiones del aire por lunaciones y días.

En cuanto a lo primero, en sabiendo que
todo el sistema en que se funda este pronóstico es arbitrario y todos los preceptos de que
consta fundados en el antojo de los astrólogos, está convencida su vanidad. Las doce casas en que dividen la esfera no son más ni menos porque ellos lo quieren así y fué hasta es-
casez suya no haber fabricado en el cielo más
que una corta aldea, cuando sin costarles más
pudieron edificar una gran ciudad. El orden
de estos domicilios, de modo que el primero
se coloca a la parte del oriente, debajo del horizonte, hasta que la séptima se aparece sobre
él en la parte occidental y las restantes conti-
núan el círculo hasta la parte oriental descu-
bierta, todo es antojadizo. Las significaciones
de esas casas y de los planetas en ellas son pura significaciones *ad placitum.* Es cosa las-
timosa ver las ridículas analogías de que se
valen para dar razón de esas significaciones.
De modo que en todo y por todos estas casas
se construyeron sin fundamento alguno, al fin
como fábricas hechas en el aire. ¿Qué diré de
las dignidades, ya esenciales, ya accidentales
de los planetas? ¿De los grados de fortaleza
o debilidad que les atribuyen en diferentes po-
situras? ¿De sus exaltaciones, sus triplicidades,

sus aspectos? ¿De los dos domicilios, diurno y nocturno, que les señalan, exceptuando al sol y a la luna, no valiéndole al sol ser el grande alquimista que produce tanto oro para redimirle de la pobreza de no tener más que una casa, y lo mismo digo de la luna, a quien atribuyen la producción de la plata? ¿De la grande disimilitud de influjos según se colocan los planetas en diferentes signos y según se consideran, ya rectos, ya oblicuos, directos, retrógrados o estacionarios y toda la demás baraúnda imaginaria de supuestos establecidos por capricho?

§ 9.

Añádese sobre esto, que no concuerdan los astrólogos en el método de erigir los temas celestes, de donde dependen en un todo los pronósticos. Los árabes Firmico y Cardosso siguieron el método de los antiguos caldeos, que se llama ecuable. El autor Alcabicio in-

18 Sus *Astronomicon libri VIII* se imprimieron en Basilea (1533 y 1551, fol.) con el *Quadripartito* de Ptolomeo.
19 *Opera omnia,* Lugduni, 1663, 10 vol., fol.
20 *Introductorium Alchabitti arabici ad scientiam judicialem astronomicam.* [Bononiae], 1473. (1.ª edic.).

ventó otro, otro Campano y ninguno de estos
tres se sigue hoy comúnmente, sino el que inventó Juan de Regiomonte, que se llama método racional; en que se debe advertir que el
planeta mismo que erigiendo el tema según ⁵
un método se halla en una casa donde prome-
te buena fortuna, erigiendo el tema según otro
método sucede encontrarse en otra casa donde significa muy adversa suerte. Y ¿por dónde
sabríamos cuál método era el más acertado, ¹⁰
aun cuando cupiese acierto en esta materia?
Lo que se colige evidentemente de aquí es que
las reglas de la judiciaria son arbitrarias todas.

Mas los mismos profesores de este arte
convienen en que sus reglas sólo se fundan ¹⁵
en la experiencia; porque no pudiendo haber
razón alguna que demostrase *a priori,* como
dicen los dialécticos, qué influjos tiene ésta
o aquélla combinación de los planetas, sólo se
pudo sacar esto por inducción experimental, ²⁰
después de ver muchas veces qué efectos se siguieron a esas diferentes combinaciones, y éste
es otro atolladero terrible de la judiciaria; porque desde el principio del mundo hasta ahora
no se ha repetido adecuadamente alguna com- ²⁵
binación de astros y signos, siendo menester
para esto, según todos los astrónomos, mucho

1 *Tetragorismus.* Venetiae, 1503.
3 Juan de Monteregio: *Calendarium.* Nurembergae,
e. 1475.

mayor transcurso de tiempo, que algunos redu-
cen al espacio de cuarenta y nueve mil años.
Los antiguos caldeos quisieron evacuar esta dificultad, procurando persuadir que tenían recogidas las observaciones astrológicas de cua-
trocientos mil años; falsedad que, sobre opo-
nerse a lo que la fe nos enseña del principio
del mundo, fué convencida por el grande Alejandro, habiendo, cuando entró en Babilonia,
mandado a Calistenes registrar sus archivos;
pero, dado caso que menos cantidad de siglos
fuese bastante para hacer las observaciones necesarias, pregunto: Cuando Juan de Regiomonte inventó el método racional, que es el
que hoy se sigue, ¿en qué experiencias se fundó para establecerle? Es fijo que en ningunas;
pues no habiéndose usado antes, no hubo lugar
de experimentarle, y ni su método ni otro alguno le aprovechó a Regiomonte para prever
que le habían de quitar alevosamente la vida
los hijos de Jorge de Trevisonda, temerosos de
que la reputación de su sabiduría había de disminuír la de su padre. Desde que murió Regiomonte hasta ahora pasaron dos siglos y medio
cabales. ¿Qué tiempo es éste para que quepan
en él observaciones bastantes a autorizar el
método racional?

Lo mismo digo de Campano, que floreció
cuatro siglos antes que Regiomonte. ¿En qué

experiencias fundó su nuevo método? Bien se
ve en esto que los preceptos de la judiciaria se
fundan sólo en capricho y no en razón ni experiencias.

Y hago ahora otra pregunta: ¿O a los pro- 5
nósticos que se hacían, siguiendo el método de
los caldeos, correspondían los sucesos o no? Si
correspondían, errólo Regiomonte en mudarle,
y los modernos lo yerran en no seguirle. Si no
correspondían, son falsas, o fueron casuales 10
aquellas predicciones famosas de los astrólogos antiguos, que los modernos alegan a favor de la judiciaria; pues es constante que los
astrólogos antiguos siguieron el método de los
caldeos. Lo que se ha dicho en este punto cons- 15
pira igualmente a descubrir la vanidad del tema natalicio, por donde pronostican los astrólogos la fortuna de los particulares, que de los
diferentes temas celestes que erigen para hacer
el juicio general del año, porque unos y otros 20
dependen de los mismos principios.

Y de los mismos dependen también las predicciones de las cualidades del tiempo en diferentes cuartos de luna y en cada día, aunque
añadiendo nuevo y singular tema para cada 25
cuarto de luna, y atendiendo para cada día en
particular diferentes combinaciones de los planetas, ya entre sí, ya con las estrellas fijas.
Comoquiera que discurran en esta materia, es

constante que no yerran los astrólogos en ella
menos que en todo lo demás. El gran Mirandulano examinó todo un invierno los almanaques que habían compuesto para aquel año los
5 más famosos astrólogos de Italia y sólo en cinco o seis días los halló conformes a las impresiones del aire, que observó en todo aquel espacio de tiempo. El año de 1186 pronosticaron
los astrólogos furiosísimos vientos y horren-
10 das tempestades, por razón de cierta conjunción de los superiores e inferiores planetas;
pero lograron los mortales en aquel tiempo quie-
tos y pacatísimos los elementos. Refiere esto Es-
calígero, sobre la autoridad de Rigordo, monje
15 de San Dionís y médico de Felipe Augusto, que
floreció en aquel tiempo. El año de 1524, habiendo observado los astrólogos grandes con-
junciones de los planetas en los signos que ellos
llaman áqueos, por el mes de febrero, predije-
20 ron portentosas inundaciones y nunca vistas lluvias, lo que llenó de terror a Europa; de modo
que muchos se previnieron de barcas y otros de
habitación en sitios eminentes; pero tan lejos
estuvo de venir el esperado diluvio, que ni una
25 gota de agua cayó en todo aquel febrero. Así lo
cuenta Dureto, que vivió en el mismo siglo.

3 *Disputationes Joannis Pici Mirandulae adversus as-
trologiam divinatoriam quibus penitus subnervatam corruit.*
Bononiae, 1495.

Ni pueden menos los almanaquistas de caer en tan abultados errores; porque es falso, o por lo menos incierto, que los astros o constelaciones que ellos señalan produzcan fríos o ardores, vientos, lluvias o serenidades. Si los ardores del 5 estío dependieran de hacer entonces el sol su curso por el signo de León, calientes estuvieran como nosotros en el agosto los que habitan a cuarenta o cincuenta grados de latitud austral, pues no tienen ni influye en ellos en aquel tiem- 10 po otro sol que el que camina por este signo; mas los pobres padecen en aquella sazón in- tensísimo frío, y si el cuadrado de Marte y Ve- nus indujera lluvias, las había de mover en to- do el mundo, pues ninguna región del mundo 15 logra entonces a esos dos planetas en diferen- te aspecto. Nuestro mismo hemisferio y la pro- pria región que habitamos desmentirá algún día a los astrólogos en esta parte si el mundo dura algunos millares de años, pues es infalible que 20 llegará tiempo en que el orto de la canícula o conjunción del sol con ella suceda en los me- ses de diciembre y enero, y entonces ciertamen- te helará en la canícula.

Pero gratuitamente permitido que los astros 25 tengan la actividad que para estos efectos les atribuyen los astrólogos, por lo menos es in- negable que concurren a los mismos efectos otras causas, tanto más poderosas que los astros, que pueden, no sólo disminuír, mas estorbar del todo sus influjos. En Egipto nunca llueve o rarísima vez, y esto sólo en los meses de noviembre, diciembre y enero, y es cierto que giran sobre aquella región los mismos astros que sobre otras muchas donde caen lluvias copiosas. En el valle de Lima sucede lo mismo, donde toda la fertilidad de la tierra se debe a un blando rocío. No sólo entre regiones distintas hay esta oposición, mas aun la corta división que hace en la tierra la cima de un monte basta para inducir en las dos llanuras opuestas temperie muy diferente, como sucede en el que divide este principado de Asturias del reino de León, pues los ímpetus del norte, cuando sopla furioso, llenan de lluvias, nieves y borrascas todo este país, hasta cubrir aquella eminencia, y al mismo tiempo es común lograr de la otra parte perfecta serenidad. Váyanse ahora los astrólogos a determinar qué días ha de llover por las estrellas.

El padre Tosca juzgó que evacuaba en parte esta dificultad encargando que en la formación de los almanaques se tengan muy presentes las calidades del país; pero, sobre que para esto sería menester poner en cada país, y aun en cada lugar, un almanaquista, y hacer para

22 Autor de un *Compendio mathemático*. Valencia, Bordazar, 1707-15, 9 vols. 8.º

cada uno distinto reportorio, pues en la corta
distancia de tres o cuatro leguas se varía a veces el temple y calidad de la tierra y aire, y no
es conveniente aumentar tanto el número de
los astrólogos cuando sobran aún los pocos 5
que hay; digo sobre esto que sería también inútil esa diligencia; lo uno, porque son incomprehensibles las calidades de los países, de modo que por ellas se puedan pronosticar las mudanzas de los tiempos; lo otro, porque éstas no 10
dependen precisamente de los países donde se
ejercitan sino también de otros distantes, de
donde vienen los vientos, humedades y exhalaciones, y no sólo de los países donde se engen-
dran, mas también de aquellos por donde tran- 15
sitan. Las fermentaciones que se hacen en varias partes de las entrañas de la tierra ocasionan los vientos y contribuyen materia para las
tempestades. ¿Qué entendimiento humano podrá apear cuándo y cómo se hacen? Aun des- 20
pués de elevarse vapores y exhalaciones en la
atmósfera, ¿quién comprehenderá las varias de-
terminaciones del rumbo del viento, que las ha
de conducir a esta o a la otra región, ni las disposiciones que hay en una más que en otra, pa- 25
ra que sobre ellas se liquiden las nubes y se en-
ciendan las exhalaciones? Aun cuando supiese
todo lo demás, ¿cómo he averiguar si la nu-
be que en tal día ha de volar sobre el horizonte

sensible que habito vendrá en estado de derre-
tirse sobre este lugar en agua, o la guardará para la montaña o el valle, que dista de aquí algunas leguas?

5   Como quiera, la consideración del país sólo
puede aprovecharle al astrólogo para pronosticar a bulto, sin determinación de tiempo, más
lluvia en el país más húmedo, más calores en el
más ardiente, más hielos en el más frío; pues a
10 todos consta por experiencia que dentro de un
mismo país, en cuanto a la determinación de
tiempo, no hay consecuencia de un año para otro,
sucediendo en un año una primavera muy en-
juta y en otro muy mojada. Aún más hay en
15 esto, y es que en un mismo país, por un accidente, al parecer de poca importancia, suele variar
sensiblemente de temple. La isla de Irlanda, después que abatieron los naturales muchos bos-
ques que había en ella, es mucho menos lluviosa
20 que era antes, y me acuerdo de haber leído (pienso que en el padre Kircher) que la tierra de Avi-
ñón, que era antes muy húmeda y nebulosa, goza un hermoso cielo después que se enjugó una
laguna de bien poco ámbito que había en ella.

25   Concurriendo, pues, a variar la temperie de
las regiones tantas causas de acá abajo, que no
sólo alteran, mas a veces, como se ha visto, es-
torban casi del todo la operación de las constelaciones, nada podrán averiguar en la materia

los astrólogos por la precisa inspección de los
cielos; y por otra parte, las demás causas coope-
rantes no están sujetas a su examen. Dirá acaso alguno que los astros ponen en movimiento
esas mismas causas con todos los varios respec- 5
tos y combinaciones que tienen hacia tales o tales países; y así de ellos desciende primordial-
mente que en esta región llueva y en la otra no,
que aquí haga frío y allí calor; yo quiero pasar
por ello; pero siendo así, el astrólogo no leerá 10
en el cielo lluvia ni otro temporal alguno absolutamente para tal día, sino con distinción de
regiones; y como éstas son tantas, es infinito
lo que tendrá que leer en el cielo. Pongo por
ejemplo: el día 4 de abril lluvia en España, en 15
la Noruega, en la Mesopotamia; sereno en Persia, en la Tartaria y en Chile; viento en Grecia,
en la Natolia, en Sicilia y en Marruecos; frío
en la Prusia, en la Georgia, en el Mogol y en la
isla de Borneo; calor en Egipto, en los Abisi- 20
nos, en Méjico y Acapulco; vario en Francia,
en la China y el Brasil; y así se irán leyendo
en los astros truenos, granizo, helada, nieve,
asignando cada diferencia de temporal a más
de trescientas o cuatrocientas partes distintas 25
del globo terrestre. Verdaderamente que para
tanto es menester fingir en cada astrólogo el
Icaro Menippo del graciosísimo Luciano, que,
arrebatado al cielo, oía decretar a Júpiter lluvia

en la Scitia, truenos en Libia, nieve en Grecia,
granizo en Capadocia, etc. ¿Pues qué si se añade
a esto la abundancia o penuria de tanta variedad de frutos, en cuya copiosa mies, como suya
propria, entran la hoz del pronóstico los astrólogos? Y siendo las especies de frutos tantas y
muchas más aún las provincias donde se puede
variar la corta o larga cosecha, apenas se podrá
comprehender en un gran libro lo que sobre
este punto habrá menester estudiar en los astros
el astrólogo.

Quien quisiere, pues, saber con alguna anti-
cipación, aunque no tanta, las mudanzas del
tiempo, gobiérnese por aquellas señales naturales que las preceden, y no sólo están escritas en
muchos libros, mas también se pueden aprender de marineros y labradores, los cuales pronostican harto mejor que todos los astrólogos
del mundo. Por eso Lucano, en el libro V de la
Guerra civil, no introduce algún astrólogo va-
ticinándole al César la tempestad que padeció
en el tránsito de Grecia a la Calabria, sino al pobre barquero Amiclas.

Y a este propósito es sazonado el chiste que
refiere el padre Dechales, sucedido a Luis XI,
rey de Francia. Había salido este príncipe a caza, asegurado por el astrólogo que tenia asala-
riado de que había de gozar un sereno y apacible día; encontró en el camino un pobre car-

bonero, que le avisó se retirase, porque amenazaba una terrible lluvia. Salió el pronóstico del carbonero verdadero y el del astrólogo, falso; por lo cual el Rey, despidiendo al almanaquista, tomó por astrólogo suyo, señalándole salario como a tal, al carbonero.

Añadiré una reflexión de las más eficaces para convencer de vanas todas las observaciones astrológicas que se hicieron en todos los pasados siglos; y es que, desde que se inventaron los telescopios, se han descubierto tantas estrellas, ya fijas, ya errantes, que exceden en número a las que observaban los astrólogos anteriores, que miraban al cielo con los ojos desnudos. Sólo Juan Hevelio, burgomaestre de Dantzcih y famoso astrónomo, descubrió de nuevo tantas estrellas fijas, que les puso el nombre de firmamento Sobieski, en honor del glorioso Juan III de este nombre, rey de Polonia. Ahora se arguye así. La ignorancia de los astros nuevamente descubiertos traía consigo necesariamente la ignorancia de sus influjos, y la combinación de los influjos de estos con los demás que estaban patentes inferia otros efectos muy diferentes de los que tuvieran éstos si obraran por sí solos. Luego todas las observaciones astrológicas que se hicieron antes de la invención

13 Astrónomo del siglo XVII; autor, entre otras, de la obra titulada *Medicina caelestis*. Gedain, 1673-79.

del telescopio fueron inútiles y vanas, porque iban sobre el supuesto falso de que no influían otros astros que los que se descubrían entonces. El telescopio fué inventado el año de 1609 por el holandés Jacobo Merio y perficionado poco después por el insigne matemático florentino Galileo de Galileis. Todos los grandes maestros de la judiciaria por quienes se gobiernan los astrólogos modernos son anteriores. De aquí se infiere que unos ciegos guían a otros ciegos.

§ 10.

Omito muchos lugares de la Escritura, como también muchas autoridades de padres contra los judiciarios porque se hallan en muchos libros; pero no disimularé la bula del gran pontífice Sixto V contra los profesores de este arte que empieza: *Caeli et terrae creator Deus,* porque es en este asunto lo más concluyente que se halla en línea de autoridad; para lo cual es de advertir que a todos los demás textos, ya de la Escritura, ya de concilios, ya de padres, ya de bulas pontificias conque se les arguye a los ju-

---

15 Torres Villarroel, por el contrario, escribía en la *Carta a Barroso,* que se lee al frente de sus *Postdatas:* "Dexese de escribir [Feijóo] contra Médicos y Astrólogos, *que pues nos consiente la Iglesia* no seremos el pecado nefando; y no quiera apostárselas a los Santos Concilios, que nos sufren y nos gastan..."

diciarios, responden éstos que en estos textos
sólo se condena aquella judiciaria que pronostica como ciertos los futuros contingentes, dando
por infalibles las amenazas de los astros; pero
esta interpretación no tiene lugar en la bula de 5
Sixto. La razón es porque manda a los inqui-
sidores y a los ordinarios que procedan contra
los astrólogos que pronostican los futuros con-
tigentes, aplicándoles las penas canónicas, aunque ellos confiesen y protesten la incertidumbre 10
y falibilidad de sus vaticinios: *Etiam si id se
non certo affirmare asserant, aut protestentur*:
permitiéndoles únicamente el pronosticar aquellos efectos naturales que pertenecen a la navegación, agricultura y medicina: *Statuimus et* 15
mandamus, ut tam contra astrologos mathema-
ticos et alios quoscumque dictae astrologiae ar-
tem, praeterquam circa agriculturam, navigatio-
nem et rem medicam exercentes, etc. Y así, en
pasando de esta raya, deben proceder contra 20
ellas los superiores por más que en el principio
de sus libros y almanaques protesten que su arte
es falible y en el fin de ellos pongan: *"Dios so-*
bre todo, por sánalo todo."

11 Aunque protesten y confiesen que no lo afirman con
certeza.
15 Ordenamos y mandamos que tanto contra los astrólogos matemáticos y otros cualesquiera que ejercen el arte
de la citada astrología, excepto en lo referente a la agricultura, navegación y medicina, etc.

PARALELO DE LAS LENGUAS
CASTELLANA Y FRANCESA

§ 1.

Dos extremos, entrambos reprehensibles, noto en nuestros españoles, en orden a las cosas
nacionales: unos las engrandecen hasta el cielo;
otros las abaten hasta el abismo. Aquellos que
ni con el trato de los extranjeros, ni con la lectura de los libros espaciaron su espíritu fuera
del recinto de su patria, juzgan que cuanto hay
de bueno en el mundo está encerrado en ella. De
aquí aquel bárbaro desdén con que miran a las
demás naciones, asquean su idioma, abominan
sus costumbres, no quieren escuchar o escuchan
con irrisión sus adelantamientos en artes y ciencias. Bástales ver a otro español con un libro
italiano o francés en la mano, para condenarle
por genio extravagante o ridículo. Dicen que
cuanto hay bueno y digno de ser leído se halla

escrito en los dos idiomas latino y castellano; que los libros extranjeros, especialmente france- ses, no traen de nuevo sino bagatelas y futili- dades; pero del error que padecen en esto dire- mos algo abajo.

Por el contrario, los que han peregrinado por varias tierras, o sin salir de la suya comerciado con extranjeros, si son picados tanto cuanto de la vanidad de espíritus amenos, inclinados a len- guas y noticias, todas las cosas de otras nacio- nes miran con admiración; las de la nuestra, con desdén. Sólo en Francia, pongo por ejemplo, reinan, según su dictamen, la delicadeza, la po- licía, el buen gusto; acá todo es rudeza y bar- barie. Es cosa graciosa ver a algunos de estos nacionistas (que tomo por lo mismo que anti- nacionales) hacer violencia a todos sus miem- bros para imitar a los extranjeros en gestos, movimientos y acciones, poniendo especial es- tudio en andar como ellos andan, sentarse co- mo se sientan, reírse como se ríen, hacer la cor- tesía como ellos la hacen, y así de todo lo de- más. Hacen todo lo posible por desnaturalizar- se, y yo me holgaría que lo lograsen enteramen- te porque nuestra nación descartase tales fi- guras.

Entre éstos y aun fuera de éstos sobresalen algunos apasionados amantes de la lengua francesa, que, prefiriéndola con grandes ven-

tajas a la castellana, ponderan sus hechizos,
exaltan sus primores, y no pudiendo sufrir ni
una breve ausencia de su adorado idioma, con
algunas voces que usurpan de él salpican la
conversación, aun cuando hablan en castellano. Esto, en parte, puede decirse que ya se hizo
moda, pues los que hablan castellano puro casi son mirados como hombres del tiempo de los
godos.

§ 2.

Yo no estoy reñido con la curiosa aplicación
a instruírse en las lenguas extranjeras. Conozco que son ornamento, aun cuando estén
desnudas de utilidad. Veo que se hicieron inmortales en las historias Mitrídates, rey de
Ponto, por saber veinte y dos idiomas diferentes; Cleopatra, reina de Egipto, por ser su lengua, como llama Plutarco, órgano en quien,
variando a su arbitrio los registros, sonaban al-
ternativamente las voces de muchas naciones;
Amalasunta, hija de Teodorico, rey de Italia,
porque hablaba las lenguas de todos los reinos
que comprehendía el imperio romano. No apruebo la austeridad de Catón, para quien la aplicación a la lengua griega era corrupción digna de
castigo; ni el escrupuloso reparo de Pomponio

Leto, que huía como de un áspid del conocimiento de cualquier voz griega, por el miedo de manchar con ella la pureza latina.

A favor de la lengua francesa se añade la utilidad, y aun casi necesidad de ella, respecto de 5 los sujetos inclinados a la lectura curiosa y erudita. Sobre todo género de erudición se hallan hoy muy estimables libros escritos en idioma francés, que no pueden suplirse con otros, ni latinos ni españoles. Pongo por ejemplo: para la 10 historia sagrada y profana no hay en otra lengua prontuario equivalente al gran *Diccionario* histórico de Moreri; porque el que desea un resumen de los hechos de algún sujeto, ignorando la era en que floreció, en defecto del *Dicciona-* 15 *rio histórico* será menester revuelva muchos libros, con gran dispendio de tiempo, y en el *Dic-cionario,* siguiendo el orden alfabético, al momento halla lo que busca. Asimismo, para la Geografía son prontísimo socorro los *Diccio-* 20 *narios geográficos* de *Miguel Baudrand* y *To-más Cornelio;* cuando faltando éstos, el que quiere instruírse de las particularidades de alguna ciudad, monte o río, si ignora la región

21 Michel-Antoine Baudrand (1633-1700): *Dictionnaire géographique et historique.* (La edición más corriente es la de 1705, revisada por Dom Gelé, París, 1705, 2 vols. fol.
22 Tomás Corneille (1625-1709): *Dictionnaire universel géographique et historique,* París, 1708, 3 vols., fol.

donde están situados, habrá de revolver muy
de espacio los agigantados volúmenes de Gerardo Mercator, Abraham Ortelio, Bleu, Sanson
o Da-Fer.

⁵   De la Física experimental, que es la única que
puede ser útil, se han escrito en el idioma francés muchos y curiosos libros, cuyas noticias no
se hallan en otros.

La *Historia de la Academia real de las Cien-*
¹⁰ *cias* es muy singular en este género, como también en infinitas observaciones astronómicas,
químicas y botánicas, cuyo cúmulo no se encon-
trará, ni su equivalente, en libro alguno latino,
mucho menos en castellano.

¹⁵   De Teología dogmática dieron los franceses
a luz en el patrio idioma preciosas obras. Tales
son algunas del famoso Antonio Arnaldo, y todas las del insigne obispo meldense Jacobo Benigno Bossuet, especialmente su *Historia de las*
²⁰ *variaciones de las iglesias protestantes* y la *Ex-*

---

3   Gerardo Kremer. geógrafo holandés (1512-1594). Entre otras obras escribió *Tabulae geograficae ad mentem
Ptolomaei restitutae.* Colonia, 1578, fol.

3   Abraham Oertel u Ortell, autor del *Theatrum orbis terrarum,* Amberes, 1570, y *Theatri orbis terrarum Parergon,*
Amberes, 1595.

3   Nicolás Sanson, geógrafo francés (1600-1667), autor
de la *Galliae antiquae descriptio* (1627), *Graeciae descriptio* (1636) y otras

20   *Histoire des variations des églises protestantes,* 1688,
2 vols., 4.º

*posición de la doctrina de la Iglesia Católica so-
bre las materias de controversia,* escritos verdaderamente incomparables, y que redujeron más
herejes a la religión verdadera que todos los rigores justamente practicados con ellos por el 5
gran Luis XIV, en que no se deroga a la grande estimación que se merecen los inmortales escritos del cardenal Belarmino y otros controversistas anteriores. Ni éstos hacen evitar la necesidad de aquéllos, porque los nuevos efugios que 10
después de Belarmino discurrieron los protestantes y las variaciones o novedades que intro-
dujeron en sus dogmas precisaron a buscar contra ellos otras armas o por lo menos a dar nuevos filos a las que estaban depositadas en los 15
grandes armamentarios de los controversistas
antecedentes. Para la inteligencia literal de toda
la Escritura Sagrada reina hoy en la estimación de todos los profesores la admirable exposición que poco ha dió a luz el sapientísimo bene- 20
dictino don Agustín Calmet, como un magiste-
rio destilado a la llama de la más juiciosa crítica de cuanto bueno se había escrito en todos los
siglos anteriores sobre tan noble asunto. En que
logró también el padre Calmet la ventaja de 25

2 *Exposition de la doctrine de l'Eglise catholique, sur
les matières de controverse,* París, 1670.
20 *Commentaire litteral sur tous les livres de l'Ancien
et du Noveau Testament,* París, 1707-1716, 23 vols., 4.°

aprovecharse de las nuevas luces que en estos
tiempos adquirió la Geografía para ilustrar muchos lugares antes poco entendidos de la Escritura.

5   Para el más perfecto conocimiento del poder,
gobierno, religión y costumbres de muchos reinos distantes, nadie negará la gran conducencia
de las relaciones de Tabernier, Tevenot y otros
célebres viajeros franceses. Otros muchos li-
10 bros hay escritos en el vulgar idioma de la Francia, singulares cada uno en su clase o para determinada especie de erudición, como las *Noticias de la república de las letras*, las *Memorias
de Trevoux*, el *Diario de las sabios de París*, la
15 *Biblioteca Oriental* de Herbelot, etc.

Así que, el que quisiere limitar su estudio a
aquellas facultades que se enseñan en nuestras
escuelas, Lógica, Metafísica, Jurisprudencia,
Medicina galénica, Teología escolástica y moral,

---

8   Jean Bte. Tavernier (1605-1689). *Voyages en Turquie,
en Perse et aux Indes,* redigés par Chappuzeau et La
Chappelle, París, 1679.

8   Melquisedech Thevenot (c. 1620-1692). *Relations de
divers voyages,* París, 1663-72. *Recueil de voyages.* París,
1681. Juan Thevenot (1633-67). *Voyage au Levant,* 1664-65,
etcétera.

13   Publicadas a partir de 1704.

14   *Journal des Savants.*

15   Herbelot de Molainville (1525-1695): *Bibliothèque
orientale ou Dictionnaire universel contenant généralement
tout ce qui regarde la connaisance des peuples de l'Orient,*
etc., París, 1697, fol. Varias ediciones.

tiene con la lengua latina cuanto ha menester.
Mas para sacar de este ámbito o su erudición o
su curiosidad, debe buscar como muy útil, si no
absolutamente necesaria, la lengua francesa. Y
esto basta para que se conozca el error de los ₅
que reprueban como inútil la aplicación a este
idioma.

§ 3.

Mas no por eso concederemos, ni es razón, alguna ventaja a la lengua francesa sobre la cas- ₁₀
tellana. Los excesos de una lengua respecto de
otra pueden reducirse a tres capítulos : *propriedad, armonía y copia.* Y en ninguna de estas calidades cede la lengua castellana a la francesa.
En la propriedad juzgo, contra el común dic- ₁₅
tamen, que todas las lenguas son iguales en cuanto a todas aquellas voces que específicamente
significan determinados objetos. La razón es
clara, porque la propriedad de una voz no es otra
cosa que su específica determinación a signifi- ₂₀
car tal objeto; y como ésta es arbitraria o de-
pendiente de la libre voluntad de los hombres,
supuesto que en una región esté tal voz determinada a significar tal objeto, tan propria es como
otra cualquiera que le signifique en idioma di- ₂₅
ferente. Así, no se puede decir, pongo por ejem-

plo, que el verbo francés *tromper* sea más ni
menos proprio que el castellano *engañar;* la voz
rien que la voz *nada.* Puede haber entre dos lenguas la desigualdad de una abunde más de voces
5 particulares o específicas. Mas esto, en rigor, será ser más copiosa, que es capítulo distinto,
quedando iguales en la propriedad en orden a
todas las voces específicas que haya en una y
otra.

10   De la propriedad del idioma se debe distinguir la propriedad del estilo, porque ésta, dentro del mismo idioma, admite más y menos, según la habilidad y genio del que habla o escribe. Consiste la propriedad del estilo en usar de
15 las locuciones más naturales y más inmediatamente representativas de los objetos. En esta
parte, si se hace el cotejo entre escritores modernos, no puedo negar que por lo común hacen ventaja los franceses a los españoles. En
20 aquéllos se observa más naturalidad; en éstos
más afectación. Aun en aquellos franceses que
más sublimaron el estilo, como el arzobispo de
Cambray, autor del *Telémaco,* y Magdalena Scu-
deri, se ve que el arte está amigablemente unido
25 con la naturaleza. Resplandece en sus obras
aquella gala nativa, única hermosura con que
el estilo hechiza a el entendimiento. Son sus escritos como jardines, donde las flores espontá-
neamente nacen; no como lienzos, donde estu-

diosamente se pintan. En los españoles, picados
de cultura, dió en reinar de algún tiempo a esta parte una afectación pueril de tropos retóri-
cos, por la mayor parte vulgares; una multitud
de epítetos sinónimos, una colocación violenta 5
de voces pomposas que hacen el estilo, no glo-
riosamente majestuoso, sí asquerosamente en-
tumecido. A que añaden muchos una temeraria
introducción de voces, ya latinas, ya francesas,
que debieran ser decomisadas como contraban- 10
do del idioma o idioma de contrabando en estos reinos. Ciertamente en España son pocos los
que distinguen el estilo sublime del afectado y
muchos los que confunden uno con otro.

He dicho que por lo común hay este vicio en 15
nuestra nación; pero no sin excepciones, pues
no faltan españoles que hablan y escriben con
una naturalidad y propriedad el idioma nacional. Sirvan por todos y para todos de ejemplares don Luis de Salazar y Castro, archivo gran- 20
de, no menos de la lengua castellana antigua y
moderna en toda su extensión, que de la historia, la genealogía y la crítica más sabia, y el mariscal de campo, vizconde del Puerto, que con
sus excelentes libros de *Reflexiones militares* 25

20 Famoso genealogista del siglo XVII.
24 Don Alvaro Navia Osorio Vigil, marqués de Santa
Cruz de Marcenado: *Reflexiones militares,* Turín, Juan
Francisco Mairese, 1724-27, 11 vols., 4.º

dió tanto honor a la nación española entre las
extranjeras. No nace, pues, del idioma español
la impropiedad o afectación de algunos de nuestros compatriotas, sí de falta de conocimiento
5 del mismo idioma, o defecto de genio, o corrupción de gusto.

§ 4.

En cuanto a la armonía o grato sonido del
idioma, no sé cuál de dos cosas diga: o que
10 no hay exceso de unos idiomas a otros en esta
parte, o que no hay juez capaz de decidir la ventaja. A todos suena bien el idioma nativo y mal
el forastero hasta que el largo uso le hace proprio. Tenemos hecho concepto de que el alemán
15 es áspero; pero el padre Kircher, en su *Descripción de la torre de Babel,* asegura que no cede
en elegancia a otro alguno del mundo. Dentro
dc España parece a castellanos y andaluces humilde y plebeya la articulación de la *jota* y *g* de
20 portugueses y gallegos. Pero los franceses, que
pronuncian del mismo modo no sólo las dos letras dichas, más también la *ch,* escuchan con horror la articulación castellana que resultó en estos reinos del hospedaje de los africanos. No

---

16 *Turris Babel,* Amsterdam, 1667.

hay nación que pueda sufrir hoy el lenguaje
que en ella misma se hablaba doscientos años ha.
Los que vivían en aquel tiempo gustaban de
aquel lenguaje, sin tener el órgano del oído diferente en nada de los que viven ahora, y, si re- 5
sucitasen, tendrían por bárbaros a sus proprios
compatriotas. El estilo de Alano Chartier, se-
cretario del rey Carlos VII de Francia, fué en-
canto de su siglo; en tal grado que la princesa
Margarita de Escocia, esposa del Delfín, ha- 10
llándole una vez dormido en la antesala de palacio, en honor de su rara facundia, a vista de
mucha corte, estampó un ósculo en sus labios.
Digo que en honor de su rara facundia y sin
intervención de alguna pasión bastarda, por ser 15
Alano extremadamente feo; y así, reconvenida
sobre este capítulo por los asistentes, respondió
que haba besado, no aquella feísima cara, sino
aquella hermosísima boca. Y hoy, tanto las pro-
sas como las poesías de Alano, no pueden leer- 20
se en Francia sin tedio, habiendo variado la
lengua francesa de aquel siglo a éste mucho más
que la castellana. ¿Qué otra cosa que la falta de
uso convirtió en disonancia ingrata aquella dul-
císima armonía? 25

De modo que puede asegurarse que los idiomas no son ásperos o apacibles sino a propor-

7 Alain Chartier (1392-1430 ó 33).

ción que son o familiares o extraños. La desigualdad verdadera está en los que los hablan,
según su mayor o menor genio y habilidad.
Así entre los mismos escritores españoles (lo
mismo digo de las demás naciones) en unos
vemos un estilo dulce, en otros áspero; en unos
enérgico, en otros lánguido; en unos majestuoso, en otros abatido. No ignoro que en opinión
de muchos críticos hay unos idiomas más oportunos que otros para exprimir determinados
afectos. Así se dice que para representaciones
trágicas no hay lengua como la inglesa. Pero
yo creo que el mayor estudio que los ingleses,
llevados de su genio feroz, pusieron en las pie-
zas dramáticas de este carácter por la compla-
cencia que logran de ver imágenes sangrientas
en el teatro, los hizo más copiosos en expresiones representativas de un coraje bárbaro, sin tener parte en esto la índole del idioma. Del mismo modo la propiedad que algunos encuentran
en las composiciones portuguesas, ya oratorias,
ya poéticas, para asuntos amatorios, se debe atribuír, no al genio del lenguaje, sino al de la nación. Pocas veces se explica mal lo que se siente
bien; porque la pasión, que manda en el pecho,
logra casi igual obediencia en la lengua y en
la pluma.

Una ventaja podrá pretender la lengua francesa sobre la castellana, deducida de su más

fácil articulación. Es cierto que los franceses
pronuncian más blando, los españoles más fuerte. La lengua francesa (digámoslo así) se desli-
za, la española golpea. Pero, lo primero, esta diferencia no está en la sustancia del idioma sino 5
en el accidente de la pronunciación; siendo
cierto que una misma dicción, una misma letra, puede pronunciarse o fuerte o blanda, según
la varia aplicación del órgano, que por la mayor
parte es voluntaria. Y así, no faltan españoles 10
que articulen con mucha suavidad, y aun creo
que casi todos los hombres de alguna policía hoy
lo hacen así. Lo segundo, digo, que aun cuando
se admitiese esta diferencia entre los dos idiomas, más razón habría de conceder el exceso al 15
castellano, siendo prenda más noble del idioma
una valentía varonil que una blandura afemi-
nada.

Marco Antonio Mureto, en sus *Notas sobre
Catulo,* notó en los españoles el defecto de ha- 20
blar hueco y fanfarrón: *More patrio in statis
buccis loquentes.* Yo confieso que es ridiculez
hablar hinchando las mejillas, como si se ins-
pirase el aliento a una trompeta, y en una conversación de paz entonar la solfa de la ira. Pe- 25
ro este defecto no existe sino en los plebeyos,
entre quienes el esfuerzo material de los labios
pasa por suplemento de la eficacia de las razones.

19 M. A. Muret, famoso humanista francés (1526-1585).

§ 5.

En la copia de voces (único capítulo que puede desigualar sustancialmente los idiomas) juzgo que excede conocidamente el castellano al
5 francés. Son muchas las voces castellanas que no tienen equivalente en la lengua francesa y pocas he observado en ésta que no le tengan en la castellana. Especialmente de voces compuestas abunda tanto nuestro idioma que dudo que
10 le iguale aun el latino ni otro alguno, exceptuando el griego. El canciller Bacon, ofreciéndose hablar de aquella versàtilidad política que constituye a los hombres capaces de manejar en cualquiera ocurrencia su fortuna, confiesa que
15 no halla en alguna de las cuatro lenguas, inglesa, latina, italiana y francesa, voz que signifique lo que la castellana *desenvoltura*. Y acá estamos tan de sobra, que para significar lo mismo tenemos otras dos voces equivalentes: *despejo* y
20 *desembarazo*.

Nótese que en todo género de asuntos escribieron bien algunas plumas españolas sin mendigar nada de otra lengua. La elegancia y pureza de don Carlos Coloma y don Antonio de So-

---

11 *De iber. rerum*, capítulo XXXVIII.
24 *Las guerras de los Estados Baxos desde el año de MDLXXXVIII hasta el de MDXCIX*. Barcelona, 1627. 4.º

lís, en materia de historia, no tiene que envidiar
a los mejores historiadores latinos; las empresas políticas de Saavedra fundieron a todo Tá-
cito en castellano, sin el socorro de otro idioma.
Las teologías expositiva y moral se hallan ver- 5
tidas en infinitos sermones de bello estilo. ¿Qué
autor latino escribió con más claridad y copia
la mística que Santa Teresa? ¿Ni la escolástica en los puntos más sublimes de ella, que la
madre María de Agreda? En los asuntos poé- 10
ticos, ninguno hay que las musas no hayan can-
tado con alta melodía en la lengua castellana.
Garcilaso, Lope de Vega, Góngora, Quevedo,
Mendoza, Solís y otros muchos, fueron cisnes
sin vestirse de plumas extranjeras. Singular- 15
mente se ve que la lengua castellana tiene para
la poesía heroica tanta fuerza como la latina
en la traducción de Lucano, que hizo don Juan
de Jáuregui; donde aquella arrogante valentía,
que aún hoy asusta a los más apasionados de 20
Virgilio, se halla con tanta integridad trasla-

---

1 *Historia de la conquista de México,* Madrid, 1684, fol.
2 *Idea de un Príncipe político christiano representada
en cien empresas.* Mónaco, Nicolao Eurico, 1640. 4.º
10 Sor María de Jesús Agreda, autora de la *Mystica
Ciudad de Dios,* Madrid, Bernardo de Villa-Diego, 1670. 3
vols. en 4.º Cf. M. Serrano y Sanz. *Apuntes para una biblioteca de escritoras españolas.* Madrid, 1903, I, 571-601.
18 *La Farsalia, poema español. Sácale a luz Sebastián de
Armendáriz, librero de Cámara del Rey nuestro Señor.* Madrid, por Lorenzo García, 4.º (¿1684?).

dada a nuestro idioma, que puede dudarse en quién brilla más espíritu, si en la copia, si en el original. Ultimamente, escribió de todas las matemáticas, estudio en que hasta ahora se ha-
5 bían descuidado los españoles, el padre Vicente de Tosca, corriendo su dilatado campo sin salir del patrio idioma. En tanta variedad de asuntos se explicaron excelentemente los autores referidos y otros infinitos que pudiera alegar, sin
10 tomar ni una voz de la lengua francesa. Pues ¿a qué propósito nos la introducen ahora? El empréstito de voces que se hacen unos idiomas a otros es, sin duda, útil a todos, y ninguno hay que no se haya interesado en este comercio. La
15 lengua latina quedaría en un árido esqueleto si le hiciesen restituir todo lo que debe a la griega; la hebrea, con ser madre de todas, heredó después algunas voces, como afirma San Jerónimo: *Omnium poene linguarum verbis utun-*
20 *tur hebraei.* Lo más singular es que siendo la castellana que hoy se usa dialecto de la latina, se halla que la latina mendigó algunas voces de la lengua antigua española. Aulo Gelio, citando a Varrón, dice que la voz *lancea* la tomaron los
25 latinos de los españoles; y Quintiliano, que la

6   Vid. pág. 244, nota 22.
19   In cap. VII, Isaí. Los hebreos usan palabras de casi todas las lenguas.
23   *Noct. Attic,* lib. XV, cap. III.

voz *gurdus,* que significa hombre rudo o de corta capacidad, fué trasladada de España a Roma: *Et gurdus, quos pro stolidis accipit vulgus,
ex Hispania traxisse originem audivi.*

Pero cuando el idioma nativo tiene voces pro- 5
pias, ¿para qué se han de sustituír por ellas las
del ajeno? Ridículo pensamiento el de aquellos
que, como notaba Cicerón en un amigo suyo,
con voces inusitadas juzgan lograr opinión de
discretos: *Qui recte putabat loqui esse inusitate* 10
loqui. Ponen por medio el no ser entendidos,
para ser reputados por entendidos; cuando el
lucirse con voces extrañas de la inteligencia de
los oyentes en vez de avecindarse en la cultura
es, en dictamen de San Pablo, hospedarse en la 15
barbarie: *Si nesciero virtutem vocis, ero ei cui
loquor, barbarus; et qui loquitur, mihi barbarus.*

A infinitos españoles les oigo usar de la voz
remarcable diciendo: *es un suceso remarcable,
una cosa remarcable.* Esta voz francesa no sig- 20
nifica más ni menos que la castellana *notable;*
así como la voz *remarque,* de donde viene *remarcable,* no significa más ni menos que la voz
castellana *nota,* de donde viene *notable.* Tenien-

3 Lib. I, *Inst. orat.,* cap. IX. He oído decir que la palabra *gurdus* usada por el vulgo para designar a los necios
es de origen español.

11 Lib. III, *De orat.* Pensaba que era hablar con propiedad el servirse de palabras inusitadas.

16 Caso de desconocer el valor de la palabra, seré extranjero para mi interlocutor, y éste extranjero para mí.

do, pues, la voz castellana la misma significación que la francesa y siendo, por otra parte,
más breve y de pronunciación menos áspera, ¿no
es extravagancia usar de la extranjera, dejando
5 la propia? Lo mismo puedo decir de muchas
voces que cada día nos traen de nuevo las ga-
cetas.

La conservación del idioma patrio es de tanto aprecio en los espíritus amantes de la nación,
10 que el gran juicio de Virgilio tuvo este derecho
por digno de capitularse entre dos deidades,
Júpiter y Juno, al convenirse en que los latinos
admitiesen en su tierra a los troyanos.

Sermonem Ausonium patrium, moresque tenebunt.

15 No hay que admirar, pues la introducción
del lenguaje forastero es nota indeleble de
haber sido vencida la nación a quien se despojó de su antiguo idioma. Primero se quita a un
reino la libertad que el idioma. Aun cuando se
20 cede a la fuerza de las armas, lo último que se
conquista son lenguas y corazones. Los antiguos españoles, conquistados por los cartagine-
ses, resistieron constantemente, como prueba Aldrete en sus *Antigüedades de España,* la intro-
25 ducción de la lengua púnica. Dominados des-

14 Conservarán su lenguaje patrio y sus costumbres.
24 *Varias antigüedades de España, Africa y otras provincias,* Amberes, 1614, 4.°

pués por los romanos, tardaron mucho en su-
jetarse a la latina. ¿Diremos que son legítimos
descendientes de aquéllos los que hoy, sin necesidad, estudian en afrancesar la castellana?

En la forma, pues, que está hoy nuestra len- 5
gua, puede pasar sin los socorros de otra alguna. Y uno de los motivos que he tenido para
escribir en castellano esta obra, en cuya prosecu-
ción apenas habrá género de literatura o erudición que no se toque, fué para mostrar que, pa- 10
ra escribir en todas materias, basta por sí solo
nuestro idioma, sin los subsidios del ajeno, exceptuando, empero, algunas voces facultativas,
cuyo empréstito es indispensable de unas naciones a otras. 15

§ 6.

Aunque el motivo por que hemos discurido
en el cotejo de la lengua castellana con la francesa no milita respecto de la italiana, porque
ésta aún no ganó la afición, ni se hizo en Espa- 20
ña de la moda, la ocasión convida a decir algo
de ella y juntamente de la lusitana, por comprehender en el paralelo, para satisfacción de
los curiosos, todos los dialectos de la latina.

He dicho *por comprehender todos los dia-* 25
lectos de la latina, porque aunque éstos vulgar-

mente se reputan ser no más que tres, el español,
el italiano y el francés, el padre Kircher, autor
desapasionado, añade el lusitano, en que advierto se debe incluír la lengua gallega, como en
realidad indistinta de la portuguesa, por ser po-
quísimas las voces en que discrepan y la pronunciación de las letras en todo semejante, y
así se entienden perfectamente los individuos
de ambas naciones, sin alguna instrucción antecedente.

Que la lengua lusitana o gallega se debe considerar dialecto separado de la latina, y no subdialecto o corrupción de la castellana, se prueba,
a mi parecer, con evidencia del mayor parentesco que tiene aquélla que ésta con la latina.
Para quien tiene conocimiento de estas lenguas
no puede haber duda de que por lo común las
voces latinas han degenerado menos en la portuguesa. Esto no pudiera ser si la lengua portuguesa fuese corrupción o subdialecto de la castellana; siendo cierto que con cuantas más mu-
taciones se aparta una lengua de la fuente, tanto se aleja más de la pureza de su origen.

Si por el mayor parentesco que tiene un dialecto con su lengua original, o menor desvío
que padeció de ella, se hubiese de regular su
valor entre todos los dialectos de la latina, da-
ríamos la preferencia a la lengua italiana y en

3 *De turri Babel,* lib. III, cap. I.

segundo lugar pondríamos la portuguesa. A algunos les parecerá deber hacerse así, porque
siendo una especie de corrupción aquella declinación que insensiblemente va haciendo la lengua primordial hacia su dialecto, parece se de- 5
be tener por menos corrompido y, por consiguiente, por menos imperfecto, aquel dialecto en
quien fué menor el desvío.

Sin embargo, esta razón tiene más apariencia
que solidez. Lo primero, porque la corrupción 10
de que se habla no es propia, sino metafórica-
mente tal. Lo segundo, porque aunque pueda
llamarse corrupción aquel perezoso tránsito con
que la lengua original va declinando al dialecto,
pero después que éste, logrando su entera for- 15
mación, está fijado, ya no hay corrupción, ni
aun metafórica. Esto se ve en las cosas físicas, donde aunque se llama corrupción, o se
asienta que la hay, en aquel estado vial con que
la materia pasa de una forma a otra; pero cuan- 20
do la nueva forma se considera en estado per-
manente, o *in facto esse,* como se explican los
filósofos de la escuela, nadie dice que hay entonces corrupción, ni el nuevo compuesto se puede
llamar en alguna manera corrompido. Y así, 25
como a veces sucede que, no obstante la corrupción que precedió en la introducción de la nueva forma, el nuevo compuesto es más perfecto que el antecedente, podría también suceder

que, no obstante la corrupción del primer idioma, se engendrase otro más copioso y más elegante que aquel de donde trae su origen.

Por este principio, pues, no se puede hacer
juicio de la calidad de los dialectos. Y excluído
éste, no veo otro por dónde, de los tres dialectos en cuestión, se deba dar preferencia a alguno sobre los otros. Paréceme que la lengua
italiana suena mejor que las demás en la poesía; pero también juzgo que esto no nace de
la excelencia del idioma, sí del mayor genio de
los naturales o mayor cultivo de este arte. Aquella fantasía, propia a animar los rasgos en la
pintura, es, por la simbolización de las dos artes, la más acomodada a exaltar los colores de
la poética: *Ut pictura poesis erit*. Después de
los poemas de Homero y Virgilio no hay cosa
que iguale en el género épico a la *Jerusalén* del
Tasso.

Los franceses notan las poesías italiana y
española de muy hiperbólicas. Dicen que las
dos naciones dan demasiado al entusiasmo, y
por excitar la admiración se alejan de la verosi-
militud. Pero yo digo que quien quiere que los
poetas sean muy cuerdos quiere que no haya
poetas. El furor es la alma de la poesía. El rap-
to de la mente es el vuelo de la pluma: *Impetus*

---

27 Ese ímpetu sagrado que nutre el pecho de los poetas.

ille sacer, qui vatum pectora nutrit, dijo Ovidio.
En los poetas franceses se ve que, por afectar
ser muy regulares en sus pensamientos, dejan
sus composiciones muy lánguidas, cortan a las
musas las alas o con el peso del juicio les aba- 5
ten al suelo las plumas. Fuera de que también
la decadencia de sus rimas es desairada. Pero
la crisis de la poesía se hará de intento en otro
tomo.

Corolario.   10

Habiendo dicho arriba por incidencia que el
idioma lusitano y el gallego son uno mismo, para
confirmación de nuestra proposición y para
ra satisfacer la curiosidad de los que se intere-
saren en la verdad de ella, expondremos aquí 15
brevemente la causa más verisímil de esta identidad.

Es constante en las historias que el año cua-
trocientos y poco más de nuestra Redención fué
España inundada de la violenta irrupción de 20
godos, vándalos, suevos, alanos y selingos, naciones septentrionales; que de éstos, los suevos,
debajo de la conducta de su rey Hermenerico,
se apoderaron de Galicia, donde reinaron glo-
riosamente por más de ciento y setenta años has- 25
ta que los despojó de aquel florentísimo reino
Leovigildo, rey de los godos. Es asimismo cier-

to que no sólo dominaron los suevos la Galicia,
mas también la mayor parte de Portugal.

Manuel de Faria, en el *Epítome de las histo-*
rias portuguesas, con fray Bernardo de Brito y
5 otros autores de su nación, quiere que no sólo
fuesen los suevos dueños de la mayor parte de
Portugal, mas también de cuanto tuvo el nombre de Lusitania, en tanto grado, que, perdida
esta denominación, tomó aquel reino el nombre
10 de Suevia. En fin, tampoco hay duda en que al
tiempo que entraron los suevos en Galicia y
Portugal, se hablaba en los dos reinos, como en
todos los demás de España, la lengua romana,
extinguida del todo o casi del todo la antigua
15 española, por más que, contra las pruebas concluyentes, deducidas de muchos autores antiguos que alegan Aldrete y otros escritores españoles, pretenda lo contrario el maestro fray
Francisco de Vivar, en su *Comentario a Marco*
20 *Máximo,* en el año de Cristo 516.

Hechos estos supuestos, ya se halla a la mano
la causa que buscamos de la identidad del idioma portugués y el gallego; y es que, habiendo

---

3   Parte II, capítulo III. *Epítome de las historias por-*
tuguesas, Madrid, 1628, 2 partes, 4.º

4   1569-1617). *Monarchia Lusytana.* 1597-1609, fol.

19   *Continuatio chronici omnimodae historiae ad unno*
Christi 430 (ubi Flav. L. Dexter desiit) usque ad 612 quo
Maximus pervenit... opera et studio. R. A. P. Fr. Francisci
Bivarii... commentariis illustrata. Matriti, Didacus Díaz de
la Carrera. 1652.

estado las dos naciones separadas de todas las
demás provincias, debajo de la dominación de
unos mismos reyes, en aquel tiempo precisamente en que, corrompiéndose poco a poco la lengua
romana en España, por la mezcla de las nacio- 5
nes septentrionales, fué degenerando en particulares dialectos, consiguientemente, al continuo
y recíproco comercio de portugueses y gallegos
(secuela necesaria de estar las dos naciones debajo de una misma dominación), era preciso que 10
en ambas se formase un mismo dialecto.

Añádese a esto que el reino de Galicia comprehendía en aquellos tiempos buena porción
de Portugal, pues se incluía en él la ciudad de
Braga, como consta del *Cronicón* de Idacio, que 15
florecía a la sazón. Así dice en el año de Cristo 447 : *Theodorico rege cum exercitu ad Braca-
ram, extremam civitatem Galiciae pertendente,*
etcétera.

En fin, en honor de nuestra patria diremos 20
que si el idioma de Galicia y Portugal no se
formó promiscuamente a un tiempo en los dos
reinos, sino que del uno pasó al otro, se debe
discurrir que de Galicia se comunicó a Portugal, no de Portugal a Galicia. La razón es por- 25
que durante la unión de los dos reinos en el
Gobierno suevo, Galicia era la nación domi-

17   El rey Teodorico, dirigiéndose con su ejército a
Braga, ciudad extrema de Galicia.

nante, respecto de tener en ella su asiento y
corte aquellos reyes. Por lo cual, así los escritores españoles como los extranjeros, llaman
a los suevos absolutamente *reyes de Galicia,*
atribuyendo la denominación a la corona por la
provincia dominante, como antes de la unión
con Aragón se llamaban absolutamente *reyes de
Castilla* los que, juntamente con Castilla, re-
gían otras muchas provincias de España. Y lo
mismo diremos de los reyes de Aragón respecto de las demás provincias unidas a aquella corona. Siendo pues, durante aquella unión el
reino de Galicia asiento de la corona, es claro
que no pudo tomar el idioma de Portugal, porque nunca la provincia dominante le toma de
la dominada, sino al contrario.

PROFECIAS SUPUESTAS

No cabiendo el conocimiento de los futuros (como se vió en el discurso antecedente) ni en el arte ni en la Naturaleza, sólo resta que puedan saberse por vía de inspiración. La previ- 5 sión de lo venidero es privativa de la deidad. Todos los futuros están contenidos en el sellado libro de sus decretos, que no pueden abrir las más altas inteligencias. Pero Dios, en todo liberal, también en esta parte lo ha sido; 10 no sólo en el estado de la ley de gracia, tas también en el de la natural y el de la escrita, se dignó de tener algunos íntimos amigos, a quienes fió parte de sus secretos, tal vez con la facultad de propalarlos. 15

Mas como los hombres no quieren a Dios liberal sino pródigo, en todos tiempos se fingieron (digámoslo así) vulgarizado tan singular beneficio. Este es uno de los mayores engaños

---

1   Tomo II, Discurso IV.
3   *Artes divinatorias,* o sea el 3 del tomo II.

que siempre padeció la ignorancia del vulgo. En
todos tiempos y en todas religiones hubo extraña copia de profecías supuestas. Asombra lo que
refiere Suetonio de la multitud de libros proféticos, tenidos por tales entre griegos y romanos.
Luego que, muerto Lepido, fué hecho Sumo
Pontífice Octaviano Augusto, mandó juntar todos los libros fatídicos (esta es la voz de que usa
Suetonio), escritos ya en griego, ya en latín, que
corrían por el vulgo, y habiéndose recogido más
de dos mil, los hizo quemar todos, exceptuando
los libros sibilinos, y aun de éstos fueron también algunos condenados al fuego, como espu-
rios.

En cuanto a los libros de las Sibilas, número,
nombre, patria y tiempo en que florecieron estas mujeres, hay tanta disensión entre los autores que apenas se hallan dos concordes. Cicerón,
Plinio, Plutarco y Diodoro Siculo no hablan sino
de una sibila. Marciano Capella dice que que
hubo dos; Solino, tres; Eliano, cuatro, y Varrón, hasta diez. De la legitimidad de sus vaticinios no hay tampoco mucha certeza. La historia romana cuenta que habiendo llegado a Roma la sibila Cumana, en tiempo de Tarquino el
Soberbio, le presentó nueve libros, pidiendo por
ellos trescientos escudos: burlándose el príncipe
por parecerle excesivo el precio, quemó la sibila los tres, y por los seis restantes pidió la

misma cantidad; despreciando Tarquino de nuevo tan extravagante demanda, quemó otros tres,
insistiendo en que por los tres que quedaban le
diese los trescientos escudos, y amenazando de
darlos al fuego como los demás, en caso de ofre- 5
cerle menor precio. En fin, concibiendo el príncipe en tan extraña resolución algún alto miste-
rio, dió los trescientos escudos por los tres libros, que como cosa sagrada colocó debajo de la
custodia de dos patricios en el Capitolio, y eran 10
consultados por los romanos cuando se veía en
alguna grande aflicción la República; hasta que
abrasándose el Capitolio en tiempo de Sila,
ochenta y tres años antes del nacimiento de Cristo, tuvieron los tres libros la misma desgracia 15
que los otros seis.

Deseosos los romanos de reparar en lo posible
esta pérdida, enviaron sujetos que por la Grecia
y por la Asia recogiesen los versos de las sibilas que pudiesen hallar. Señaladamente fueron 20
deputados para este fin Octacilio Craso y Lu-
cio Valerio Flaco a Atalo, rey de Pergamo, y
juntaron hasta mil versos, atribuídos a las sibilas, que les dieron varios particulares. De estos
versos dicen que extrajeron aquellos fragmentos 25
que, por contener claros vaticinios y muy cir-
cunstanciados de la venida del Hijo de Dios y
de nuestra Redención, apreciaron algunos pa-

dres de la Iglesia para hacer argumento con
ellos contra los gentiles.

Isaac Vosio pretende que los versos sibilinos traídos a Roma por Octacilio Craso fueron
5 compuestos por algún judío, que extrajo aquellos vaticinios de la Sagrada Escritura. Otros
le contradicen porque en la Escritura no se hallan predicciones tan claras y formales de nuestra Redención como las de los versos sibilinos,
10 y así creen que éstos fueron supuestos por algún cristiano en el segundo siglo. Pero es mucho arrojo de la crítica pensar que a la gran sabiduría de los padres más vecinos a aquel tiempo se escondiese este engaño. Bien podrían con-
15 ciliarse estas dos opiniones diciendo que, de hecho, los versos traídos a Roma contenían el vaticinio de nuestra Redención y de la venida del
Mesías con aquella generalidad que se halla en
los poetas sagrados, y después algún cristiano
20 los alteró, dándoles más clara expresión. No es
prudencia tomar partido en materia tan oscura.
Lo que podemos decir es que las contradicciones
de los autores sobre el número, tiempo y otras
circunstancias de las sibilas, no dejan duda de
25 que en su historia se han mezclado muchas fábulas, especialmente cuando de la sibila Delfica,
que algunos llaman Artemis, se dice que fué muy

3   Isaac Voss, filólogo alemán (1618-1689). *De Sibylinis
alisque oraculis,* 1679, 8.°

anterior a la guerra de Troya. ¿De dónde se
sacó esta noticia? En los libros sagrados no
la hay, y de los historiadores profanos ninguno
se avanza a tanta antigüedad, exceptuando los
fabulosos; que por eso los críticos a todo el 5
tiempo anterior a la guerra de Troya llaman
el país de las fábulas.

Advierto que San Ambrosio no hizo de las
sibilas el mismo concepto que San Agustín,
San Jerónimo y otros algunos padres que ha- 10
blaron de ellas, pues les niega toda celeste inspiración y sólo les concede espíritu fanático,
mundano y engañoso.

§ 2.

Igual o mayor duda hay en orden a los 15
oráculos del gentilismo. Algunos autores se
arrojaron a decir que nunca hablaba el demonio en los ídolos, sí sólo los mismos sacerdotes idólatras, los cuales con varias estratagemas persuadían al pueblo que lo que respon- 20
dían ellos era voz de las estatuas; citan por esta sentencia a San Clemente Alejandrino y a
Eusebio. La misma siguieron algunos filósofos que cita Cicerón en el libro 2 *de Divinatio-*

---

13 *In epist. I, ad Corinth.,* cap. II.

ne. Aristóteles, en el libro 3 de *Retórica,* cap. 5, manifiestamente parece que está por el mismo sentir. Pero así como esta opinión, hablando con tanta generalidad, me parece propasarse
5 mucho, es lo más verisímil que por la mayor parte sucedía así. En el Museo Kircheriano se lee que los sacerdotes egipcios y griegos, con un género de tubos o trompetas parlantes, al modo de aquella que reinventó en el siglo pa-
10 sado el ingenioso padre Kircher, escondidos tras el ídolo en parte algo distante, encaminaban con arte la voz, de suerte que al pueblo le pareciese salir de la boca del simulacro; ayudando mucho al engaño el horrendo sonido,
15 que crece a la voz dirigida por el tubo, pues quien ignora el artificio no concibe que pueda ser voz humana.

Pero aunque el uso del tubo era más acomodado y útil para este efecto, sin él podían eje-
20 cutar el mismo engaño, articulando, escondidos detrás de los ídolos, las respuestas por algún conducto que tuviese salida en la boca de la estatua. De esto hallamos un ejemplo en los idólatras modernos que refiere Juan Bautista
25 Tabernier en el libro I de sus *Viajes de las Indias,* cap. 18. En el reino de Golconda hay un

6 *Romani collegii Societatis Iesu Musaeum ex legato. Alph. Donini liberalitate relictum, Athanasii Kircherii novis et raris inventis locupletatum,* Amstelodami, 1678.
25 Vid., pág. 258, nota 8.

ídolo famoso por las respuestas que da a los
que van a consultarle. El citado Tabernier,
sospechando en ello algún engaño, especialmente porque supo que no siempre el ídolo respon-
día, y algunas veces dilataba muchos días la
respuesta, tuvo arte para introducirse en el templo a tiempo que estaba solitario, y registran-
do el ídolo vió que había un agujero, por donde un hombre podía entrar a colocarse detrás
de la estatua; el juicio que hizo por esta circunstancia se fortificó por la extrema irrita-
ción que advirtió en un sacerdote que le sorprendió al salir del templo, a quien sin embargo aplacó por medio de dos monedas de oro.

En el oráculo de Delfos, que fué el más famoso de la antigüedad, es muy verisímil que
se usaba el mismo ídolo, en consideración del
sitio donde se daban las respuestas. El trípode
o mesa de tres pies donde se sentaba la profetisa estaba colocado sobre un agujero o abertura de la tierra, por donde, cuando había de
responder, humeaban densas exhalaciones, que
conturbándola el celebro, la ponían al parecer furiosa y obligaban a violentas contorsio-
nes, las cuales, cesando después el humo, también cesaban, y entonces, como intérprete de la
deidad, satisfacía las consultas. La astucia que
se lee en Daniel de los sacerdotes de Bel que
tenían ocultas entradas al templo (al parecer

por conductos subterráneos, aunque la Escritura no lo dice con expresión) para comer los manjares que se presentaban al ídolo, persuadiendo al pueblo que el ídolo los comía, hace
5 pensar a algunos autores que en Delfos se practicaba semejante engaño y que la abertura de tierra se comunicaba a alguna caverna, adonde los sacerdotes se encaminaban por oculta senda subterránea, para desde ella dar sahu-
10 merios a la profetisa, y aun dictarle las respuestas. El trípode estaba todo rodeado de laureles, con cuyo beneficio y el del humo que salía de la caverna se robaba a la vista de los circunstantes la profetisa, cuya afectada ocul-
15 tación, cuanto facilitaba el engaño, tanto le hacía más creíble.

Al principio sólo ejercían aquel ministerio tiernas doncellas consagradas a Diana, hasta que un tal Equecrates, natural de Tesalia, que
20 fué a visitar el templo de Delfos por devoción a Apolo y después repitió muchas visitas por devoción a la profetisa, logró enamorarla y robarla. Desde entonces se estableció que no se sentase en el trípode mujer alguna de menos
25 edad que cincuenta años; en que acaso no sólo se atendió a evitar en adelante otro sacrílego robo, mas también a no exponer en la facilidad de una doncella la revelación del secreto engaño del oráculo.

Opondráseme a esto el silencio del oráculo de
Delfos desde el tiempo del nacimiento de nuestro Redentor, que afirman Suidas, Cedreno
y Nicéforo, refiriendo que Augusto, admirado
ya de ver a Apolo mudo, instándole para que 5
le revelase la causa del silencio, recibió por
respuesta que un niño hebreo, Dios de los Dioses, le obligaba a dejar aquel sitio y volver al
infierno, y que esta respuesta fué articulada
en los tres versos siguientes: 10

> Me puer Hebraeus, divos Deus ipse gobernans
> Cedere sede iubet, tristemque redire sub orcum.
> Aris ergo hinc tacitis abscedito nostris.

Esto prueba que las respuestas del oráculo
eran pronunciadas por el demonio, pues a ser 15
engaño de los sacerdotes, hubieran continuado
en él, aun después de la venida del Redentor.

Pero esta historia, bien lejos de justificar-
se por verdadera, sin temeridad se puede condenar por fabulosa. Lo primero, porque del 20
viaje y consulta de Augusto a Apolo Délfico
hay alto silencio en todos los escritores romanos; lo segundo y principal, porque Cicerón,
que murió cuarenta y un años antes del nacimiento de Cristo, testifica que ya en su tiem- 25

---

9 Un niño hebreo que como Dios gobierna a los dioses,
me obliga a dejar este sitio y a volver al Orco funesto,
Apartaos, pues, en silencio, de nuestros altares.

23 Lib. 2 de Divinitione.

pc y mucho antes estaba mudo aquel oráculo. Estas son las palabras: *Cur isto modo iam oracula Delphis non eduntur, non modo no-stra aetate, sed iam diu, ut nihil possit esse con-temptius?* Es verdad que en Suetonio hallo que de orden de Nerón (mucho tiempo después) fué consultado el oráculo de Delfos sobre los años que había de vivir, y tuvo por respuesta, que se guardase de los setenta y tres años; lo que se verificó, no como él lo entendía y como literalmente sonaba, pues Nerón no vivió más que treinta y dos años, sino en que Galba, que con su conspiración quitó a Nerón la vida y el Imperio, tenía setenta y tres años. Pero esta historia, si es verdadera, no menos prueba con-tra el silencio del oráculo délfico en el Naci-miento de Cristo, a quien la consulta de Nerón fué muy posterior, que contra el dicho de Ci-cerón. Puede ser que Suetonio tomase aquella noticia de algún rumor del vulgo, que es quien dicta a los historiadores parte de lo que escri-ben de los príncipes.

Para que las predicciones de los oráculos se verificasen en la forma que las interpretaban después de ver el éxito, no era menester que las dictase la perspicacia diabólica; bastaba la

2 Y si vemos que no se pronuncian en nuestros días, ni desde hace mucho tiempo, ¿hay algo que sea más des-preciable?

sagacidad humana. O eran las respuestas ambiguas y oscuras, de modo que pudiesen aplicarse a diferentes y aun a opuestos sucesos o si se daban con más determinación, no correspondiendo después el suceso, se le buscaba a la profecía alguna explicación metafórica. Verdaderamente para tales vaticinios no eran menester más demonios que sacerdotes embusteros.

En tiempo de Luciano, un tal Alejandro Abociotiquita, hombre de prodigiosa astucia, fundó en Paflagonia un oráculo de Esculapio. Sirvióse para este efecto de una serpiente mansa de Macedonia, a quien había criado (haylas en aquella región de casta que no muerden) y en quien por medio de raros estratagemas hizo creer que residía aquella deidad. Recibía en cédulas selladas las consultas que le querían hacer, y a otro día volvía en ellas, selladas en la forma que se las habían entregado, debajo de la pregunta la respuesta, porque tenía secreto para abrirlas sin romper el papel ni el sello. Atribuyéndose esto a milagro indubitado a la deidad, voló el oráculo de la fama a todas partes, de modo que aun de Roma iban a consultarle. Las respuestas siempre tenían alguna ambigüedad artificiosa, la cual Alejandro, con maravillosa prontitud de ingenio, aplicaba después a cualquier suceso. Baste este ejem-

plar. Rutiliano, hombre principal de Roma, le preguntó qué ayos señalaría a un tierno hijo suyo. Recibió por respuesta que a Pitágoras y a Homero. El sentido natural de esto era que
5 el niño se aplicase a la doctrina de aquel filósofo y a la lectura de este poeta. Murió el infante antes de poder hacer uno ni otro, y, reconvenido Alejandro por el afligido padre, satisfizo diciendo que Esculapio, señalando a dos
10 muertos por ayos de su hijo, bien claramente había expresado su acelerada muerte como que luego iría a gozar sus documentos al otro mundo.

Si cuando el mundo estaba ya más advertido, un impostor solo pudo engañar a todo el
15 mundo, ¿cuánto más posible fué que sucediese esto en la rudeza de los siglos anteriores y que fuese conspiración de sacerdotes embusteros la que se juzgaba respiración de las Deidades? Ni aun en aquellos tiempos parece que los hom-
20 bres de más luz prestaban mucha reverencia a los oráculos. Eurípides afirmaba que el mejor oráculo de todos era aquel que entre infinitas mentiras decía alguna verdad. Demóstenes decía que la profetisa de Delfos filipisaba: que-
25 ría decir que, sobornada por Filipo, rey de Macedonia, daba las respuestas que importaban a la política ambiciosa de aquel príncipe. Cicerón largamente hizo irrisión de todos los oráculos del gentilismo y dice que enmudecie-

ron los oráculos desde que los hombres deja-
ron de ser simples.

No sólo los sabios mas también algunos príncipes parece que consultaban los oráculos, más
por política que por religión. El ver que siem- ₅
pre, o casi siempre, recibían respuestas favora-
bles, hace creer que las dictaba la adulación, el
miedo o la codicia de los ministros del templo. Había Agesilao consultado sobre un negocio grave a Júpiter Olímpico y recibido fa- ₁₀
vorable respuesta. Instáronle los suyos a que
consultase también a Apolo Délfico y él hizo
la consulta de un modo graciosísimo: pregun-
tóle a Apolo si era del mismo parecer que su
padre Júpiter. ¿Qué otra cosa era esta que ha- ₁₅
cer burla de una y otra deidad, de uno y otro
oráculo?

Alejandro, negándosele la profetisa délfica
a consultar la Deidad, con el motivo de ser
aquellos días nefastos o infelices, con violen- ₂₀
cia la hizo ir al trípode. Cierto es que si ve-
nerara el oráculo, ni maltratara a su animado
órgano, ni despreciara la observancia del ri-
to. El gracioso cumplimiento que en otra ocasión dió a la condición que el oráculo le puso ₂₅
para ser vencedor, muestra también que su fe
era de puro cumplimiento. Habíale sido respondido que sería feliz en la empresa que medita-
ba como quitase la vida al primero que encon-

trase al salir de la ciudad. Sucedió que el primero que ocurrió fué un pobre paisano que conducía un jumento a la ciudad cargado de no sé qué. Mandó Alejandro que le matasen, notificándole el orden del oráculo, a que replicó el rústico, o con sencillez o con agudeza, que si el oráculo había mandado a Alejandro matar al primero que encontrase, no era él quien debía morir. "¿Pues quien? —dijo Alejandro." "Señor —respondió el paisano— el jumento que traigo delante de mí, pues ese es el primero que habéis encontrado. Cayóle en gracia a Alejandro el argumento y hizo matar a la pobre bestia. En lo cual, sin duda, no miró a cumplir con el oráculo, sino a persuadir a su gente que cumplía, para asegurarlos en la confianza de la victoria.

No por esto pretendo que algunas veces no hablase el demonio en sus templos y estatuas; esto fuera oponerme a muchos padres, que lo afirman. Fuera de que en varias partes de la Escritura se habla de hombres y mujeres que tenían espíritu Piton, que es lo mismo que espíritu diabólico divinatorio; y si el demonio podía inspirar a particulares individuos, podría también, permitiéndoselo Dios, ejercer el mismo influjo en los ministros de sus templos. Lo que juzgo es que una u otra vez sucedía así; lo más frecuente era ser artificio de los mismos

ministros, para asegurarse la veneración de los
pueblos.

§ 3.

Fuera de la falsedad de los oráculos, abunda-
ron bastantemente los gentiles en fábulas de ₅
aquellos que, por inspiración, se decían profetas. Los más célebres fueron: entre los griegos,
Orfeo y Melampodes; entre los romanos, Mar-
cio; entre los egipcios, el Trismegisto; entre
los persas, Zoroastro; entre los hiperbóreos, ₁₀
Abaris; entre los getas, Zamolxis. Celio Ro-
diginio, halló en antiguos escritores que a los
argonautas acompañaron en su expedición tres
profetas, Mopso, Idmon y Amfiarao. El primero de éstos quedó con tanta opinión de cier- ₁₅
to en sus predicciones, que era modo vulgar de
ponderar la veracidad de alguno el decir que
era más cierto que Mopso. Andaban tan baratos los profetas entre los gentiles, que entre
los hijos de Príamo se contaban dos, Heleno ₂₀
y la infeliz Casandra, que recibió el don de profecía, con la pensión de no ser creída jamás;
y Pausanias refiere de la familia de los Cliti-
des en Grecia, en la cual era hereditario el don
de profecía. ¿Qué diremos a esto sino que en- ₂₅

12 Ludovicus Coelius Rhodigimus: *Lectionum antiqua-*
rum libri sexdecim, Venecia, 1516, fol.

tre los gentiles había muchos embusteros, y
aun familias en quienes el embuste era hereditario?

No es absolutamente imposible que Dios co-
munique el don de profecía a un infiel. San
Agustín, San Cirilo Alejandrino y Teodoreto
afirman que Balaan, hombre pagano y maldito,
fué inspirado en sus predicciones por Dios, aunque otros sienten que por el demonio.

Plutarco, que es tenido por autor verídico,
cuenta que un hombre llamado Euarco, habiéndole referido al mismo Plutarco, a la sazón enfermo, que había sido muerto (el mismo Euarco) y resucitado poco después, en testimonio
de verdad le predijo a Plutarco que muy en breve mejoraría, lo cual sucedió. Pero del mismo
contexto de la narración se colige que el tal
Euarco era un solemne mentiroso, pues dijo
que los espíritus que habían arrancado su alma de su cuerpo lo habían hecho por yerro,
equivocando su alma con la de un pellejero llamado Nicanda, que al mismo tiempo estaba enfermo; que sobre esto los había increpado fuertemente el príncipe de aquellos espíritus, y or-
denado que volviesen el alma al helado cadáver.
A la verdad Plutarco en varias partes de sus escritos muestra ser bastantemente crédulo, y la
predicción de su mejoría, pudiendo ser natural, no debía hacerle mucha fuerza.

A León Isáurico, siendo hijo de unos padres
labradores y tan pobre como ellos, dos judíos naturales de Fenicia le predijeron que había de ser emperador de Oriente, tomándole desde entonces la palabra de que en subiendo al ⁵
solio había de derribar todas las sagradas imágenes que adoraban los católicos; lo cual, cum-
plida la profecía, impíamente ejecutó, reconvenido de ellos con la palabra dada. Pero que aquí
no intervino inspiración divina es claro por ¹⁰
el inicuo intento a que miraba la predicción.
Además de que estos mismos judíos, poco antes, debajo de la misma condición de derribar
las imágenes que había en los templos de los
cristianos, habían ofrecido, como de parte de ¹⁵
Dios, a Jezid, califa de los sarracenos, cuarenta
años de próspero reinado, el cual, sin embargo,
fué tan breve que aunque al punto formó Jezid
el edicto para la abolición de las imágenes, murió antes que se publicase. De donde se infiere ²⁰
que estos dos hombres eran embusteros; que a
Dios y a la ventura, o al diablo y a desdicha andaban pronosticando, y, por accidente, algo salía
cierto.

La más singular historia que en esta mate- ²⁵
ria hallo es la que trae Josefo de la predicción de
la ruina de Jerusalén por un rústico hebreo llamado Jesús, hijo de Ananio. Este hombre, siete años antes de la desolación de aquella capi-

tal y cuatro años antes de empezar la guerra de
Judea, cuando los jerosolimitanos se juzgaban
más felices y más ajenos de todo susto bé-
lico, empezó un día festivo de gran concurso a pronunciar en alto grito estas voces
en el Templo: *Voz del Oriente y voz del Occidente, voz de los cuatro vientos, voz contra Jerusalén y contra el templo, voz contra los nuevos maridos y recien casadas, voz contra todo
este pueblo.* Desde entonces continuamente, dando vueltas por la ciudad todos los días y noches,
repetía el mismo lamentable presagio con asom-
bro de todo el mundo. Quisieron atajarle, pero
sin fruto, porque aunque más de una vez le ator-
mentaron con cruelísimos azotes, hasta desnu-
darle los huesos, ni arrojó un gemido, ni soltó
una lágrima, ni se le oyó una queja. Fija siempre la imaginación en el destrozo público, con
olvido del dolor privado, entre los tormentos repetía aquellos funestos clamores: *Voz del Oriente, voz del Occidente,* etc. Interponía también
muchas veces esta exclamación: *¡Ay de ti, Jerusalén!* Reputado ya de todos por fatuo, pro-
siguió siempre de este modo. Movieron los romanos la guerra. Llegó el caso de poner sitio a
la capital. Entonces, dando vueltas por el mu-
ro gritaba diciendo: *¡Ay de la ciudad! ¡Ay del
templo! ¡Ay del pueblo!* Hasta que al fin se le
oyó añadir a aquellos tres ayes otro ay, que fué

el último, de este modo: *¡Ay de la ciudad! ¡Ay
del templo! ¡Ay del pueblo! ¡Y ay de mí ahora!*
¡Cosa admirable! No bien acabó de decirlo,
cuando una gran piedra, disparada de una máquina bélica, dándole en la cabeza, lo derribó 5
muerto.

Condenar esta historia por fabulosa sólo cabe en una injusta crítica; porque además de que
Josefo, en lo que él pudo averiguar por sí mismo, está reputado por autor exacto, había den- 10
tro de Roma, cuando él escribió la Historia de
la guera judaica, infinitos judíos que habían
sido hechos esclavos en la toma de Jerusalén, a
vista de los cuales no refiriría un suceso de cuya
falsedad le podían redargüir con evidencia. Así 15
tengo para mí por cierto que quiso la piedad divina en la voz de aquel hombre hacer la última
llamada a aquella casta rebelde.

Pero no pudiendo o no debiendo los sucesos
peregrinos ser regla prudencial de los juicios 20
humanos, el concepto que comunmente se debe
hacer en cuanto hallamos escrito de predicciones de hombres infieles es intervenir, o mentira
en las Historias, o engaño o fanatismo en los
sujetos.   25

De esta última clase se deben juzgar cuantos
entre los herejes ostentaron tener espíritu de
profecía, como Montano y sus dos profetisas
Priscila y Maximila, cuya astucia fué tanta que

por algún tiempo a los católicos mismos persua-
dieron ser verdaderos profetas. Al principio y
medio del siglo pasado ostentaron los protestantes tres profetas suyos: Cristóbal Koter, hijo
5 de un zurrador de la baja Silesia; Nicolás Dravicio, natural de Moravia, y Cristina Poniatovia,
hija de un polaco apóstata de la religión verdadera, y, juntamente, del hábito religioso. Las
profecías de estos tres juntó en un libro otro
10 visionario protestante, Juan Comenio, con el
título de *Lux in tenebris,* y todas miran a un
fin, que es asegurar la próxima ruina de la Iglesia católica, por lo cual, con fundamento se sospecha que algunos protestantes, para animar a
15 los de su partido, compusieron esta concertada
concurrencia de los tres profetas en distintas
regiones. Algunos de los mismos protestantes
tuvieron por efecto del fanatismo estas profecías, y entre ellos el ministro Juan Fenel las re-
20 futó en un escrito que intituló *Ignis fatuus.* El
profeta Nicolás Dravicio es natural que dijese
muchas verdades, porque se sabe que era un
buen bebedor.

En Alemania y Holanda hay muchos secta-
25 rios que se precian de inspirados. Pero en donde
reina con exceso este fanatismo es en Inglaterra,
en aquella secta que llaman de los Quakers o

---

10 Juan Amos Komensky (Comenius), 1592-1671.

Tembladores, que tuvieron principio de un cor-
donero llamado Jorge de Fox, en tiempo de Carlos primero. Los sectarios de esta escuela, todos
o casi todos, se tienen por profetas, y se les dió el
nombre de Tembladores, porque cuando oran 5
o profetizan afectan un género de trémulo movimiento. Lo más ridículo que en esta materia
se ha visto, fué lo de los Hugonotes, habitado-
res de las Cevenes, que tanto inquietaron la
Francia en estos años pasados. Estos tenían es- 10
cuela de profecía, como se puede tener de cualquiera arte liberal o mecánica, la cual en suma
se reducía a tomar de memoria varios textos de
la Escritura, y el uso profético que se hacía de
ellos era arrojarlos en ademán de furiosos, mez- 15
clados con mil demencias. El ministro Jurieu,
gran fomentador de estos sediciosos, desde Holanda ayudaba a inspirarlos, con disparatadas
interpretaciones del Apocalipsi, donde a su parecer hallaba clara la ruina total del gobierno 20
pontificio, al principio para el fin del siglo pasado, y después para los primeros años del presente: *Coeci sunt, et duces caecorum.*

2   1624-1690. De él conservamos su biografía bajo el
título de *Fox's Journal*. (1691. fol. 2 tomos en 8.°.) Cf. Mil-
sand en *Revue des Deux Mondes*, 1.° de abril de 1850.
19   Son ciegos y guías de ciegos.

§ 4.

Hemos vagueado hasta ahora por la Noruega de la infidelidad, donde, siendo la verdad peregrina, sólo por accidente rarísimo podríamos hallar una u otra predicción verdadera. Ya salimos al país de la luz, a la región del Catolicismo, donde, si bien hay muchas sombras, son de aquellas que en la presencia del Sol produce la opacidad de los cuerpos (la rudeza, quiero decir, de los vulgares) de aquellas que al caminante para la patria no hacen errar el camino, aunque le oscurezcan algo la senda. Es preciso que dondequiera que haya hombres, haya embusteros que finjan, y haya necios que crean.

En mis días han corrido muchas profecías verdaderas, pero no llegaron a mis oídos sino después de vistos los sucesos. Después que se dió la batalla, o se rompió la guerra, o murió el príncipe, o padeció algún castigo del Cielo la República, sale la especie de que esto lo había profetizado, o un misionero, o una beata, o alguna santa religiosa. Siempre he deseado oír quien resuelta y decididamente me diga: *Tal cosa ha de suce-*

---

2 Véase E. Buceta, *Más sobre Noruega, símbolo de la oscuridad,* en *Revista de Filología Española,* VII (1920), páginas 378-381, en donde reproduce y comenta eruditamente este pasaje.

der, y ver después correspondiente la ejecución; pero sólo he logrado oír quien me diga: *Esto ya lo había pronosticado Fulano, antes que sucedie-se.* Refiere Gregoras que la noche antes que muriese Juliano el Apóstata, un vecino de Antioquía que estaba durmiendo al sereno, vió un concurso de estrellas divididas en varias letras, que formaban esta cláusula: *Hodie Julianus in Perside occidetur. Hoy matan a Juliano en la Persia.* Persuádome a que el antioqueno lo contó después de sabida la muerte de Juliano, alterada la noticia por las manos del vulgo, como que lo había dicho antes, pues no es creíble que sólo leyese un hombre lo que estaba patente a los ojos de todo el mundo.

En los pronósticos políticos es donde reina más esta droga. No sucede cosa alguna, que luego no nos martiricen los oídos este y el otro, con aquellas voces: *Esto bien lo había dicho yo. No me quisieron creer: allá se lo hayan. Testigo es Fulano,* y se cita alguno que está ausente. ¡Oh profetas de lo pasado! ¿De qué serviréis en la República?

Muchas veces unas amenazas vagas, o concebidas en términos generales, se determinan a cualquiera siniestro acontecimiento, que después ocurra, como si hubiesen sido individual y es-

4 Nicéforo Gregoras (c. 1295-1360). *Historia romana.* Ginebra, 1615, fol. Ed. Boivin, 1702.

pecífico pronóstico. Exclama en el púlpito un misionero: *¡Ah, cómo en vista de los vicios que reinan en esta tierra me temo que venga sobre ella un castigo del cielo!* ¿Pues qué si añade? *El*
5 *tiempo lo dirá y entonces os acordaréis de mí.*
Si después un granizo tala las mieses, si una inundación ahoga los campos, si el enemigo hace algún daño en los confines, si una epidemia llena el pueblo de enfermedades, esto fué lo que
10 había dicho el misionero; y no faltan quienes digan que específica y determinadamente había pronosticado tal género de calamidad. Los temores del predicador fueron justos y más justo fuera que estuviesen penetrados del mismo
15 susto los corazones de los oyentes, porque siempre se debe contemplar la ira divina con el rayo en la mano sobre los pecadores, pero no es lo mismo amenazar o temer, que profetizar.

No es muy irregular fingirse profecías deter-
20 minadas que después desmienten los sucesos; como que en tal parte apareció y se desapareció un peregrino que dijo que tal año y aun tal día se había de arruinar el mundo. Si se juntasen todas las mentiras que sobre este particular ha
25 habido, no se hallaría en los doce siglos pasados año alguno que en esta o en aquella tierra no corriese como fatal y decretorio para todo el género humano. No ha mucho tiempo que en toda España se vulgarizó la noticia de que ya Elías

y Enoche andaban predicando en no sé qué provincias. En esta ciudad de Oviedo, inmediatamente a aquella borrasca del día trece de diciembre del año de 23, que no se olvidará jamás en este país por el estrago que hizo un rayo en la hermosa torre de esta Catedral, se esparció la voz de que un misionero, vecino y conocido de todos, había profetizado para el día veinte otra tempestad mucho más horrenda y cual nunca habían visto los mortales; lo cual fué tan creído, que estaba dominada de un terror pánico toda la plebe. El misionero, que es ejemplar y discreto, no había dicho tal cosa, y el día señalado fué de los más apacibles y serenos que he visto.

Si se me dijere que estas amenazas producen en los pueblos el saludable efecto de la reformación de costumbres, respondo: lo primero, que la mentira nunca es lícita, aunque ocasionalmente pudiese ser saludable. Lo segundo, que aunque he visto alguno de esos terrores, no he experimentado, en virtud de ellos, las costumbres mejoradas. Es el demonio padre de la mentira; con que si en algún caso la mentira produjese

8 Cf. *Relación de el estrago que hizo un rayo en la famosa torre de la Iglesia de Oviedo en el mes de Diciembre del año 1723: escripta por el maestro Feijóo a petición de los señores Capitulares de la misma Iglesia.* Bibl. Nac. Mss. 19318, fol. 136 v.-142 v. Con motivo de este suceso y dirigido a un peregrino flamenco procedente de Santiago escribió un romance el padre Sarmiento. Véase el tomo I de su *Colección manuscrita,* 1.ª parte, folios 77-97.

la enmienda de vida, tendría entonces la virtud
por abuelo al demonio, lo que, aun dicho en
cualquiera sentido metafórico, disuena. El medio que Dios destinó, y aun la misma razón na-
5 tural dicta, para que la voluntad produzca actos
de virtudes, fecundar el entendimiento de só-
lidas verdades.

§ 5.

Fuera de estas profecías errantes que, como
10 fábulas efímeras mueren luego que nacen, hay
otras que por haber comprehendido los sucesos
de una larga serie de años, se han divulgado y
se conservan escritas, para que las interpreten
los ociosos y las crean los necios. Tales son las
15 de un zapatero llamado Bandarra en Portugal,
de las cuales no tengo particular noticia, sí sólo
de que son oscuras y enigmáticas, como todas
las demás de este género, y que el vulgo de Portugal hace de ellas grande aprecio. Tales las
20 centurias proféticas de Miguel Nostradamo,
médico y astrólogo francés, que discurren desde el año 1557 por todos los siglos venideros,
hasta el de 3797, en el cual señala el fin del

20   M. Notredame (Nostradamus). La primera edición de
sus *Centuries* vió la luz en Lyon en 1555 y comprendía
siete centurias. En 1558 publicó nueva edición, añadiendo
tres más.

Mundo. Son confusas y ambiguas sus predicciones, creo que aún más que las de Bandarra. Tiene en Francia, fuera de los vulgares, algunos aficionados que aplican sus predicciones a los sucesos que ocurren, en la forma misma y con 5 la misma propriedad que en otras partes se hacía con los pronósticos del Sarrabal.

Para que se vea cuánta libertad se toman estos antojadizos intérpretes en sacar de sus quicios las expresiones de Nostradamo, para aco- 10 modarlas a lo que ellos quieren que signifiquen, notaré aquí que el año de diez y seis pareció en París un libro, compuesto por un eclesiástico con el título de *Clave de Nostradamo,* en que su autor pretende que la epístola dedicatoria de 15 Nostradamo al rey Enrique Segundo, no se dirige en realidad a este rey, en cuyo tiempo vivió aquel falso profeta, sino debajo del nombre del príncipe reinante, al gran Luis Décimocuarto, que vino mucho después al mundo. También 20 dice que una carta de Miguel Nostradamo a su hijo César Nostradamo, debajo de este aparente velo, habla misteriosamente, no con su hijo,

---

7   Conocemos el *Almanak universal sobre el año de 1713 del gran Piscator de Sarrabal de Milán. Resumidas las lunaciones al meridiano y altura del polo de Madrid,* Madrid, Antonio Bizarrón [1713].

21   *La Clef de Nostradamus, isagoge on introduction au veritable seus des prophéties de ce fameux auteur... Ouvrage très curieux...* par *un Solitaire.* Paris, chez Pierre Giffart, 1710, 8.º

sino con el que había de ser verdadero intérprete de sus profecías. Ciertamente, como haya tales intérpretes, cualquiera puede meterse a Profeta, sin riesgo de ser cogido en mentira. Pero
5 a los franceses de espíritu no los ofusca la pasión del paisanaje, de modo que no vean la extravagancia y ridiculez de estas ilusiones. Uno de ellos explicó su sentir muy bien en este dístico, hablando en nombre del mismo Nostradamo:

10 Nostra-damus, cum falsa damus, nam fallere nostrum est.
Et cum falsa damus, nihil nisi Nostra-damus.

§ 6.

El mismo concepto que de las pasadas, se debe hacer de aquellas profecías de Reyes y de Papas que comúnmente se atribuyen a San Malaquías. Fué este Santo dotado de espíritu profético, como consta de su vida escrita por San Bernardo. Pero tan cierto es que las poesías que corren con su nombre no son suyas, como que
20 no es de Salomón el libro intitulado *Clavícula Salomonis.*

San Malaquías, abad del monasterio de Benchor y arzobispo de Armach, en Irlanda, de donde era natural, murió el año de 1148. Estas profecías no parecieron hasta el año de 1595, en que las dió a luz Arnaldo Wion, monje casi-

nense (hablo de las de los Papas, que las
de los Reyes aún tienen más reciente la data), en
el segundo tomo de la obra que intituló *Lignum
vitae* y dedicó a Felipe Segundo. No sólo San
Bernardo, que escribió a la larga la vida de San 5
Malaquías dando cuenta de algunas predicio-
nes suyas, no habló palabra de las profecías en
cuestión, pero ni otro autor alguno de cuantos
florecieron en más de cuatro siglos que pasaron,
desde que murió Malaquías hasta que escribió 10
Arnoldo Wion.

Wion dice que recibió estas poesías de manos
de fray Alfonso Chacón, religioso dominicano
y escritor conocido. Pero como Chacón no dió
noticia de ellas ni en la excelente historia que 15
compuso de las vidas de las Papas, ni en otras
obras que sacó a luz, sin duda las juzgó después por apócrifas.

Pero el argumento tomado del silencio universal de todos los autores que precedieron a 20
Arnoldo Wion, como puramente negativo, sería
insuficiente para probar la suposición de las profecías en cuestión, si no se añadiera otra prueba

---

8 *Lignum vitae et decus Eclesiae, in quinque libros di-
visum.* Venetiis. Apud Georgium Angelerium. 1595. 2 págs.
en 1 vol. 4.º

15 *Vitae gestaque omnia Pontificum romanorum a D. Pedro usque ad Clementem* VIII *cardinalum—que, cum eo-
rum insignibus,* Romae, 1601-02, 2 vols., fol. (Reimpresa
varias veces.)

positiva concluyente, y es, que estas profecías
son muy claras en orden a aquellos Papas que
precedieron al tiempo de su publicación y oscu-
rísimas respecto de todos los que se subsiguie-
⁵ ron. Explicaréme. Empiezan las profecías desde
Celestino Segundo, que reinaba cuando murió
San Malaquías, y prosiguen por todos los Papas
que hubo después y que habrá hasta el fin del
mundo. La designación de cada Papa consiste en
¹⁰ un breve mote, en que se explica ya el nombre,
ya la patria, ya otra alguna circunstancia particular a la persona. Estos motes se aplican con
gran propriedad a todos los Papas que hubo por
espacio de 447 años, contando desde Celestino
¹⁵ Segundo hasta Gregorio Décimocuarto inclusi-
ve; pero es menester interpretar los que se siguen con suma violencia para acomodarlos a
los Papas que hubo desde Gregorio XIV hasta
Benedicto XIII, que al presente reina. Grego-
²⁰ rio fué electo Papa cinco años antes que Arnoldo Wion diese a luz sus dos tomos del *Lignum vitae,* de que se sigue que entonces se fa-
bricaron estas profecías; y como el impostor
que las fraguó sabía quiénes habían sido los
²⁵ Papas antecedentes e ignoraba los venideros,
para aquéllos dispuso los motes, de modo que
viniesen con propiedad, pero para éstos fué
preciso echarlos al azar, o, como dicen, a Dios
y a dicha. Pondré aquí para demonstración diez

motes pertenecientes a los primeros, así como
se fueron siguiendo desde Paulo III hasta Gregorio XIV, con su explicación, y después los
que se siguieron y seguirán hasta el fin del mundo, dividiéndolos en tres clases.   5

PRIMERA CLASE

Hyacinthus Medico. El jacinto al médico.
Paulo III, de la casa de los Farnesios, cuyas
armas son seis flores de lis o jacintos. Fué Cardenal del título de San Cosme y San Damián,   10
médicos.

De corona Montana. De la corona del Monte. Julio III se llamaba antes Juan María del
Monte. Tenía por armas una montaña y unas
coronas de laurel.   15

Frumentum floccidum. Trigo de poca duración. Marcelo II tenía espigas de trigo en sus
armas y no duró su pontificado más que veinte
y un días.

De fide Petri. De la fe de Pedro. Paulo IV   20
llamábase Pedro antes de subir al solio. A esta
explicación creo que falta otra alguna circunstancia.

Aesculapi pharmacum. El medicamento de
Esculapio. Pío IV era de la casa de médicis y   25
había estudiado medicina en Bolonia.

Angelus nemorosus. Angel del bosque. Pío V
llamábase antes *Miguel,* que es nombre de Angel y era natural de un lugar llamado *el Bosque.*

Medium corpus pilularum. La mitad del cuer-
5 po de píldoras o pelotillas. Gregorio XIII tenía
la mitad de un dragón en sus armas y fué cria-
tura de Pío IV, que tenía seis pelotas en las suyas.

Axis in medietate signi. El eje en medio del
10 signo. Sixto V tenía por armas un león, que es
uno de los doce signos del Zodiaco, puesto debajo de un eje.

De rore caeli. Del rocío del cielo. Urbano VII fué obispo de Rosana en la Calabria,
15 donde se coge el maná o rocío del cielo.

De antiquitate urbis. De la antigüedad de la
ciudad. Gregorio XIV, natural de Orbieto, que
en latín se dice *Urbs vetus.*

SEGUNDA CLASE

20 En ésta pondremos sólo los motes y nombres
de los papas, porque la explicación, por no hallarse alguna propia, cada uno la discurre como puede.

Pía civitas in bello. La ciudad piadosa en
25 la guerra. Inocencio IX.

Crux Romulea. La cruz de Roma o de Rómulo. Clemente VIII.

Undosus vir. Hombre de las ondas o como las ondas. León XI.

Gens perversa. Gente perversa. Paulo V. ⁵

In tribulatione pacis. En la tribulación de la paz. Gregorio XV.

Lilium et rosa. El lirio y la rosa. Urbano VIII.

Iucunditas crucis. El gozo o deleite de la cruz. Inocencio X. ¹⁰

Montium custos. La guarda de los montes. Alejandro VII.

Sydus odorum. El astro de los cisnes. Clemente IX.

De flumine magno. Del gran río. Clemen- ¹⁵ te X.

Bellua insatiabilis. La bestia insaciable. Inocencio XI.

Penitentia gloriosa. La gloriosa penitencia. Alejandro VIII. ²⁰

Rastrum in porta. El rastrillo en la puerta. Inocencio XII.

Flores circumdati. Las flores rodeadas. Clemente XI.

De bona religione. De la buena religión. Ino- ²⁵ cencio XIII.

Miles in bello. El soldado en la guerra. Benedicto XIII, que hoy felizmente gobierna.

El padre Ricardo Arsdekin, que en el primer

tomo de la Teología tripartita trae las profecías de Malaquías, desde Sixto IV hasta Inocencio XI, confiesa que nadie halló explicación a las que tocan a Inocencio IX y a Paulo V. En sustancia dice lo mismo de la de Clemente X. ¡Buenas profecías por cierto aquellas
que, aun visto el suceso, no se les encuentra
aplicación! El padre Paprebochio en el Propi-
leo dice también que a tres no se les pudo dar
explicación alguna, y así a todas las desprecia.
Es verdad que en el Diccionario de Moreri se
hallan explicadas todas, pero con suma impropiedad y violencia.

TERCERA CLASE

En ésta entran las de los Pontífices futuros.
Columna excelsa. La alta columna.
Animal rurale. El animal del campo.
Rosa Unubriae. La rosa de Espoleto.
Ursus velox. El oso veloz. Otros leen: *Visus
velox*.
Peregrinus apostolicus. El peregrino apos-
tólico.

8 Daniel Papebroch (1628-1714): *Propylacum antiqua-
rium circa veri ac falsi discrimen in vetustis membranis*.
Acta Bollandiana, t. II del mes de abril, 1675. *Versus finem*, ap. 4.

Aguila rapax. La águila rapante.

Canis et coluber. El perro y la culebra.

Vir religiosus. El hombre religioso.

De balneis Etruriae. De los baños de Toscana.

Crux de Cruce. La Cruz de la Cruz.

Lumen in caelo. La luz en el cielo.

Ignis ardens. El fuego ardiente.

Religio depopulata. La religión despoblada.

Fides intrepida. La fe intrépida.

Pastor Angelicus. El pastor angélico.

Pastor et nauta. El pastor y el marinero.

Flos florum. La flor de las flores.

De medietate lunae. De la mitad de la Luna.

De labore Solis. El trabajo del Sol.

De gloria olivae. De la gloria de la oliva.

[Acaban estas profecías con la siguiente cláusula, que pongo traducida en castellano: *En la última persecución de la Santa Iglesia Romana ocupará la Silla Pedro Romano, que dará pasto a sus ovejas, padeciendo muchas tribulaciones; pasadas las quales, la ciudad de siete montes (Roma) será destruída y el tremendo Juez vendrá a juzgar a su pueblo.*

§ 7.

Las profecías de los reyes tienen todas las
señas de suposición, y algunas más que las de
los papas. Es la voz común que se hallaron no
ha mucho tiempo en el Monasterio de Poblet.
Tengo noticia de dos manuscritos de estas
profecías, en uno de los cuales hay esta nota:
Hae prophetiae sunt de tempore Sancti Mala-
chiae, reconditae in archivo Monasterii de Po-
blete, indeque anno 1639 fuerunt missae Excel-
lentissimo Comiti de Gueralt, locum 'tenenti
suae maiestatis in Catalania. (*Estas poesías, que*
son del tiempo de San Malaquías, estaban guar-
dadas en el Archivo de Santa María de Poble-
te, y de allí fueron enviadas el año de 1639 al
excelentísimo Conde de Gueralt, Virrey de Ca-
taluña). En el otro se dice, que un Embajador
de España en Londres, halló en un archivo de
Inglaterra profecías de San Malaquías sobre
los principales reinos de Europa y de ellas en-
tresacó las que tocaban a los reyes de España.

Pero para mí no es dudable que el hallazgo
del Embajador es apócrifo. Ningún autor extranjero da noticia de profecías de Malaquías
pertenecientes a otros reinos; si se hubieran descubierto, corrieran en las naciones, como las de

los Papas. Ni aun de las de los Reyes de España hacen memoria, de donde se infiere que
esta fábula nació en España, y sólo en España se conserva.

El tiempo de la suposición no puede deter- 5
minarse a punto fijo. Paréceme muy probable
que hacia los fines del reinado de Felipe tercero se fraguaron estas profecías, porque los
hechos generales de los reyes están designados
con harta claridad hasta la expulsión de los 10
moriscos que se hizo en tiempo de Felipe tercero, y la cual se nota en la profecía perteneciente a este rey, con estas voces: *Perdet a re-
gno reliquias lunae*. De allí adelante no se halla
correspondencia alguna entre los sucesos y las 15
predicciones.

Esta una prueba visible de la suposición. En
la profecía tocante a don Fernando *el Católico*
se expresa el descubrimiento del nuevo mundo
juntamente con los nombres de Colón y Cortés: 20
*Et mundum novum manifestabit post Colon,
Cortes*. En la de Carlos quinto la presión del rey
Francisco en Pavía, *iuxta Pavonera, Gallum
comprehende,* e inmediatamente, con voces bien
alusivas, la del Duque de Sajonia y la del Papa 25
Clemente VII. *Saxum cum petra subiectum ha-
bebit*. En la de Felipe II la victoria naval sobre
la armada turca junto a Nigroponte: *Lunam
conclypsat in Nigro Ponte,* y la conquista de

Portugal, designada en las *quinas* (armas de aquel reino) que se apropia: *quinquena vulnera sibi appropiat.* Hasta los años que vivió aquel rey están bien determinados: *Septuagenarius, et plus occumbet,* pues vivió setenta y un años y cuatro meses. En el tiempo de Felipe III se manifiesta, como se dijo, la expulsión de los moriscos. De allí adelante no hay proporción alguna a lo que sucedió. Y es vano el trabajo de los que con interpretaciones violentas y alusiones forzadas, estiran las locuciones, hasta que lleguen a lo que ellos quieren, pues de este modo a todo vendrán y ningún hombre habrá que no pueda meterse a Profeta.

Vióse esto claro estos años pasados, en que la profecía correspondiente a este reinado era interpretada según el afecto de cada uno. Los que deseaban la conservación del príncipe que nos dió el cielo, le hallaban designado muy a su placer en la profecía; los que se inclinaban al competidor, encontraban la predicción muy acomodada a su deseo. Y cosa graciosa fué el alborozo de éstos, cuando el señor archiduque con el nombre de Carlos VI fué coronado emperador de Alemania; porque aquel *sextus* del versículo *Ardens ut facula sextus ingreditur* que antes ni unos ni otros podían acomodar a su partido, aunque unos y otros le acomodaban,

ya le vieron venir clavado al Príncipe que reinaba en su corazón.

Confirma fuertemente la falsedad el que en
la profecía del reinado presente no se dice cosa
que aluda a la renuncia y restitución al cetro 5
de nuestro rey Felipe V (que Dios guarde),
siendo un suceso singularísimo; y lo que es más,
falta en esta serie de reyes Luis el primero, de
cuyo breve reinado nada se dice, ni cosa que
pueda apropiarse a esta interpolada domina- 10
ción. Pondré aquí esta profecía con las dos restantes (pues no hay más), aunque dudo que esté
bien copiado el ejemplar que tengo presente,
pues la gramática está en partes defectuosa.

> Ardens ut facula sextus ingreditur   15
> Post multa gesta in unum venient
> Castrum, Leo, Gallus, et Aquila
> Et virginem ipsi tenebunt,
> Et postea Lunam in marí mergent.
> Et Nardus furit cui successit— (Dudo si esto 20
> Non minus fide, regno et sceptro : [toca ya a
> Sua dominia in Ortu augebit: [otro Rey.)
> Dum fidem servat, ei evenient
> Bella quae geret ex desiderio.
> Occumbet felix sexagenarius.   25
> Carolus trahit trabeam rubeam
> Septimum sceptrum cum pugione
> Qui res mirabiles ipse videbit,
> Nec flos, nec corvus, nec vulpes, nec aquila;
> Dracones sibilant, nec crucem deferent.   30
> Henricus auctor diadema auget
> Fresus laboribus pro fide Petri.
> De Don resurget, qui eum premet
> Et regnat ut coluber, ut ipse regnet.
> En infinita tandem sæcula, Deus iudicat.   35

§ 8.

Estos y otros semejantes embustes se ponen
en crédito, por suponerse anterior su data a
todos los sucesos de que tratan. Es por la mayor parte historia lo que se juzga profecía; y
con decirse que se extrajo de un sepulcro o se
halló en el seno más retirado de un archivo,
para los incautos no se ha menester más testimonio. En Nicetas, historiador griego, se halla un célebre ejemplar de estas ficciones.

El astuto y ambicioso Focio, patriarca cis-
mático de Constantinopla, habiendo caído de
la gracia del emperador Basilio y de aquel em-
pleo, ideó y puso en ejecución un extraño ar-
did, para volver a alcanzar su fugitiva fortuna. Escribió en antiguos caracteres alejandri-
nos un cuaderno que, como si hubiese sido escrito algunos siglos antes, en tono profético
trataba, entre otras cosas, de la genealogía de
Basilio, a quien hacía descender de Tridates,
rey de Armenia. Este cuaderno entregó a su
amigo y confidente Teófanes, bibliotecario del
emperador, el cual, pasado algún tiempo, se le
mostró al Príncipe, diciéndole que le había hallado entre los libros raros de su Biblioteca y
que no podía menos de ser alguna cosa exqui-

sita. El Emperador, como siempre en lo inin-
teligible se sospecha algo admirable, curioso de
saber lo que contenían aquellos oscuros caracteres, dijo a Teófanes que buscase quien supiese descifrarlos; a que Teófanes respondió que
no discurría que hubiese en todo el imperio hombre capaz de hacerlo sino Focio. Esto se hacía
muy verisímil, porque, de hecho, Focio era sujeto de erudición y capacidad extraordinaria,
excelente gramático, poeta, orador, matemático, filósofo, astrónomo, médico, teólogo, en que
lo más admirable fué adquirir tantas ciencias,
habiendo estado siempre en empleos políticos
y militares. Siendo llamado Focio, le fué fácil descifrar lo que él mismo había cifrado. Basilio, que era de baja esfera, se lisonjeó extre-
mamente de verse entroncado con la descenden-
cia de un rey que le había precedido ocho siglos. Aun reducido el escrito a los caracteres
comunes, restaban algunas oscuridades, cuya
ajustada explicación, dada por Focio, no dejó
duda de su recta inteligencia. Nadie pudiera adivinar qué significaba esta voz misteriosa *Beclas,*
sino el mismo que, con estudio, la había fabricado. Descubrió el engañoso intérprete notadas
en ella las seis personas que constituían la familia imperial, porque cada letra de aquella voz era
inicial del nombre de alguno de los seis sujetos.
La B de Basilio, la E de su mujer Eudoxia; las

cuatro restantes pertenecían a cuatro hijos que
tenían: Constantino, León, Alejandro y Stéfa-
no. Todo lo que se seguía en el cuaderno eran
promesas de prosperidades a los sujetos señalados en aquella enigmática voz. Este agudo artificio autorizó más a Focio con el emperador Basilio que a Damiel con el rey Baltasar la interpretación de la misteriosa escritura: *Mane, The-*
cel, Phares. Fué repuesto en la silla patriarcal
muerto el santo patriarca Ignacio, y dominó
siempre el espíritu de Basilio, corrompiendo la
buena índole de aquel príncipe, con harto perjui-
cio de la Iglesia.

ANTIPATIA DE FRANCESES
Y ESPAÑOLES

§ 1.

Los filósofos que no alcanzando las causas físicas de la concordia o discordia de algunos entes, recurrieron a las voces generales de simpatía y antipatía, tienen alguna disculpa; pero los políticos que, teniendo de su facultad harto visibles las causas de la oposición de algunas naciones, han acudido al mismo asilo, se puede decir que cierran los ojos, no sólo a la razón, mas también a la experiencia. Esta ojeriza nace de los daños que mutuamente se han hecho en varias guerras, y las guerras de las opuestas pretensiones de los príncipes.

Ninguna antipatía más decantada que la de franceses y españoles. Tanto ha ocupado los ánimos la persuasión de la congénita discordia de las dos naciones, que aun cuando dispuso el

2 Tomo II, discurso 9.

cielo que la augusta casa de Francia diese rey
a España, muchos pronosticaban que nunca se
avendrían bien. De hecho, aun después por algunos años experimentamos los funestos efec-
5 tos de esta aversión. Empero es cierto que no
dependía el encuentro de alguna oculta disim-
bolización de corazones, causada por el arcano
influjo de las estrellas; sí sólo de que aún estaban recientes las heridas recibidas en las pró-
10 ximas guerras:

> *Nondum enim causae irarum, saevique dolores*
> *Exciderant animo.*

Si hubiese alguna oposición antipática entre
las dos naciones, como ésta es natural, sería tan
15 antigua como ellas. Bien lejos de eso, su correspondencia en otros tiempos fué tan amigable,
que Felipe de Comines dice que no se vió otra
tan bien asentada en todas las provincias de la
cristiandad. "Ningunas provincias, son pala-
20 bras de este gran político, entre cristianos están
entre sí trabadas con mayor confederación que
Castilla y Francia, por estar asentada con grandes sacramentos la amistad de reyes con reyes
y de nación con nación."
25 En efecto, no se vió jamás entre príncipes
alianza concebida en tan estrechos términos co-

---

12 Aún no se habían borrado de su memoria las causas
de su cólera y de su cruel resentimiento. (*Eneida*, I, 25-26.)

mo la que juraron Carlos V, rey de Francia, y
Enrique II, de Castilla; pues no sólo se la pro-
metieron de rey a rey y de reino a reino, pero
aun de particulares a particulares; de modo que
en cualquier parte y ocasión que se hallasen cas- 5
tellanos y franceses, se habían de asistir y defender recíprocamente como hermanos, contra
cualquiera que los quisiese injuriar.

Algunos quieren que el dominio de los austriacos haya introducido en España la oposición 10
a los franceses. Yo consentiré en que la aumentó, mas no en que le dió origen; pues ya antes
el reino de Nápoles había sido la manzana de la
discordia entre las dos naciones. Así, juzgo que
considerada esta ojeriza en su primer estado, no 15
la heredaron los españoles de los alemanes, sino
los castellanos de los aragoneses. Entre las casas de Aragón y Francia se había disputado antes furiosamente la corona de Nápoles; y Aragón, en su unión con Castilla, trajo acá el dere- 20
cho, la guerra, la conquista, y, por consiguiente,
el resentimiento.

§ 2.

He dicho que la introducción de los austriacos en España aumentó la oposición entre fran- 25
ceses y españoles. Ni la de los austriacos con los

franceses es muy antigua. Antes de Maximiliano, abuelo de Carlos V, pocas querellas habían
precedido entre unos y otros. La princesa María
de Borgoña, heredera de su padre Carlos el
5 Atrevido, fué la hermosa Helena, que puso en
armas los dos partidos. Esta señora, pretendida
para el Delfín de Francia, repelió la propuesta
de aquel príncipe por muy niño, y se casó con el
emperador Maximiliano. Vengóse después del
10 desaire el Delfín, ya rey con el nombre de Carlos VIII, en la persona de la princesa Margarita, hija de Maximiliano y de María; pues habiendo contraído esponsales con ella, la despidió,
y se casó con Ana, duquesa de Bretaña. Recibió
15 en esta ofensa dos grandes heridas el corazón de
Maximiliano en que acaso la menos penetrante
fué el desaire dado a su hija. Es el caso que
muerta ya entonces la princesa María, pretendía
Maximiliano con ardor a la Duquesa de Bretaña
20 para segunda esposa suya, y llegó a firmar los
tratados con ella por su procurador el Conde de
Nasau. Estando las cosas en este estado, fácil
es conocer qué grande sería el dolor de Maximiliano, al ver que un rival enemigo suyo, atrope-
25 llando la fe de dos esponsales, le usurpase la pretendida esposa, habiendo hecho paso para este
insulto por el desprecio de su hija.

De aquí nacieron porfiadas guerras entre los
dos príncipes. Muerto Maximiliano, y adquirida

a la casa de Austria la Monarquía española, parecieron sobre el teatro otros dos de las dos casas, Carlos V y Francisco I, en cuya emulación concurrieron como causas, no sólo la política y la fortuna, mas también la naturaleza, distribuyendo a entrambos excelentes prendas personales, que aun hoy tienen en las plumas de las dos naciones pendiente la cuestión de cuál deba ser preferido. Los muchos desaires que hizo la fortuna a Francisco I, a favor de Carlos V, especialmente en la pretensión a la Corona imperial y en la jornada de Pavía, agriaron el ánimo de aquel príncipe, verdaderamente generoso, de modo, que jamás pudo tolerar las dichas de su émulo, y para contrarrestarlas buscó una alianza sin ejemplar en los reyes antecesores suyos y sin imitación en los sucesores.

Continuáronse estas discordias en Felipe II, rey de España, con los reyes franceses que sucedieron a Francisco. El empeño que por una parte se hizo de favorecer la Liga católica de Francia, y el desquite que se arbitró por la otra de dar aliento a los rebeldes de Holanda, las encendieron más. De los principios señalados, juntos con la cuestión de precedencia entre los Embajadores de las dos coronas, que se disputó en el concilio de Trento y otras partes, además de las opuestas pretensiones de los príncipes, y otros capítulos de disensión, que sería prolijo

referir, vino esta oposición nacional, que se repu-
ta ya como característica en españoles y franceses, y en que erradamente se juzga que influye
la naturaleza de uno y otro país.

5   No negaré que hay alguna diversidad de genios en las dos naciones. Los españoles son graves, los franceses festivos. Los españoles miste-
riosos, los franceses abiertos. Los españoles
constantes, los franceses ligeros; pero negaré
10 que esta sea causa bastante para que las dos naciones estén discordes. La regla de que la semejanza engendra amor, y la desemejanza odio
tiene tantas excepciones, que pudiera borrarse
del catálogo de los axiomas. A cada paso vemos
15 diversidad en los genios, sin oposición en los
ánimos. Y aun creo que dos genios perfectamente semejantes no serían los que más se amasen.
Acaso se causarían más tedio que amor, por no
hallar uno en otro sino aquello mismo que siem-
20 pre posee en sí propio. La amistad pide habitud
de proporción, no de semejanza. Unese la forma
con la materia, y no con otra forma, con ser de-
semejante a aquélla y semejante a ésta. Con corta diferencia pasa en la unión afectiva lo que en
25 la natural. Los ardores del amor se encienden en
cada individuo por aquella perfección que halla
en otro, y no en sí mismo. Puede ser que en otra
ocasión, extendiéndome más sobre esta materia,
ponga en grado de error común el axioma de que

la semejanza engendra amor, como comúnmente se entiende.

§ 3.

Lo que he dicho arriba, que la oposición de
dos naciones viene de las guerras y hostilida-
des que recíprocamente se han hecho, se debe
entender por lo común, y no con la exclusión
de que tal vez intervenga otra causa. Véase esto
en la oposición de los turcos con los persas, la
cual es la más enconada que hay en el mundo
entre naciones diferentes. Siendo tanta la ojeriza que los turcos tienen con los cristianos, es
sin comparación mayor su aversión a los persas. Ningún oprobio les parece bastante para
exprimir el desprecio que deben hacer de aquella nación. Esto llega a la extravagancia de ser
entre ellos como proverbio que la lengua turca
ha de ser la única que se hable en el Paraíso, y la
persiana en el Infierno.

Todo este encono nace únicamente de diferencia en materia de religión. Siendo todos mahometanos, se tratan recíprocamente como herejes. Mutuamente se imputan haber corrompido algunos textos del Alcorán, como si aquel
disparatadísimo libro fuese capaz de más corrupción que la que trae de su original. Pero el
punto capital de la disensión está en que los

turcos veneran a Abubequer, Othman y Omar,
como que fueron los tres primeros califas o pontífices sumos, sucesores de Mahoma; los persas
les niegan este carácter, y colocan por primer
califa a Alí, primero hermano y yerno de Mahoma.

Por divertir al lector con una cosa graciosa, y
para que vea el horror que tienen los turcos a
los persas, pondré aquí la conclusión de la bula
de anatema que contra ellos expidió el mustí
Esad Efendi, y la trae en el segundo libro de su
Historia del imperio otomano el señor Rikaut,
que dice haberla copiado de un manuscrito antiguo que hailó en Constantinopla. Después de
enumerar el mustí otomano los capítulos por
donde los persas son herejes y malditos de Dios,
prosigue así: "Por lo cual claramente conocemos que vosotros sois los más pertinaces y pestilentes enemigos nuestros que hay en todo el
mundo, pues sois más crueles para nosotros que
que los jecidas, los kiasiros, y los cindikos, y
los durcianos; y por comprehenderlo todo en una
palabra, vosotros sois el compendio de todas las
maldades y delitos. Cualquiera cristiano o judío
puede tener esperanza de ser algún tiempo verdadero fiel; pero vosotros no podéis esperar esto. Por tanto, yo, en virtud de la autoridad que
recibí del mismo Mahoma, en consideración de
vuestra infidelidad y vuestras maldades, abier-

ta y claramente difino que a cualquiera fiel, de
cualquiera nación que sea, le es lícito mataros,
destruíros y exterminaros. Si aquel que mata a
un cristiano rebelde hace una obra grata a Dios,
el que mata a un persa hace un mérito que me- 5
rece setenta veces mayor premio. Espero también que la Divina Majestad en el día del juicio
os ha de obligar a servir a los judíos y llevarlos
a cuestas, a manera de jumentos suyos, y que
aquella nación infeliz, que es el oprobio de todo 10
el mundo, ha de montar sobre vosotros, y a es-
polazos os ha de encaminar a toda prisa al infierno. Espero, en fin, que muy presto seréis
destruídos por nosotros, por los tártaros, por los
indios y por nuestros hermanos y colegas de re- 15
ligión los árabes." Pensamientos y amenazas
dignas de un sectario de Mahoma. El caso es,
que esta terrible ex comunión parece que fué
oración de salud para los persas, pues después
acá, en los encuentros que se han ofrecido, por 20
la mayor parte dieron en la cabeza a los turcos.
¿A quién no moverá la risa ver con cuánta satisfacción de la buena causa que defienden, se
capitulan unos a otros sobre puntos de religión
aquellos bárbaros? 25

Quis ferat Grachos de seditione querentes?

---

26   ¿Quién toleraría que los Gracos se quejasen de una
sedición?

§ 4.

Pero volviendo a españoles y franceses, lo que invenciblemente prueba que su oposición, cuando la hay, es voluntaria, y no natural, es la amistad y buena correspondencia con que viven hoy. Todos debemos repetir al cielo nuestros votos para que nunca quiebre. Hoy depende de la cariñosa unión de las dos Monarquías el lograr para ésta un éxito feliz de las presentes negociaciones sobre la paz de Europa, y nuestra quietud y desahogo dependerá siempre del mismo principio. Si se atiende al valor intrínseco de la nación francesa, ninguna otra más gloriosa, por cualquiera parte que se mire. Las letras, las armas, las artes, todo florece en aquel opulentísimo reino. El dió gran copia de santos a las estrellas, innumerables héroes a las campañas, infinitos sabios a las escuelas. El valor y vivacidad de los franceses los hace brillar en cuantos teatros se hallan. Su industria más debe excitar nuestra imitación que nuestra envidia. Es verdad que esta industria en la gente baja es tan oficiosa, que se nos figura avarienta; pero eso es lo que asienta bien a su estado, porque los humildes son las hormigas de la República. De su

mecánica actividad tiran los mayores imperios
todo su resplandor. Y por otra parte, se sabe que
no tiene Europa nobleza de más garbo que la
francesa.

ÍNDICE

ESTE LIBRO SE ACABÓ DE IMPRIMIR
EN LA TIPOGRAFÍA DE "LA LECTURA"
EL DÍA XXX DE ABRIL
DEL AÑO MCMXXIII

EDICIONES DE LA LECTURA

PASEO DE RECOLETOS, 25. MADRID

CLASICOS CASTELLANOS

OBRAS PUBLICADAS

SANTA TERESA.—LAS MORADAS: Prólogo y notas por don Tomás Navarro. (Vol. 1.° de la Bibl.) (3.ª edición.)

TIRSO DE MOLINA.—TEATRO (*El Vergonzoso en Palacio y El Burlador de Sevilla.*) Prólogo y notas por don Américo Castro. (Vol. 2.° de la Bibl.) (2.ª edición.)

GARCILASO.—OBRAS. Prólogo y notas por don Tomás Navarro. (Vol. 3.° de la Bibl.)

CERVANTES.—DON QUIJOTE DE LA MANCHA. Prólogo y notas por don Francisco Rodríguez Marín, de la Real Academia Española. (Vols. 4.°, 6.°, 8.°, 10, 13, 16, 19 y 22 de la Bibl.)

QUEVEDO.—VIDA DEL BUSCÓN. Prólogo y notas por don Américo Castro. (Vol. 5.° de la Bibl.)

TORRES VILLARROEL.—VIDA. Prólogo y notas por don Federico de Onís. (Vol. 7.° de la Bibl.)

DUQUE DE RIVAS.—ROMANCES. Prólogo y notas por don Cipriano Rivas Cherif. (Vols. 9.° y 12 de la Bibl.)

B.° JUAN DE AVILA.—EPISTOLARIO ESPIRITUAL. Prólogo y notas por don Vicente G. de Diego. (Vol. 11 de la Bibl.)

ARCIPRESTE DE HITA.—LIBRO DE BUEN AMOR. Prólogo y notas por don Julio Cejador. (Vols. 14 y 17 de la Bibl.)

GUILLEN DE CASTRO.—LAS MOCEDADES DEL CID. Prólogo y notas por don Víctor Said Armesto. (Vol. 15 de la Bibl.)

MARQUES DE SANTILLANA.—CANCIONES Y DECIRES. Prólogo y notas por don Vicente G. de Diego. (Vol. 18 de la Bibl.)

FERNANDO DE ROJAS.—LA CELESTINA. Prólogo y notas por don Julio Cejador. (Vols. 20 y 23 de la Bibl.)

VILLEGAS.—ERÓTICAS O AMATORIAS. Prólogo y notas por don Narciso Alonso Cortés. (Vol. 21 de la Bibl.)

POEMA DE MIO CID. Prólogo y notas por don Ramón Menéndez Pidal, de la Real Academia Española. (Vol. 24 de la Bibl.)

LA VIDA DE LAZARILLO DE TORMES. Prólogo y notas por don Julio Cejador. (Vol. 25 de la Bibl.)

FERNANDO DE HERRERA.—POESÍAS. Prólogo y notas por don Vicente García de Diego. (Vol. 26 de la Bibl.)

CERVANTES.—NOVELAS EJEMPLARES. (*La Gitanilla, Rinconete y Cortadillo, La Ilustre Fregona, El Licenciado Vidriera, El Celoso extremeño y El Casamiento engañoso.*) Prólogo y notas por don Francisco Rodríguez Marín, de la Real Academia Española. (Vols. 27 y 36 de la Bibl.)

FRAY LUIS DE LEON.—DE LOS NOMBRES DE CRISTO. Prólogo y notas por don Federico de Onís. (Vols. 28, 33 y 41 de la Bibl.)

FRAY ANTONIO DE GUEVARA.—MENOSPRECIO DE CORTE Y ALABANZA DE ALDEA. Prólogo y notas por don M. Martínez de Burgos. (Vol. 29 de la Bibl.)

NIEREMBERG.—EPISTOLARIO. Prólogo y notas por don Narciso Alonso Cortés. (Vol. 30 de la Bibl.)

QUEVEDO.—LOS SUEÑOS. Prólogo y notas por don Julio Cejador. (Vols. 31 y 34 de la Bibl.)

MORETO.—Teatro. (*El lindo don Diego* y *El desdén con el desdén.*) Prólogo y notas por don Narciso Alonso Cortés. (Volumen 32 de la Bibl.) (2.ª edición.)

ROJAS.—Teatro. (*Entre bobos anda el juego* y *Del Rey abajo ninguno.*) Prólogo y notas por don Federico Ruiz Morcuende. (Vol. 35 de la Bibl.)

RUIZ DE ALARCON.—Teatro. (*La verdad sospechosa* y *Las paredes oyen*). Prólogo y notas por don Alfonso Reyes. (Volumen 37 de la Bibl.)

LUIS VELEZ DE GUEVARA.—El Diablo Cojuelo. Prólogo y notas por don Francisco Rodríguez Marín, de la Real Academia Española. (Vol. 38 de la Bibl.)

LOPE DE VEGA.—Teatro. (*El remedio en la desdicha* y *El mejor alcalde el Rey.*) Prólogo y notas por don J. Gómez Ocerin y don R. M. Tenreiro. (Vol. 39 de la Bibl.)

CAMPOAMOR.—Poesías. Prólogo y notas por don Cipriano Rivas Cheriff. (Vol. 40 de la Bibl.)

CASTILLO SOLORZANO.—La Garduña de Sevilla y Anzuelo de las bolsas. Prólogo y notas por don Federico Ruiz Morcuende. (Vol. 42 de la Bibl.)

ESPINEL.—Vida de Marcos de Obregón. Prólogo y notas por don Samuel Gili Gaya. Tomo I. (Vol. 43 de la Bibl.)

BERCEO.—Milagros de Nuestra Señora. Prólogo y notas por don A. G. Solalinde. (Vol. 44 de la Bibl.)

Larra (FIGARO).—Artículos, prólogo y notas por J. Ramón Lomba. Tomo I. (Vol. 45 de la Bibl.)

SAAVEDRA FAJARDO.—La República literaria. Prólogo y notas por Vicente G. de Diego. (Vol. 46 de la Bibl.)

ESPRONCEDA.—Poesías y El Estudiante de Salamanca. Prólogo y notas por J. Moreno Villa. Tomo I. (Vol. 47 de la Bibl.)

PRECIOS: En rústica, 5 pesetas; encuadernado en tela, 7; ídem en piel, 9.

CIENCIA Y EDUCACION

PUBLICADOS

P. NATORP. Pedagogía social. Traducción del alemán por Angel Sánchez Rivero. Precio: 7 pesetas, rústica; 9, tela.

REIN. Resumen de Pedagogía. Traducción del alemán por Domingo Barnés. Precio: 3 pesetas, rústica; 4,25, tela.

DAVIDSON. La educación del pueblo. Traducción del inglés por Juan Uña. Precio: 4 pesetas, rústica; 5,25, tela.

H. WEIMER. Historia de la Pedagogía. Traducción del alemán por Gloria Giner de los Ríos. Precio: 3,50 pesetas, rústica; 4,25, tela.

P. NATORP. Curso de Pedagogía general. Traducción del alemán por María de Maeztu. Precio: 2,50 pesetas, rústica; 3,75, tela.

R. ALTAMIRA. Filosofía de la Historia y Teoría de la civilización (2.ª edición). Precio: 2,50 pesetas, rústica; 3,75, tela.

ABEL REY. Lógica. Traducción por Julián Besteiro (3.ª edición). Precio: 10 pesetas, rústica; 12, tela.

ADOLFO POSADA, FELIPE CLEMENTE DE DIEGO y otros. Derecho usual. Precio: 10 pesetas, rústica; 12, tela.

BARTH, Pedagogía. Tomos I y II: Parte general y parte especial. Precio: 1.er tomo, 8 pesetas, rústica; 10, tela; 2.º tomo, 5 pesetas, rústica; 7, tela. (2.ª edición.)

ABEL REY. Etica. Traducción por MANUEL GARCÍA MORENTE. Precio: 6 pesetas, rústica; 8, tela. (2.ª edición.)

ABEL REY. Psicologia. Traducción por DOMINGO BARNÉS. **Precio:** 8 pesetas, rústica; 10, tela. (2.ª edición.)

FRANCISCO GINER DE LOS RIOS. Ensayos sobre educación.

BRACKENBURY. La Enseñanza de la Gramática. Traducción del inglés por ALICIA PESTAÑA. Precio: 3 pesetas, rústica; 4,25, tela. (2.ª edición.)

GIBBS, LEVASSEUR y SLUYS. La Enseñanza de la Geografía (monografías). Traducción y prólogo por ANGEL DO REGO. Precio: 3 pesetas, rústica; 4,25, tela. (2.ª edición.)

LAVISSE, MONOD, ALTAMIRA y COSSIO. La Enseñanza de la Historia (monografías). Traducción por DOMINGO BARNÉS. Precio: 3 pesetas rústica; 4,25, tela. (2.ª edición.)

EDMUNDO LOZANO. La Enseñanza de las Ciencias físicas y naturales. Precio: 3 pesetas, rústica; 4,25, tela. (2.ª edición.)

COMPAYRE. Pestalozzi y la educación elemental. Traducción por ANGEL DO REGO. Precio: 2,50 pesetas, rústica; 3,75, tela. (2.ª edición.)

ZULUETA. El ideal en la educación. Pr.: 5 ptas., rúst. 6,50, tela.

MONROE. Historia de la Pedagogia. Trad. por MARÍA DE MAEZTU. (2 tomos.) Precio: 7 pesetas, rústica; 9, tela, cada tomo.

COMPAYRE. Herbert Spencer. Traducción por DOMINGO BARNÉS. Precio: 2 pesetas, rústica; 3,25, tela.

PESTALOZZI. Cómo enseña Gertrudis a sus hijos. Traducción del alemán por LORENZO LUZURIAGA. Precio: 5 pesetas, rústica; 6,50, tela.

HERBART. Pedagogía general. Traducción del alemán por LORENZO LUZURIAGA, y prólogo de JOSÉ ORTEGA GASSET. Precio: 5 pesetas, rústica; 6,50, tela.

JULIAN BESTEIRO. Los juicios sintéticos "a priori" según Kant. Precio: 2 pesetas, rústica.

LUIS DE ZULUETA. El maestro. Precio: 1 peseta, rústica.

PESTALOZZI. El Método. Traducción del alemán por LORENZO LUZURIAGA. Precio: 1 peseta, rústica.

MILTON. De Educación. Traducción del inglés por NATALIA COSSIO. Precio: 1 peseta, rústica.

VIVES. Tratado del alma. Traducción por JOSÉ ONTAÑÓN. Precio: 5 pesetas, rústica; 6,50, tela.

MONTAIGNE. Ensayos pedagógicos. Traducción, prólogo y notas por LUIS DE ZULUETA. Precio: 5 pesetas, rústica; 6,50, tela.

WELPTON. Educación física e higiene. Traducción por RICARDO RUBIO. Precio: 7 pesetas, rústica; 9, tela.

GONZALO R. LAFORA. Los niños mentalmente anormales. Precio: 8 pesetas, rústica; 10, tela.

MANUEL B. COSSIO. El maestro, la escuela y el material de enseñanza. Precio: 1 peseta, rústica.

J. SANCHEZ DE TOCA. Las cardinales directivas del pensamiento contemporáneo en la filosofía de la historia. Agotado.

J. CASTILLEJO. La Educación en Inglaterra. Precio: 12 pesetas, rústica; 14,50, tela.

GURLITT. La Educación natural. Traducción por FAUSTINO BALLVÉ. Precio: 3 pesetas, rústica; 4,25, tela.

A. LOPEZ CARBALLEIRA. Religión comparada. Precio: 5 pesetas, rústica; 6,50, tela.

D. BARNES. *Ensayos de Filosofía y Pedagogía.* **Precio: 6 pesetas**, rústica; 7,50, tela.

LOCKE. *Pensamientos acerca de la educación.* Traducción y notas por DOMINGO BARNÉS. Precio: 5 pesetas, rústica; 6,50, tela.

COMPAYRE. *Herbart y la educación por la instrucción.* Traducción y bibliografía por DOMINGO BARNÉS. Precio: 2,50 pesetas, rústica; 3,75, tela.

BINET SIMON. *Tesis para el examen de la inteligencia.* I. Escala métrica. Precio: 2,50 pesetas.

E. BRUYN. ANDREWS. *Educación de la adolescencia.* Traducción por ALICE PESTAÑA. Precio: 4,50 pesetas, rústica; 5,75, tela.

COMPAYRE. *El P. Girard.* Precio: 2,50 pesetas, rústica; 3,75, tela.

F. VIAL. Condorcet. Traducción por DOMINGO BARNÉS. Precio: 2,50 pesetas, rústica; 3,75, tela.

DECROLY Y BOON. *Hacia la escuela renovada.* Traducción por SIDONIO PINTADO. Precio: 1 peseta, rústica.

BOVET. *El psicoanálisis y la educación.* Traducción por PEDRO ROSSELLÓ. Precio: 1 peseta, rústica.

SLUYS. *La cosmografía y su enseñanza.* Traducción por LUIS GUTIÉRREZ DEL ARROYO. Precio: 5 pesetas, rústica; 6,50, tela.

VIVES. *Tratado de la enseñanza,* por JOSÉ ONTAÑÓN. Precio: 6 pesetas, rústica; 7,50, tela.

KERSCHENSTEINER. *La escuela del trabajo,* por LUIS LUZURIAGA. Precio: 5 pesetas, rústica; 6,25, tela.

JONKHEERE Y DEMOR. *La Ciencia de la educación.* Precio: 8 pesetas, rústica; 10, tela.

WAISON Y OTROS.—Vives. Precio: 2,50 pesetas, rústica; 3,75, tela.

LIBROS ESCOLARES

Publicados (ENCUADERNADOS EN TELA)

ARITMETICA.—GRADOS 1.º, 2.º y 3.º, por Luis Gutiérrez del Arroyo. Precio: 0,75, 1 y 1,25 pesetas.

CIENCIAS FISICO-QUIMICAS.—GRADO 3.º, por Edmundo Lozano. Precio: 2 pesetas.

HISTORIA UNIVERSAL.—RESUMEN, por *Lavisse,* traducción y adaptación por J. Deleito. Precio: 3 pesetas.

HISTORIA NATURAL, por Francisco de las Barras. *Precio:* 2 pesetas.

EL CONDE LUCANOR.—Adaptado para los niños por Ramón M. Tenreiro, ilustrado por A. Vivanco. Agotado.

LA VIDA ES SUEÑO.—Drama de Calderón de la Barca, adaptado a manera de cuento por Ramón M.ª Tenreiro, ilustrado por F. Marco. *Precio:* 2 pesetas.

HERNAN CORTES Y SUS HAZAÑAS, por la Condesa de Pardo Bazán, ilustrado por A. Vivanco. *Precio:* 2 pesetas.

PLATERO Y YO.—ELEGÍA ANDALUZA, por Juan Ramón Jiménez, ilustrado por Fernando Marco. Agotado.

FABULAS LITERARIAS.—Por Tomás de Iriarte, ilustradas por P. Muguruza. *Precio:* 2 pesetas.

EL CALIFA CIGÜEÑA y otros cuentos, de W. Hauff, narrados por R. M. Tenreiro, ilustraciones de P. Muguruza. *Precio:* 2 pesetas.

BIBLIOTECA DE JUVENTUD